A raça no divã

A raça no divã
Thamy Ayouch

©Thamyayouch
© Editora Devires, 2025
© n-1 edições, 2025
ISBN Devires: 978-85-93646-81-2
ISBN n-1 edições : 978-65-6119-046-6

Editora Devires

TRADUÇÃO **Thamy Ayouch**
REVISÃO **Hailey Kaas**
COORDENAÇÃO EDITORIAL **Gilmaro Nogueira**
CAPA **Daniel Rebouças**
DIAGRAMADOR **Daniel Rebouças**
ILUSTRAÇÃO DE CAPA **Julie Abricot**

CONSELHO EDITORIAL

Prof. Dr. Carlos Henrique Lucas
Universidade Federal do Oeste da Bahia – UFOB

Prof. Dr. Djalma Thürler
Universidade Federal da Bahia – UFBA

Profa. Dra. Fran Demétrio
Universidade Federal do Recôncavo da Bahia – UFRB

Prof. Dr. Helder Thiago Maia
USP - Universidade de São Paulo

Prof. Dr. Hilan Bensusan
Universidade de Brasília - UNB

Profa. Dra. Jaqueline Gomes de Jesus
Instituto Federal Rio de Janeiro – IFRJ

Profa. Dra. Joana Azevedo Lima
Devry Brasil – Faculdade Ruy Barbosa

Prof. Dr. João Manuel de Oliveira
CIS-IUL, Instituto Universitário de Lisboa

Profa. Dra. Jussara Carneiro Costa
Universidade Estadual da Paraíba – UEPB

Prof. Dr. Leandro Colling
Universidade Federal da Bahia – UFBA

Profa. Dra. Luma Nogueira de Andrade
Universidade da Integração Internacional da Lusofonia Afro-Brasileira – UNILAB

Prof. Dr Guilherme Silva de Almeida
Universidade do Estado do Rio de Janeiro – UERJ

Prof. Dr. Marcio Caetano
Universidade Federal do Rio Grande – FURG

Profa. Dra. Maria de Fatima Lima Santos
Universidade Federal do Rio de Janeiro – UFRJ

Dr. Pablo Pérez Navarro
Universidade de Coimbra - CES/Portugal
e Universidade Federal de Minas Gerais - UFMG/Brasil

Prof. Dr. Sergio Luiz Baptista da Silva
Faculdade de Educação
Universidade Federal do Rio de Janeiro - UFRJ

n-1 edições

EDITORES-CHEFE **Peter Pál Pelbart e Ricardo Muniz Fernandes**
COORDENAÇÃO EDITORIAL **Gabriel de Godoy**
ASSISTÊNCIA EDITORIAL **Inês Mendonça**
PRODUÇÃO EDITORIAL **Isabel Lee**

A reprodução parcial deste livro sem fins lucrativos, para uso privado ou coletivo, em qualquer meio impresso ou eletrônico, está autorizada, desde que citada a fonte. Se for necessária a reprodução na íntegra, solicita-se entrar em contato com os editores.

1ª edição | Março, 2025
n-1edicoes.org | editora devires

Thamy Ayouch

A raça no divã

Sumário

Prefácio   **8**
Introdução: o pessoal é político   **16**
1. Você falou "raça"?   **30**
   O que a raça vem nomear?   **31**
      Uma tormenta francesa   31
      Nada mais do que relações   32
      Esquecendo a história   35
         Raça e história   35
         Gente sem história   42
      Voltou a biologia?   44
      Noli me legere   45
      Só tem classe   49
   O que a raça vem causar?   **53**
      "Não, a raça não existe. Sim, a raça existe".   53
      Corpos do délito   55
         Corpos de exceção   55
         Corpos estrangeiros na República   57
         Fenomenologia dos corpos racizados   62
            Fenômeno e estrutura racial   62
            Quando a intersubjetividade falha   65
            O espelho deformador   66
      O retorno do reprimido   68
2. A raça na psicanálise: estado da arte   **72**
   Uma metapsicologia racista?   **73**
      "Ciência judia"   73
         Mas o que é ser judeu/judia?   73
         Uma transmissão fantasiada   76
         Uma racização projetiva   79
      O primitivo e seu duplo   82
         O colono e o primitivo   82
         O analista e o primitivo   84
         O político e o primitivo   86

A primitiva: dupla pena ... 88
Metapsicologias do racismo ... **91**
   O "inconsciente coletivo": o Ocidente e seu umbigo ... 91
      O inconsciente de um povo? ... 91
      O inconsciente contra um povo? ... 93
   Os/as racistas no divã ... 97
   Uma psicanálise do racismo? ... 100
Enunciar a raça: discursos e silêncios ... **104**
   Lugares de fala ... 104
   From "God's Trick" to "God's Wrath" ... 107
      Ideia de uma história universal de um ponto de vista "não político". ... 107
      O narcisismo das grandes indiferenças ... 110
   Podem os/as analisandos/as falar? ... 113
O/a analista e a República ... **114**
   A neutralidade malevolente ... 114
   O universalismo racista ... 117

3. Sistema coletivo, efeitos subjetivos ... **120**
  A raça: um sistema ... **121**
  Mitos, símbolos e efeitos psíquicos da raça ... **128**
   O "devir-negro" do mundo: um mito-simbólico ... 128
   Pequenos e grandes assassinatos psíquicos ... 132
   O trauma da raça ... 134
  Branco é uma cor? ... **137**
   "Branquear ou desaparecer" ... 137
   Uma página em branco da história ... 140
      Das colônias às metrópoles: a invenção do branco ... 140
      Estudando a branquitude ... 143
      Lei privada, lei privadora ... 144
      O pacto narcísico da branquitude ... 148
      Mitos "antibrancos" ... 149
      Consequências analíticas ... 155
         Será branco o divã? ... 155
         Branquitude melancólica ... 158
         Da necessidade à contingência ... 160
  Na encruzilhada das relações sociais ... **162**
   Da interseção à fronteira ... 162

Opressões emaranhadas	162
Consubstancialidade e complexidade	163
Pensamentos da fronteira	166
Um Brasil afrofeminista	167
Queer e decolonial	168
Interseccionalizando a transferência	174

4. O que a raça faz à psicanálise — 178

A vida psíquica do poder — 179
- Desconhecer para saber — 179
- Compelir a relação — 184
- Conduzir a conduta — 186
- Inventar sujeitos — 193
- Resistir em contra e a favor... — 194
- O poder na sessão: raça e transferência — 196
  - Deslocar, incendiar, resistir, repetir — 197
  - Entre eu e eu? — 199
  - A transferência simbólica — 200
  - A raça na transferência — 201
  - Freud e Margareth: releituras — 206

Por uma metapsicologia da raça — 211
- Que metapsicologia? — 211
- Do dispositivo de sexualidade ao dispositivo de raça — 213
- O racial-infantil — 220

Resistir em psicanálise: do sujeito ao agente — 223
- Quem resiste? — 224
- Resistir é criar — 225
- Se desubalternizar — 226
- Se defender — 229
  - Se situar — 229
  - Se desmelancolizar — 230
  - Se enfurecer — 233
  - Se des-ontologizar — 239

Conclusão: perder o norte — 243
Além do princípio da branquitude (a título de posfácio) — 249

Prefácio

Profa. Dra Isildinha B. Nogueira

Quando terminei de ler o livro de Thamy Ayouch, "A Raça No Divã", me vi impactada pela força revolucionária do texto: pela clareza e cuidado no uso de todo arcabouço teórico, desde a filosofia, história, psicanálise e tantos outros saberes; pela diversidade e facilidade de Thamy em circular de maneira fluida e versátil por tantos conhecimentos, linguagens e línguas; um viajante atento com uma escuta atenta às diferenças e às interseccionalidades, implicando-se apaixonadamente pelos mais diversos territórios, culturas e línguas; por não temer se encontrar e se confrontar com a diversidade do ser e estar num mundo que mais exclui do que acolhe.

Seu texto teve em mim a força do texto de Jean Genet, escritor e poeta francês, que usou a raiva decorrente de sua história e trajetória pessoal de violência sofrida de maneira criativa e transformadora, engajada politicamente contra as injustiças sofridas por aqueles que são excluídos da história neoliberal oficial que elegeu e criou seres perfeitos e seres imperfeitos que devem ser desumanizados, descartados e, portanto, eliminados.

O texto de Thamy me atravessou o corpo físico, psíquico, emocional e político, me convocou a continuar a recusar a história neoliberal oficial, que usou as diferenças e diversidades dos seres humanos, própria da nossa condição, nos transformando em seres melancólicos e impotentes, numa resignação que nos adoece, fragiliza e nos conduz à autodestruição e à morte.

Ousou a "Liberdade transgressora de Genet", que falou pela voz agônica do excluído que não tem escuta; mas a indiferença de um sistema que os inviabilizou, ainda que sejamos uma presença importante, com várias faces na interseccionalidade nesse existir em sociedade.

Liberdade aqui no sentido Sartreano, "liberdade é possibilidade de fazer escolha"[1] - condição existencial do ser humano.

Ainda que "fazer escolha" não seja fácil, a escolha nos define. Quem queremos ser? Condição que nem sempre é possível para sujeitos racizados, já que são aleijados de acesso e das condições básicas de cidadania, como educação, saúde, moradia e condições dignas de trabalho; e são exilados da condição de cidadão, inseridos nas relações sociais na condição de excluídos, não como sujeitos de sua própria história, agentes políticos que operam em prol de mudanças.

Thamy adverte da importância de conhecer a história e nosso lugar nela: podemos nos recusar a esse lugar imposto e desejar um outro que não esse que somos colocados e vistos pelo sistema neoliberal capitalista, que insiste em nos exilar de nossa dignidade enquanto seres humanos diversos.

---

[1] Carlos Eduardo Ortolan Miranda, "O derstino libertário de Jean Genet", CULT: Revista Brasileira de Cultura. São Paulo, 12 mar. 2010. Disponível em: https://revistacult.uol.com.br/home/o-destino=-libertario-de-jean-genet/#:~:text-O%20p%C3%A1ria%20escreve%20uma%20poesia,parte%20da%20alma)%20produz%20literatura.

Seu texto convoca a psicanálise e os psicanalistas, não do lugar panfletário, a se atualizarem, a se localizarem como sujeitos inseridos numa realidade social, política, em tudo o que demanda o lugar, de ser social (cidadão) e suas implicações. Ele convoca a nos atualizarmos nesses novos tempos, afinal, estamos no século XXI, muito distantes do século XIX, primórdios da psicanálise pensada e criada por Freud, distantes de outras configurações sociais e demandas psíquicas que Freud pôde naquele momento escutar.

O tempo presente demanda uma ética que dê conta de contemplar as novas questões, demandas não do lugar de uma "suposta neutralidade" do analista isento do próprio sistema do qual também é um produto, a se reconhecer parte de uma sociedade, que o moldou e o localizou, como classe e como ser político, na relação com o analisando, que ocupa um outro lugar nessa relação, que não é com certeza o mesmo.

Esse período pós-colonial nos convoca a reconhecer e a enxergar os efeitos nefastos da colonialidade, da perspectiva clínica e teórica e seus consequentes atravessamentos culturais, clínicos, políticos e econômicos para a formação das subjetividades, já situados pelos estudos pós-coloniais e decoloniais. A psicanálise não pode ignorar esse conhecimento que diz dos atravessamentos que incidem sobre o sujeito do inconsciente.

No decorrer dos tempos, a psicanálise esteve a serviço da alta burguesia, apresentada e representada por uma cultura eurocêntrica, cis, heterocêntrica e branca, que sobrevive ainda hoje às custas da fantasia de uma pureza e superioridade racial branca em detrimento das raças "impuras", um produto do sistema colonial que inferiorizou seres para explorá-los economicamente, excluí-los, desumanizá-los e assim justificar e projetar toda sorte de violência e brutalidade, para subjugá-los e melhor controlá-los; a raça passa a justificar todo esse processo, que garante e sustenta esse regime de poder.

A raça não existe, no entanto: ela atravessa as relações entre sujeitos e grupos. Thamy se pergunta: *"O que acontece com a raça no divã? O que a raça faz à psicanálise? Que efeitos psíquicos as relações sociais de raça têm sobre o sujeito do inconsciente? O que a psicanálise pode dizer sobre raça? O que ela pode ouvir acerca dos efeitos do racismo sobre a subjetividade e sobre seu próprio dispositivo clínico e teórico?"*

Questões mais do que pertinentes, mas que, sobretudo, nos orientam no decorrer das ideias desenvolvidas no livro, e nos advertem dos silenciamentos e de uma certa cumplicidade indiferente em relação à raça, herança etnocêntrica desse sistema que estruturou nossas sociedades.

Vivemos numa sociedade estruturalmente racista. O conceito de raça aqui pensado por Thamy amplia, na interseccionalidade, diferentemente como aqui no Brasil discutimos raça e racismo, como apresentando essa dicotomia entre branco e negro.

Thamy faz uma observação da diferença que existe dos termos racizado (*racisé*, em francês) e racializado (*racialisé*), explicando que racização, termo criado pela socióloga Colette Guillaumin, é um aspecto do processo de racialização que diz das pessoas não brancas, é uma racialização negativa e inferiorizadora, enquanto pessoas brancas são só racializadas. Essas diferenças são importantes para a escuta analítica, uma advertência para que não deixemos de ouvir as experiências de discriminação, fixadas numa ideia de sujeito universal do inconsciente; corremos o risco de fazer um desmentido social da raça.

A perspectiva do conceito de raça indagado por Thamy implica numa abordagem política da psique, historicizada e contextualizada. À psicanálise cabe pensar como a psique e a função analítica acontecem frente ao exercício de poder, raça, gênero, classes, sexualidade; e como o capacitismo coloca a atuação do analista numa perspectiva política, visto que são categorias cujo inconsciente está atravessado pelas relações sociais e de poder, das quais a psicanálise e os psicanalistas não estão alheios a essas estruturas; caso contrário, pode-se incorrer numa psicanálise normativa.

A visão de Thamy acerca da raça é absolutamente descentrada, procede de uma perspectiva de autores não só europeus, mas de uma gama de trabalhos de autores do sul e norte global, sul-americanos, brasileiros e americanos, que servem como base para as questões que instigou esse trabalho.

Thamy costuma dizer que nós autores e autoras brasileiros estamos à frente nessas discussões de raça e nas implicações e atravessamentos e efeitos psicossociais do racismo. Entender e descrever a raça nas diversas dinâmicas de dominação e privilégios, as minorizações e alterações, incita no outro a violência racista; de Estados que são incapazes de garantir a seus cidadãos um modelo político que conceda a todos os mesmos direitos e deveres de forma igualitária e inclusiva. Frente a essa realidade do sistema neoliberal do qual estamos inseridos e fazemos parte, um convite a pensar: a que e a quem serve a psicanálise?

Nada justifica nos mantermos numa postura purista e tradicional de uma psicanálise que se recusa a pensar interdisciplinaridades dos saberes e conhecimentos que possa ampliar nossa visão e nos permita escapar do discurso de uma minoria que não consegue se atualizar e diz: *"mas isso não é psicanálise!"*. Como escapar das reflexões que são feitas das relações de poder a partir da filosofia, sociologia, ciências políticas, estudos de gêneros, dos estudos críticos de raça e da branquitude, dos estudos pós e decoloniais?

É preciso repensar nossa prática clínica e teórica. Estamos em outros tempos e Thamy nos traz novas perspectivas de uma psicanálise mais fluida e arejada, onde cabe pensar as questões não só da perspectiva do sujeito a partir do seu núcleo familiar, mas ampliada, descentralizada, interdisciplinar e interseccional, um trabalho meticuloso, uma pesquisa muito bem feita.

Sua experiência pessoal: nascido no Marrocos, passa pela descoberta de ser um "magrebino" quando chega à França para cursar o ensino superior; lá, ele se dá conta de que não era francês, apesar de falar o idioma perfeitamente; fica clara sua condição de "híbrido", árabe e muçulmano pela linhagem paterna, judeu pela materna e ateu pelo pessoal, como ele diz. Essa condição o colocou numa perspectiva multidisciplinar, que certamente o constituiu a ser quem ele é: aberto às possibilidades de várias formas de existir e estar no mundo. Não quero passar por cada capítulo e tirar o prazer que pude desfrutar de me encontrar, desencontrar, aprender com suas coleções, teorizações de uma nova perspectiva a partir de muito conhecimento acumulado, mas, para o final, Thamy nos brinda com o que ele chamou de racial infantil.

Ele propõe uma metapsicologia interseccional da raça que leva em consideração as relações sociais de gênero e sexualidade, diferentemente da Viena de Freud no século XIX, quando ele inventou a psicanálise. Thamy acrescentou a raça levando em conta a sexualidade infantil inscrita em múltiplas relações sociais, indo além do Édipo. Na perspectiva de Deleuze e Guattari em *"L'Anti-Œdipe*, o desejo individual como um agenciamento"[2], o desejo aparece num contexto social e político, onde está inserido o sujeito, que engloba tudo o que o constitui sua história, a história, geografia, política, economia, os povos e os fluxos. O contexto familiar do sujeito encobre todo um contexto histórico-político, racial, cultural e econômico. Para Deleuze e Guattari, nos diz Thamy: "cabe à libido delirar as raças: a histórias coletivas, histórias subjetivas que dela resultam estão escritas, mais do que na sexualidade e no dispositivo de sexualidade, na construção da diferença, à qual a raça serve de paradigma".[3] "O inconsciente e antes de tudo racial": citando Maël le Garrec, Thamy entende que onde parece não sê-lo, como no Édipo, "ele também está lá em virtude de um processo racial, ou precisamente antirracial de segregação e de sua negação".[4]

Pensando de modo interseccional ou inconsciente, o sexual infantil que inventou Freud é apenas uma parte do que entendemos da sexualidade simplificada. O racial-infantil, aqui entendido como colonial-infantil, vai constituir o inconsciente.

Mais adiante, Thamy, citando Foucault, fala sobre a guerra de raças, onde ele muda o discurso do conflito de raças para luta de classe, isso para dizer da transformação do discurso, que pretendia manter a noção de superioridade e pureza da raça que deveria estar sobre a proteção do Estado.

Gilles Deleuze e Félix Guattari, O Anti-Édipo: capitalismo e esquizofrenia. São Paulo: Editora 34, 2010. (Original publicado em 1972).
3 Idem.
4 Mäel Le Garrec, "Deleuze et Guattari: *le délire parle toujours de race*", Chimères, vol. 96, no. 1, 2020, pp. 186- 199.

O racismo é transgeracional, e determina quem deve viver e quem deve morrer; como diz Thamy, "não é uma anomalia, é intrínseco a biopolítica".

Thamy define o racial-infantil a partir da teoria de Achille Mbembe sobre o "inconsciente racial" e o "devir-negro" do mundo. O "negro", como foi visto anteriormente, é a figura moderna daquele "cuja carne foi transformada em coisa e mente em mercadoria".[5] Essa visão de Mbembe, que Thamy cita, se apoia em todas as humanidades subalternas, dentro da globalização do mercado, neoliberal e do trânsito diferenciado dos corpos.

O racismo estrutural sistêmico é uma realidade: não tem como a psicanálise ignorar a raça. Thamy propõe pensar o prazer-desprazer que constitui o sexual-infantil e repensar o racial-infantil que tem a ver com sobrevivência e necessidade de adaptação num mundo violento hostil de abuso e exclusão das pessoas racizadas ao longo da história. Em seguida, ao modo de Laplanche, Thamy define um racial-infantil, como um dicionário de termos, a último diz: "Proposição: o racial-infantil é o resíduo inconsciente do recalque-simbolização, mas também da forclusão da pluralidade da humanidade pela binaridade constantemente invisibilizada da raça".[6] E conclui: que, no nível do inconsciente, o efeito da história racial e racismo sistêmico é cada vez mais individual e singular, mas inscrito numa história coletiva.

E nos conclama a reagir, resistir e não sucumbir ao que ele chamou de melancolia de raça, propondo uma desmelancolização.

Como lidar com esse racial-infantil no processo de análise? E ouvir o que está em jogo para cada sujeito, na singularidade, fora do discurso hegemônico que aprisiona o negro numa identidade fabricada pelo sistema, que o desqualifica e desumaniza? Ele propõe se afastar do discurso colonial, não responder a alteração que é imposta ao sujeito racizado, se descolonizar, não negando, fazendo o desmentido de uma realidade que se impõe cotidianamente sem trégua.

Coloca como objetivo tentar redefinir a resistência na análise, como resistência política. Pós Freud, a resistência na análise é exclusivamente a do/a analisando/a; mas Lacan se contrapõe a essa versão e escreve que: "Existe apenas uma resistência é a resistência do analista"[7]. Thamy faz uma longa explanação do que isso implica nessa nova metapsicologia onde não existe o sexual-infantil puro, que não seja sempre determinado por um racial-infantil. Entender a resistência do analista, implica compreender como a transferência está atravessada por relações de poder, para permitir ao/à analisando/a se dessubalternizar psiquicamente, um processo político, uma descolonização. Se trata de ser um sujeito não mais falado pelo outro, mas ser autor de sua

---

5 Achille Mbembe, *Critique de la raison nègre.* Paris: Éditions La Découverte, 2013.
6 Thamy Ayouch, *La race sur le divan: Pour une psychanalyse intersectionnelle.* Éditions Anacaona, 2024, p. 202.
7 Idem, p. 204.

própria história. Esse trabalho implica os/as analistas darem conta de escutar as denúncias do racismo, uma fala que se repetirá até que alguma elaboração possível seja feita pelo/a analisando/a, racizado. A negação do discurso do/a analisando/a pode levar à patologização desse discurso, que o negacionismo do racismo estrutural por parte dos analistas pode perpetuar.

Ao contrario, se trata de poder acolher e tolerar o discurso de raiva que poderá vir do/a analisando/a; essa raiva como reação criadora que não tem a ver com incentivo da passagem ao ato, que em nada contribuiria para tirá-lo do lugar que a ideologia racista o colocou, como que confirmando um estereótipo criado para confirmar o lugar no qual essa ideologia o colocou.

Evidentemente, o que Thamy nos apresenta está na contramão do pensamento afropessimista, que tem uma visão de que o sofrimento e a violência sofridos pelos negros é ontologia, ontológica, essencialista e não se intersecciona com outros processos de lutas de pessoas racizadas. Esse pensamento parece se fixar na melancolização da raça, de modo insuperável. Thamy lamenta esse essencialismo, e eu também lamento essa recusa da interseccionalidade nas análises de raça e estratégias de lutas, permanecendo na solidão de um destino implacável que nos condenou a um eterno devir de dor e sofrimento.

Prefiro estar em companhia. Acredito que podemos nós os negros nos desmelancolizar. A companhia de Thamy, meu querido amigo de luta, muito tem me incentivado a seguir lutando, a transmutar a raiva e a dor numa energia criativa que nos resgate das múltiplas tentativas de exílios dessa falsa "normalidade" que não respeita nossas diferenças e nossos modos de gozar a vida. A diferença nos faz um na condição humana.

Introdução:
o pessoal é político

A psicanálise emergiu como um dos últimos produtos da modernidade, no contexto do capitalismo florescente, do dispositivo de sexualidade e das colônias prósperas do século XIX. Embora questione fundamentalmente a unidade narcísica triunfante do sujeito do progresso e, às vezes, a *scientia sexualis* da ordem médica, a psicanálise se isenta frequentemente do estudo da colonialidade na sua estrutura clínica ou teórica. A colonialidade é uma *episteme* que se refere aos efeitos da colonização além da independência e às suas consequências ainda vigentes: é um lugar de enunciação que atravessa a cultura, a política, a economia e a subjetividade. Tal questionamento da enunciação pode ser endereçado à psicanálise pelos estudos pós-coloniais e decoloniais.

O pensamento pós-colonial revela a colonialidade como um empreendimento não apenas político, militar e econômico, mas também epistemológico. Desenvolve uma forma alternativa de saber sobre a modernidade, revelando um projeto colonial sustentado por uma infraestrutura discursiva e um aparato de saber que produz uma violência epistêmica.

Originário de outras áreas geográficas, o pensamento decolonial foi elaborado mais recentemente por pesquisadores/as latino-americanos/as. Anibal Quijano desenvolve a ideia de colonialidade do poder, uma matriz baseada em quatro pilares: "a exploração da força de trabalho, a dominação étnico-racial, o patriarcado e o controle das formas de subjetividade (a imposição de uma orientação cultural eurocêntrica)".[1] A "colonialidade do saber", teorizada por Ramón Grosfoguel e Santiago Castro-Gómez[2], decorre da hierarquização dos modos de produção do saber, dando primazia à filosofia e à ciência ocidentais. Esses sistemas são atravessados por uma colonialidade de gênero[3], um regime de gênero binário ou heterocêntrico no qual existem diversas hierarquias de poder, um patriarcado de alta intensidade[4] e uma reprovação das sexualidades e gêneros não-binários. Por fim, a criação nas colônias da subjetividade triunfadora do *ego conquiro*[5], termo oposto ao *ego cogito* europeu, revela uma "colonialidade do ser" manifestada por uma "não ética da guerra", o poder de matar, saquear e estuprar, que passa do estatuto de exceção para o de regra. A raça é central aqui: ela legitima a desumanização, o massacre e a exploração de corpos colonizados e escravizados, naturalizando sua hierarquia.

---

1 A. Quijano, " 'Race' et colonialité du pouvoir", *Mouvements* 2007/3 (n° 51), p 111.
2 R. Grosfoguel, S. Castro-Gómez (eds), *El giro decolonial: reflexiones para una diversidad epistémica más allá del capitalismo global*, Bogotá, Siglo del Hombre Editores, 2007.
3 M. Lugones, "Heterosexualism and the Colonial / Modern Gender System", *Hypatia. Writing Against Heterosexism*, Vol 22, n° 1, 2007, pp 186-209.
4 Rita Segato, "Genero y colonialidad. Del patriarcado comunitario de baja intensidad al patriarcado colonial moderno de alta intensidade", in Rita Segato, *La critica de la colonialidad en ocho ensayos y una antropología por demanda*, Buenos Aires, Prometeo Libros, 2015, pp 69-100.
5 Nelson Maldonado-Torres, Nelson, "Sobre la colonialidad el ser: contribuciones al desarrollo de un concepto", em Santiago Castro Gómez y Ramón Grosfoguel *(eds.), El giro decolonial. Reflexiones para una diversidad epistémica más allá del capitalismo global*, Bogotá, IESCO, 2007.

A raça, porém, não existe. No entanto, ela permeia as relações entre grupos e entre sujeitos. Construída por uma longa história de violência habitualmente esquecida, continua operando hoje como regime de poder, princípio de hierarquização social, além de uma homogeneização fictícia do corpo político, de um universalismo abstrato ou de um princípio da igualdade formal. Isso tem efeitos psíquicos inegáveis, que uma psicanálise majoritária afetada ela também pelo escotoma colonial muitas vezes ignora.

Portanto, que acontece com a raça no divã? O que a raça faz à psicanálise? Que efeitos psíquicos as relações sociais de raça têm sobre o sujeito e o sujeito do inconsciente? O que a psicanálise pode dizer sobre raça? O que ela pode ouvir acerca dos efeitos do racismo sobre a subjetividade e sobre seu próprio dispositivo clínico e teórico? Em contrapartida, o que a raça pode dizer sobre a psicanálise: quais pontos cegos, quais etnocentrismos, quais indiferenças e quais silenciamentos a falta de tematização da raça induz no aparato analítico?

Como preâmbulo, talvez seja necessário destacar uma distinção: as perspectivas dos estudos de gênero (estudos de mulheres, estudos feministas, gays, lésbicos, *queer*, intersexuais, trans) podem apontar para posições psicanalíticas explicitamente binárias, hetero-cis-normativas, androcêntricas e, às vezes, até masculinistas, nas quais os preconceitos de gênero são claramente manifestos.[6] Não é de nenhum jeito o caso no que diz respeito à raça. Após os trabalhos muito diferentes de Octave Mannoni[7] e Franz Fanon[8] na década de 1950, parece que, pelo menos na França, uma abordagem psicanalítica das construções racializadas da subjetividade, mais do que do racismo, não tenha sido considerada relevante. Pelo contrário, nos séculos XIX e XX, a psicologia constantemente desenvolvia estudos racistas ao serviço do colonialismo e da escravidão. Como não enxergar aqui, semelhante ao androcentrismo pelo qual a psicanálise tem sido criticada, um verdadeiro etnocentrismo? Com a exceção de perspectivas muito recentes na França[9], de trabalhos sobre gêne-

---

6 Refiro-me aqui, cronologicamente, e entre outras obras na França, às de Sabine Prokhoris (*Le Sexe prescrit. La différence sexuelle en question*, Paris, Aubier, 2000, e *La Psychanalyse excentrée*, Paris, PUF, 2009), Jean Laplanche (*Sexual. La sexualité élargie au sens freudien*, Paris, PUF, 2003), Michel Tort (*Fin du dogme paternel*, Paris, Aubier, 2004), Monique Schneider (*Le paradigme féminin*, Paris, Aubier, 2004 e *Généalogie du masculin*, Paris, Flammarion, 2006), Monique David-Ménard (Sexualités, genre et mélancolie. S'entretenir avec Judith Butler, Paris, Éditions Campagne-Première, 2009), Laurie Laufer e Florence Rochefort (*Qu'est-ce que le genre*, Paris, Payot, 2014), Serge Hefez (*Le Nouvel ordre sexuel*, Paris, Kero, 2012; *Transitions. Réinventer le genre*, Paris, Le Livre de Poche, 2022; ou com Laurie Laufer, *Questions de genre: un dialogue entre Laurie Laufer et Serge Hefez*, Paris, Ithaque, 2022), Lionel Le Corre (*L'Homosexualité de Freud*, Paris, PUF, 2017), Fabrice Bourlez (*Queer psychanalyse: clinique mineure et déconstructions du genre*, Paris, Hermann, 2018), Laurie Laufer (*Vers une psychanalyse émancipée. Renouer avec la subversion*, Paris, La Découverte, 2022), Silvia Lippi e Patrice Maniglier, *Sœurs. Pour une psychanalyse féministe*, Paris, Seuil, 2023), ou Nicolas Evzonas, *Devenirs trans de l'analyste*, Paris, PUF, 2023.
7 Octave Mannoni, *Psychologie de la colonisation*, Paris, Seuil, 2022 (1950).
8 F. Fanon, *Pele negra, máscaras brancas*, Salvador, EDUFBA, 2008 (1952).
9 Poderia se mencionar aqui os seminários do Collectif de Pantin e seus trabalhos escritos, em particular o livro de Sophie Mendelsohn e Livio Boni, *La vie psychique du racisme. 1. L'empire du démenti* (Paris, La Découverte, 2021). Remeteria também ao livro de Karima Lazali sobre colonialismo (*Le trauma colonial. Un enquête sur les*

ro e colonialidade na Argentina e no Uruguai[10] e de pesquisas de vanguarda impressionantes no Brasil[11] a raça só aparece em segundo plano, por assim dizer, por sua ausência geral. Ela é um fantasma do discurso analítico majoritário, um eixo narcísico invisível que o mantém unido, o buraco na estrutura significante que o produz de acordo com uma coerência racial hegemônica.

Considerar a psicanálise como prática e teorização sob o ângulo da raça levanta uma série de questões. Antes de colocá-las, gostaria esclarecer um aspecto lexical. Usarei aqui a diferença que existe em francês entre racizado/a (*racisé/a*) e racializado/a (*racialisé*), e que será definida mais para frente nesse livro. A racização, termo cunhado pela socióloga Colette Guillaumin, é apenas um aspecto dos processos de racialização: se refere à produção de uma designação dominada. A racização é uma racialização negativa e inferiorizadora. Enquanto a racialização diz respeito a todos/as, a racização tange só às pessoas não-brancas. As pessoas consideradas como brancas são racializadas, mas não racizadas. É preciso perguntar, pois, o que significa crescer racizado/a num país autoproclamado branco e que efeitos a racialidade tem sobre os processos de identificação dos sujeitos. Mas a questão também diz respeito à maneira pela qual a violência social que os/as analisandos/as racizados/as vivenciam diariamente pode ser perpetuada no consultório do/a analista quando ele/a esconde as relações sociais de discriminação atrás de um sujeito universal do inconsciente. Por que desafeição passa o/a analista inscrito/a num desmentido social da raça? No dispositivo analítico, a raça diz respeito principalmente à maneira como uma maior exposição à vulnerabilidade

---

effets psychiques et politiques contemporains de l'oppression colonial en Algérie, Paris, La Découverte, 2018) e, sobre a deformação colonial da estrutura simbólica da linguagem, o livro de Jeanne Wiltord *(Mais qu'est-ce donc qu'un noir? Essai psychanalytique sur les conséquences de la colonisation des Antilles*, Paris, Crépuscules, 2019).
10 Vide Débora Tajer, *Psicoanálisis para todes. Por una clínica pospatriarcal, posheteronormativa y poscolonial*, Buenos Aires, Topía, 2020, Jorge Reitter, *Edipo Gay. Heteronormatividad y psicoanálisis*, Buenos Aires, Letra Viva, 2018, e Fernando Barrios, *De/generar psicoanálisis*, Montevidéu, Witz Editor, 2023.
11 Depois da pioneira Virgínia Bicudo, que em 1945 escreveu *Atitudes raciais de pretos e mulatos em São Paulo* (São Paulo: Editora Sociologia e Política, 2010), várias obras de psicanalistas e sociólogos surgiram entre 1970 e 1980, sobre a raça e seus efeitos psíquicos (por exemplo, Leila Gonzalez, *Por um feminismo afro-latino-americano*, Rio de Janeiro, Zahar, 2020, ou Neusa Santos Souza, *Tornar-se negro*, São Paulo, Raízes, (1983), 2020). Mais recentemente, nos últimos quinze anos, aproximadamente, os trabalhos sobre esse tema estão florescendo com grande vigor. Entre muitos outros, podemos mencionar, em ordem alfabética, Isildinha Batista Nogueira, *A Cor do inconsciente: significações do corpo negro*, São Paulo, Perspectiva, 2021; Fabio Belo (dir.), *Psicanálise e racismo: interpretações a partir de Quarto de Despejo*, São Paulo, Relicário, 2018; Cida Bento, *O pacto da branquitude*, São Paulo, Companhia das letras, 2021; Faustino Deivison, *Franz Fanon e as encruzilhadas: Teoria, política e subjetividade*, São Paulo, Ubu Editora, 2022; Andréa Máris Campos Guerra, Rodrigo Goes e Lima (orgs.), *A psicanálise em elipse decolonial*, São Paulo, N-1 Edições, 2021; Andréa Máris Campos Guerra, *Sujeito suposto suspeito: a transferência psicanalítica no Sul global*, São Paulo, N-1 Edições, 2022 ; Andréa Máris Campos Guerra, Fábio Santos Bispo, *Ocupar a psicanálise: por uma clínica antirracista e decolonial* ; São Paulo, N-1 Edições, 2023; Hanna Limulja, *O desejo dos outros. Uma etnografia dos sonhos yamomami*, São Paulo, Ubu Editora, 2022 ; Noemi Moritz Kon, María Lucía da Silva, Cristiane Curi Abud (dir.), *O racismo e o negro no Brasil: questões para a psicanálise*, São Paulo, Perspectiva, 2019 ; Ignácio A. Paim Filho, *Racismo: por uma psicanálise implicada*, Artes e Ecos, São Paulo, 2021 ; Augusto M. Paim, Ignácio A. Paim Filho, *Racismo e psicanálise, a saída da grande noite*, Artes e Ecos, São Paulo, 2023; Tania Rivera, *Psicanálise antropofágica (Identidade, gênero, arte)*, São Paulo, Artes e Ecos, 2020; Kwame Yonatan Poli dos Santos, *Por um fio: uma escuta das diásporas pulsionais*, Curitiba, Calligraphie, 2023. A produção brasileira sobre esse tema tem tudo a ensinar a uma psicanálise eurocêntrica.

intervém nas posições ocupadas por analisando/a e analista na transferência. Isso levanta a questão de saber se não existe uma forma específica de silenciamento subjetivo, distinta do recalque freudiano ou da alienação da linguagem, e até que ponto ela é mantida no consultório do/a analista.

Perguntar o que a raça faz à psicanálise implica desenvolver uma abordagem política da psique, historicizá-la e contextualizá-la. O que parece interessar principalmente à psicanálise aqui é a forma como a psique e o dispositivo analítico participam de relacionalidades inscritas em modos de exercício de poder. A raça, mas também o gênero, a classe, a sexualidade e a capacidade, lembram ao/à analista até que ponto sua prática é política: essas categorias possibilitam a concepção de um sujeito do inconsciente inseparável do espaço da *polis* e de suas configurações de poder, e enfatizam os efeitos desterritorializantes ou, ao contrário, prescritivos que a psicanálise pode ter. Pois a psicanálise vira totalmente normativa quando se aferra a uma ignorância reivindicada. Quando pretende se preocupar só da realidade psíquica, excluindo do seu interesse a realidade social, a psicanálise acaba reproduzindo, na sua teoria e prática, as normas em vigor. A raça a convida a examinar as condições políticas, econômicas e culturais do seu exercício e os fundamentos filosóficos e epistemológicos do seu corpus teórico.

***

A questão é muito atual na França, contexto político e cultural no qual vivo, clinico e escrevo: o uso do termo raça para descrever as diversas dinâmicas de dominação e privilégio, as minorizações e alterizações, desperta muita animosidade. Mostra, pois, que um Estado que considera apenas indivíduos abstratos pode falhar em garantir um modelo político fundamentalmente igualitário e inclusivo. Nos últimos vinte anos, a questão da raça desencadeou uma série de polêmicas virulentas na França, nas quais as denuncias midiáticas e políticas explodiram. O "indigenismo"[12] e o "comunitarismo"[13] foram considerados fatais para a República na década de 2000, o "neofeminismo interseccional", decorrente da "ideologia do gênero", suscitou violentas oposições na França na década de 2010 (mais de quarenta anos depois de seu desenvolvimento nos EUA), e a "cancel culture" encarnaria hoje, para a maioria indignada, o paradigma da censura. Pior ainda, se considera que o "islamo-isquerdismo"

---

12 O termo designa, de forma despectiva, o "Mouvement des Indigènes de la République", movimento antirracista criado por descendentes de migrantes das antigas colônias francesas (o termo "indigène" se refere, em francês, ao/às colonizadas, sujeitos do império francês).

13 Da mesma forma, o termo é despectivo: na República francesa, o cidadão é universal e qualquer menção, reivindicação ou defesa de um traço particular (de gênero, sexualidade, raça, religião, classe) é considerada como um "comunitarismo" que rompe o pacto republicano.

(*islamo-gauchisme*) é uma gangrena disseminada na universidade[14], o "decolonialismo" uma exploração constante da culpa e uma exacerbação do ressentimento[15], e o "racialismo" ou "neoracismo" uma substituição da luta de classes, um tema audacioso, mas academicamente aceito, pela designação acrimoniosa de desigualdades raciais. Soma-se a isso a denúncia do "wokismo", uma realidade que engloba essas Dez Pragas da França, verdadeira ameaça para os valores franceses, de acordo com um Ministro da Educação disposto a mobilizar um simpósio e um *think-tank*[16] para combater essa peste.

O destino do termo "woke" é bem representativo: derivado do *African-American Vernacular English* com o sentido de "acordado/a", o termo assumiu um significado social para referir à dimensão política dos problemas vivenciados pelos afro-estadunidenses. Ao contrário, o "wokismo" denunciado pela televisão, pelas colunas dos principais jornais e por políticos/as indignados/as, agita o espectro de um perigo que fragmentaria conjuntamente o contrato social, a República, a civilidade, a convivência social e o universal. Aqui destaca o que Alex Mahoudeau chama de "pânico moral": o medo de um fenômeno que colocaria em questão os próprios fundamentos da sociedade. Esse desabafo de emoção, retomado pela mídia de massa na forma de debates alarmados, acaba demonizando um grupo de indivíduos acusados de todos os tipos de maldade.[17] Se trata aqui de uma preocupação coletiva fantasmática, desvinculada da realidade da ameaça em questão. Embora o fenômeno muitas vezes se mostre irracionalmente ridículo, ele cria conflitos e orquestra uma vigilância das populações visadas. Os observatórios proliferam ("Observatoire du décolonialisme et des idéologies identitaires"[18], "Observatoire de la petite sirène"[19], etc.), multiplicando as vigias, generalizando um panóptico moral em que os/as observadores/as ocupam uma posição de prominência, totalmente soberana, acima da briga. Nos pânicos morais, no entanto, as polêmicas parecem ser autossuficientes e acabam rapidamente desabando: como no caso do "islamo-esquerdismo", contra o qual uma Ministra da Educação Superior e da Pesquisa declarou que estava travando uma batalha, para alguns meses

---

14 Comentário da Ministra francesa do Ensino Superior e da Pesquisa em 16 de fevereiro de 2021. O termo de "islamo-gauchisme" foi usado para remeter a acadêmicos/as e militantes produzidos/as por um improvável hibridismo, segundo a ministra, entre "khomeinismo" (ideologia de Khomeini) e maoismo...
15 Em 28 de novembro de 2018, o *Le* Point publicou um artigo intitulado "Le "décolonialisme", une stratégie hégémonique: l'appel de 80 intellectuels" ("Decolonialismo, uma estratégia hegemônica: o apelo de 80 intelectuais"). Ele pode ser encontrado no site:https://madinin-art.net/le-decolonialisme-une-strategie-hegemonique-lappel-de-80-intellectuels/ Acessado em 01/02/2024
16 O Ministro francês da Educação Jean-Michel Blanquer inaugurou o colóquio "Après la déconstruction: reconstruire les sciences et la culture" em 7 e 8 de janeiro de 2022. Em outubro de 2021, ele lançou seu próprio grupo de reflexão, o "Laboratoire de la République", contra "demandas identitárias de todo tipo [que] questionam a legacia universalista do Iluminismo e fragmentam perigosamente nosso corpo político".
17 Alex Mahoudeau, La Panique woke. Anatomie d'une offensive réactionnaire, Paris, Textuel, 2022. Edição eletrônica.
18 Se trata de um coletivo oposto aos estudos decoloniais – dos quais, na verdade, não conhece nada.
19 Eis um coletivo contra as transições de gênero em nome da necessidade de proteger e salvar as infâncias.

depois anunciar, sem que nada tivesse acontecido, que o problema havia sido resolvido.[20]

Essa oposição escandalizada à que se fale de raça remove as questões do campo da política para limitá-las ao da indignação moral, realizando assim uma verdadeira despolitização das relações de poder (racismo, sexismo, classismo ou capacitismo). O processo se revela cínico, já que uma ignorância absurda dos temas e dos inúmeros estudos críticos do assunto é reivindicada aqui, e proliferam interpretações descabidas e mal-entendidos grosseiros. Pois essa falta de conhecimento não é acidental ou involuntária, mas ativa e deliberada: faz parte das estratégias de deslegitimação que ignoram, distorcem e diabolizam para desacreditar, recusam qualquer debate científico sério substituindo-o pela condenação moral. Quando vozes minoritárias, ativistas e/ou acadêmicas, tentam apontar os sistemas de desigualdade que as afligem, são convidadas, muitas vezes veementemente, a se calarem. Contra os seus argumentos considerados subjetivos e enganosos, defende-se um dever de objetividade, neutralidade e ciência, com ignorância autossatisfeita e dominação despreocupada, reivindicando a autoridade do universal. Ou da República, quando é decretado que a questão racial dividiria o corpo nacional, minaria o projeto republicano de assimilação e comprometeria a igualdade garantida pelo universalismo. Aqui, republicanismo universalista e neutralidade axiológica fusionam, para a grande satisfação dos/as defensores/as do *status quo* social, político e científico. Pois, paradoxalmente, o a-politismo dos/as partidários/as de uma objetividade não-militante é apenas uma escolha política entre outras: a da reação, uma forma radical e invisível de militância em favor da ordem no mundo, dos discursos que a descrevem e das condições sociais que prevalecem nela.

Será que a psicanálise deve seguir essa indignação de bom tom, ceder ao pânico moral, denunciar o "wokismo" da raça e substituir à promessa de acordar o adormecimento confortável de uma prática repleta com certezas atemporais? Será que deve, como pergunta Laurie Laufer, evitar qualquer prática do risco em favor da repetição sempiterna, da mímica, da mesmice e do mimetismo?[21] Será que ela precisa retomar, sem questioná-la, a resistência viva ao conceito de raça e seus impasses epistemológicos, científicos e éticos? Será que deve perpetuar um nacionalismo metodológico que procura, na França, banir as relações sociais de raça e suas consequências psíquicas para outro lado do Atlântico?

---

20 No entanto, os efeitos dessa agitação são graves: ostracismo de pesquisadores que trabalham com essas questões, publicação de listas de acadêmicos/as a serem denunciados/as em vários sites, pressão exercida sobre docentes e estudantes de certas universidades, e paradoxal intervenção política contra aquilo que é considerado como a politização indevida da ciência, da pesquisa e da universidade.

21 Laurie Laufer, *Vers une psychanalyse émancipée. Renouer avec la subversion*, La Découverte, 2022, p. 10.

Será que a psicanálise deve se petrificar e rejeitar qualquer perspectiva que não caiba no seu discurso maioritário, sob o pretexto de que "não é psicanálise"? As relações sociais de poder determinariam apenas a realidade exterior, excluída do consultório do/a analista por uma prática disciplinada, um esnobismo que opõe o glamour do inconsciente à vulgaridade social, e uma ingenuidade aterradora, ao não ser um desinteresse conveniente. Da mesma forma, as discursividades que examinam essas relações de poder - sociologia, filosofia, ciência política, estudos de gênero, estudos pós e decoloniais ou estudos críticos da raça e da branquitude - ameaçariam corromper o discurso analítico, engessado numa identificação paranoica consigo mesmo. Se, no entanto, o alvo da abordagem analítica é questionar o monolitismo de toda identidade e sua rigidez narcisista, que a psicanálise tenha a elegância de não poupar o seu próprio discurso dessa cortesia. Caso contrário, a psicanálise corre o risco de se congelar como sistema autorreferencial sem exterioridade, ansioso para garantir sua própria reprodução ao idêntico por certificados de conformidade e normas imutáveis garantidas. Vira então uma prática de pequenos processualistas do inconsciente, uma teoria de administradores da psique, fora da contaminação do social e do político. Tentar saber o que a raça faz à psicanálise, à sua clínica e à sua teoria, significa, portanto, olhar além dos lugares-comuns de uma prática gratuita (e, porém, às vezes onerosa), livre e desprendida de todo utilitarismo, para perguntar por que, para quem e com que objetivo a clínica e o saber psicanalíticos são desenvolvidos. A quem serve o dispositivo, além dos analistas e suas escolas, quem se beneficia dele e quais são seus efeitos?

Com o objetivo de descentrar a psicanálise, de interdiscipliná-la e indisciplina-la a fim de quebrar o eixo narcisista em torno do qual ela pode se necrosar, proponho aqui lançar luz sobre o impacto da raça na psicanálise desde o ponto de vista de uma multiplicidade de discursos e disciplinas. Portanto, este não é um livro de filosofia. Nem de sociologia. Nem de história. Nem de ciências políticas. Nem de psicanálise pura. Não se trata da identidade de uma perspectiva, mas dos diálogos que várias mantêm entre si: a psicanálise, é a minha hipótese, só se mantém unida por meio de uma hibridação.[22] Além disso, este livro não se concentrará na realidade social de um determinado espaço nacional, mas, justamente para evitar uma abordagem etnocêntrica, tentará comparar diferentes contextos culturais - França, Brasil, México, Argentina, Estados Unidos e Reino Unido, entre outros. Essa perspectiva comparativa não deixa de revelar a insularidade da "exceção francesa".

***

---

[22] Me permito remeter ao meu livro *Psicanálise e hibridez. Gênero, colonialidade, subjetivações*, São Paulo, Calligraphie, 2019.

Além da minha familiaridade com textos de filosofia, antropologia, ciências sociais, ciências políticas e estudos críticos, esse questionamento sobre raça e psicanálise surge de minha prática clínica, e gostaria exprimir toda a minha gratidão para os/as analisandos/as que me ensinaram tanto sobre esse assunto. Entretanto, por razões clínicas, éticas e epistemológicas, optei por não falar diretamente deles/as. Minha perspectiva se opõe à exposição de "casos" de analisandos/as na escrita analítica. São muitas as razões: a obrigação de reserva do/a analista; a intromissão, para o/a analisando/a, de um voyeurismo que não faz parte do contrato analítico; a invariância da palavra escrita contra a constante mutabilidade da elaboração na cura; ou a ruptura, na narração de casos, dos princípios de livre associação e de abstenção do/a analista/a. A história de um caso, muito mais do que a do/a analisando/a, é a do/a analista: é, na maioria das vezes, uma tentativa do/a analista recuperar uma consistência, uma identidade de analista comprometida pelos movimentos transferenciais. Um caso, portanto, não é tanto a reconstituição de uma história quanto a construção de um lugar psíquico a partir do sintoma do/a analista. Isso é o que define meu trabalho clínico, e esse sintoma, mais do que a história de analisandos/as, é o qual escolho expor aqui situando-me.

Meu discurso, como analista ou teórico, está inscrito na minha designação como homem racizado. Ainda que não tenha escolhido o gênero no qual os outros me percebem, meu privilégio masculino implica uma responsabilidade: a de não me limitar ao conforto de uma posição dominante e de levar em conta as relações de poder nas quais se inscreve esse posicionamento. Designado por outros como homem, opto por me identificar com uma masculinidade não-binária, numa posição *queer* e minoritária em relação ao gênero e à sexualidade. Além disso, minha condição de classe como acadêmico e psicanalista me concede vantagens materiais e simbólicas que estão longe de ser comuns. Por outro lado, minha racização é definida por uma relação que não é a mesma nos diferentes países em que residi. Nascido no Marrocos, onde passei os primeiros dezoito anos da minha vida, descobri que era "magrebino" quando cheguei à França para cursar o ensino superior, depois de ter acreditado, adolescente, que era francês no Marrocos, por ter estudado numa instituição francesa e pelo idioma que falava. Esse sintoma de extimidade em relação a qualquer grupo federado em torno de uma unidade se reflete em minha condição de "híbrido", árabe e muçulmano por minha linhagem paterna, judeu pela materna e ateu pela pessoal. Essa posição de "menos um" que penso ocupar para com qualquer tema identitário se repetiu ao longo da minha formação multidisciplinar. Se pretendia pertencer a vários "campos disciplinares", era como trânsfuga: na minha perspectiva, a coesão e a unidade de um campo ao qual me referia só podiam derivar de minha externalidade, a fim de questionar, nesse campo, além das capturas imaginárias internas, as suas modalidades de constituição do saber. Por muito tempo me imaginei como atravessador de disciplinas, estudioso de literatura inglesa entre filósofos/as e filósofo entre literarios/as, mobilizando a psicanálise nos meus trabalhos de filosofia, e a filosofia, as ciências políticas, a sociologia e os *Studies*[23] para a minha pesquisa em psicanálise.

Atravessar uma fronteira nacional quando tinha dezoito anos se revelou muito estranho e completamente estrangeiro para com a minha fantasia da França que considerava tão familiar. O país ao qual cheguei como estudante emergiu das profundezas de uma intimidade livresca e, no entanto, provou ser fundamentalmente desconhecido. Por não ter uma passabilidade branca, me concentrei inicialmente em "passar despercebido", pois meu estatuto institucional de "extracomunitário", cidadão de fora da União Europeia, me expunha a uma série de discriminações administrativas. O "aviso de deportação" que uma prefeitura ansiosa por aplicar as diretrizes oficiais de exclusão havia colocado no meu passaporte, depois de três anos de estudos na França, me pegou pela garganta. E desde então ficou preso na minha garganta: nunca sai daquela fronteira para onde queriam me levar, habitei nela e vivenciei um vai-e-vem além de toda pretensão de identidade fixa.

Contra a dualidade Marrocos/França, por trás da qual mais tarde descobri muitas das binaridades herdadas da história colonial, procurei uma cultura múltipla e um poliglotismo conjurador: precisava cruzar as fronteiras, pelo menos as das línguas, sem ser parado. Me esforcei em quebrar o "monolinguismo da língua do outro"[24] num poliglotismo incapturável, pelo qual simbolizava um exílio não-escrito só por uma repetição constante. A decisão de residir por tempo prolongado em vários países - Reino Unido, Espanha, depois Brasil e Argentina - radicalizou minhas desidentificações e me familiarizou com diferentes posicionamentos dentro das relações sociais de raça. E me descobri insolitamente "branco" no Brasil. Um dia, numa palestra em Minas Gerais, me pediram para me descrever para pessoas deficientes visuais no público. Ao não me considerar nem negro nem branco, me identifiquei como pardo. Uma amiga querida achou esquisito e me confirmou que no Brasil, eu passaria necessariamente por um homem branco. Se isso confirma a raça como designação, e me outorga vantagens raciais que não posso negar, porém, sou e me considero africano, inserido numa história diversa da brasileira, mas também da europeia: uma história do Sul Global que me desidentifica da branquitude.

É por isso que a minha abordagem da raça em psicanálise pode aparecer como uma racionalização do meu romance familiar, ou melhor, político. É também por isso que minhas elaborações sobre esse assunto partem de minha teoria sexual infantil, de uma posição, uma província, que seria bastante tola se pretendesse incorporar o universo. E talvez, além de minha epistemologia situada, seja esse o objetivo de toda reflexão em psicanálise, que procede

---

[23] Incluo aqui os estudos culturais, os estudos de gênero, os estudos pós e decoloniais e os estudos críticos de raça e da branquitude.
[24] Jacques Derrida, *Le Monolinguisme de l'autre*, Paris, Galilée, 1996.

apenas por desconstrução, deslocamento, descentralização e se esforça para desacreditar qualquer afirmação que produzir.

***

Este livro, portanto, propõe um constante vai-e-vem entre o pessoal e o político, o subjetivo e o coletivo, o individual e o social, o singular e o comum. Seu objetivo é colocar a psicanálise em diálogo com os recentes desenvolvimentos dos estudos críticos, tanto internacionais quanto nacionais, para além de qualquer chauvinismo satisfeito.

A primeira parte é propedêutica: o objetivo é esclarecer a noção de raça, situá-la na realidade sociopolítica francesa e defini-la, além de qualquer concepção ontológica ou biológica racista, como uma realidade relacional. A raça não é um critério naturalizado, próprio a um sujeito ou a um grupo social, mas uma relação social. Em seguida, procuro estabelecer uma história da fabricação da raça, desde sua criação na Península Ibérica no século XV, até sua elaboração através dos movimentos de expansão colonial e escravidão nas Américas, e depois na África e na Ásia, para analisar seus efeitos no mundo pós-colonial e pós-imperial. A seguir, tento examinar os desmentidos dessa fabricação histórica: naturalização, biologização, tentativas políticas de remover o termo ou considerar apenas as relações sociais de classe. Contra isso, o objetivo é destacar o paradoxo de que a raça não existe, e, no entanto, tem efeitos sociais e psíquicos, e salientar a fabricação de corpos racizados, especialmente através das figuras do/a escravo/a, do/a autóctone, do/a imigrante ou do/a jovem da periferia na França.

A segunda parte visa estudar os efeitos da raça sobre o dispositivo analítico, nos níveis teórico e clínico. A raça atravessa a teorização analítica, embora indiretamente, por meio da concepção por Freud do judaísmo e do antissemitismo. Em primeiro lugar, se examina a forma como Freud rompe com qualquer perspectiva identitária sobre o judaísmo, definido como relacionalidade, relacionamento ético com o não-judeu. A seguir, analiso a tensão entre a reivindicação por Freud de uma identidade judaica na sua correspondência e o alvo de uma ciência universal, europeia e "desjudaizada" nos seus escritos teóricos. Entretanto, à luz de uma releitura histórico-política que considera a psicanálise como recriação secularizada por Freud da tradição hebraica, destaca uma dupla transmissão do judaísmo. A transmissão interna, traumática, que ele remonta ao homem Moisés, é criticada por conduzir a aporias teóricas. A transmissão externa, produzida pelo antissemitismo, é apresentada como o lugar de uma teoria indireta, mas reservada e provavelmente apenas psicológica, da raça, sendo, pois, que as extensões dessa noção são sociais e políticas. Remetendo a perspectiva de Freud às formações discursivas de sua época, o livro se propõe lançar luz, por meio de uma análise da categoria de "primitivo", sobre o racismo da metapsicologia clássica etnocêntrica.

Esse estado da arte sobre a raça na psicanálise conduz ao estudo de várias metapsicologias do sujeito racista ou do racismo, para apontar certas aporias. A questão é a seguinte: ao conceber o racismo como um conjunto de processos puramente intrapsíquicos próprios ao sujeito ou ao grupo racista, corre-se o duplo risco de perder de vista a singularidade de cada situação (sendo genéricas as características de um "perfil racista"), mas, sobretudo, de despolitizar o racismo como sistema. Para evitar isso, a abordagem da raça é retomada a nível clínico: levando em conta as epistemologias do posicionamento e a situação irredutível de todo discurso, surge a questão de quem pode falar numa sessão psicanalítica, em que termos, de acordo com que normas de inteligibilidade e quais critérios de escuta do/a analista. Essa questão vem colocada desde há tempo pelas epistemologias da subalternização: o/a subalterno/a não é apenas quem padece de uma relação de dominação, mas também quem não pode ter acesso a uma modalidade de expressão de si. Como então, dadas as relações sociais de raça, o dispositivo analítico pode silenciar aqueles/as que não são representados/as por uma gramática hegemônica? São analisadas de forma crítica as noções de neutralidade do analista, universalismo da teoria e, em contrapartida, etnocentrismo de certas perspectivas. O objetivo é repensar a forclusão da raça pela psicanálise dominante e refletir sobre o ressurgimento de um recalcado (fora das fronteiras da Europa colonial) na vida cotidiana e nos divãs.

Além de uma concepção meramente psicológica do racismo, a terceira parte pretende analisar o racismo sistêmico: distinto do racismo ideológico próprio a um indivíduo ou um grupo, existe um racismo institucional e estrutural, concebido como parte integrante da estrutura objetiva das relações ideológicas e políticas do capitalismo. É um processo que frequentemente ocorre sem o conhecimento dos indivíduos e se inscreve numa tradição histórica e política na qual as condições sociais de discriminação sistêmica contra grupos racialmente identificados são perpetuadas direta e indiretamente. O racismo estrutural não significa a perseguição intencional de pessoas racizadas, vítimas, por pessoas brancas mal-intencionadas: é a maneira impessoal pela qual a raça compromete a igualdade de oportunidades. Uma das dimensões fundamentais desse racismo sistêmico é sua invisibilização por um conjunto de construções e discursividades que exaltam o mito da meritocracia. A seguir, são estudados os efeitos psíquicos desse racismo estrutural: a formação de um Simbólico (categoria psicanalítica que remete à estrutura da linguagem e das trocas sociais) que perpetua discriminações e classificações de populações, assassinatos e traumas psíquicos, geralmente omitidos pelo dispositivo clássico da psicanálise, preso numa visão do sujeito mais familiar do que social.

A contrapartida desse racismo estrutural é a branquitude, um termo que designa a prevalência de normas sociais, culturais e políticas brancas que as minorias étnico-raciais enfrentam. Os estudos críticos da branquitude destacam a forma como o/a outro/a racizado/a é definido/a por uma diferença, uma alteridade em relação a um ponto zero, branco, que não procederia de qualquer particularidade. Esses estudos revelam que tanto o sujeito branco quanto o sujeito racizado são produtos do racismo estrutural. Após examinar os efeitos psíquicos da branquitude através da "lactificação", do branqueamento forçado ou idealizado e do colorismo, esta seção analisa o privilégio branco, desconstruindo o suposto "racismo anti-branco" e ressaltando as consequências da branquitude no dispositivo analítico.

O racismo estrutural e a branquitude estão, no entanto, inseridos em outras relações sociais, de gênero, sexualidade, classe, idade e capacidade. Isso é ilustrado, entre outras perspectivas, pelo pensamento interseccional de fronteira, como por exemplo o afro-feminismo brasileiro e o *queer* decolonial. À luz desses estudos sociopolíticos inovadores, o objetivo é entender a transferência na sessão analítica a partir dessa interseccionalidade das relações de poder.

Por último, a quarta parte do livro tenta promover uma nova metapsicologia, centrada na raça. Começa analisando a raça como relação de poder, de acordo com os cinco critérios da análise foucaultiana do poder: como poder-saber (produção de uma epistemologia da ignorância), relacionalidade, conduta de conduta, produção de subjetividades, mas também de resistências. Esse estudo da raça como relação de poder é então aplicado ao contexto analítico: a inovação dessa abordagem consiste em propor uma análise da transferência simbólica na relação clínica como repetição das relações sociais de raça concebidas de forma interseccional.

Esse estudo da transferência possibilita fundar uma nova metapsicologia centrada não na sexualidade, mas na raça. Para isso, são propostas as noções inéditas de *melancolia de raça*, de *dispositivo de raça* (consubstancial ao dispositivo de sexualidade foucaultiano) e de *racial-infantil*, uma dimensão psíquica própria à formação do inconsciente em contextos coloniais, pós-coloniais e pós-imperiais, indissociável do sexual-infantil teorizado por Freud. O objetivo dessa nova metapsicologia é favorecer uma nova forma de pensar a resistência do/a analisando/a, sujeito do inconsciente, e agente social, para promover uma prática analítica interessada mas do que na neutralidade, na emancipação.[25]

---

25 Laurie Laufer, *Vers une psychanalyse émancipée...*, op. cit.

1
Você falou "raça"?

O que a raça vem nomear?

Uma tormenta francesa

Antes de mais nada, parece preciso examinar mais detalhadamente a noção de raça e seu tratamento específico no contexto francês. Existe um anátema atual contra a palavra na França, que decorre de uma situação singular: a uma parte crescente da população francesa, que sofre discriminação racial diariamente, é endereçado um desmentido veemente da questão da raça por uma maioria de políticos/as, jornalistas e pesquisadores/as. Numa espécie de fetichização, a simples menção ao termo é considerada racista, e sua proibição, por exemplo removendo-o da Constituição francesa, bastaria por si só para que o racismo desaparecesse. Como observa Norman Ajari, o banimento ostensivo do termo demonstra o seu investimento imaginário excessivo, "particularmente nos trabalhos que afirmam ser os mais neutros e imparciais".[26]

Na França prevalece a ideia de que o Estado republicano não pode ser racista, devido aos seus princípios: a República ignora as origens e a cor da pele, suas instituições e autoridades públicas são por essência completamente alheias a qualquer ação racista. Portanto, o racismo é considerado marginal, específico a indivíduos ou à extrema direita, de forma alguma resultando do Estado ou de uma discriminação estrutural. Assim, a longa história francesa da escravidão, da dominação colonial, ou do regime de Vichy é relegada ao oblívio. Contudo, foi por meio da subjugação de populações não brancas, consideradas inferiores, e da introdução de uma linha de demarcação racial entre cidadãos/ãs (brancos/as) e súditos/as (autóctonos/as) que o Império Francês se desenvolveu. A novela nacional de uma França universalista, elaborada desde a Revolução, impede perceber como o racismo estrutura muitas áreas da sociedade francesa: polícia, justiça, trabalho, mídia, cultura, esporte, universidades, saúde e educação[27] são todos contextos nos quais a negrofobia, a islamofobia, o racismo anti-cigano e anti-asiático continuam a proliferar.[28]

Nos últimos anos, destacou uma constante desqualificação das mobilizações antirracistas: quando pessoas racizadas tentam falar em nome próprio e assumir uma posição de cidadãos/ãs, se procura silenciá-los/as e deslegitimar sua capacidade de pensar de uma forma que recorda o tratamento dos/as autóctonos/as das colônias pela psiquiatria colonial.

---

26 N. Ajari, *La dignité ou la mort*, Paris, La découverte, 2019, edição eletrônica.
27 O. Slaouti, O. Le Cour Grandmaison, "Introduction. La France, raciste ?" , in *Racismes de France*, Paris, La Découverte, 2020, pp. 9-21.
28 Veda-se por exemplo Fabien Jobard, "Police, justice et discriminations raciales", in E. Fassin, D. Fassin, *De la question sociale à la question raciale ?* Paris, La Découverte, 2006, pp. 211-229.

Portanto, quando não se proclama devotamente que a França foi poupada do racismo estadunidense, devido ao seu republicanismo universalista indiferente à cor e insensível à raça, se apoia um antirracismo compassivo que surgiu após a Marcha pela Igualdade e Contra o Racismo de 1983. Embora associações e órgãos como SOS-Racisme, "Touche pas à mon pote"[29], a DILCRAH[30] e a LICRA[31] tenham tido uma importância primordial na denúncia de certas formas de racismo, na maioria das vezes as reduziram a manifestações pontuais de indivíduos ou grupos, para condená-las moralmente e combatê-las com sanções civis ou penais. A discriminação sistêmica institucional e seus efeitos sociais e subjetivos permaneceram, portanto, como um ponto cego das suas ações. Contudo, quando, a partir de 2005, as pessoas concernidas passam a falar em nome próprio e a denunciar, por um discurso próprio, como tais discriminações as afetam, esse antirracismo político é violentamente desqualificado e acusado de destruir a República. A mesma condenação é dirigida aos/às pesquisadores/as que estudam a discriminação étnico-racial na sua interseção com outras formas de exclusão.

Nada mais do que relações

No entanto, que o racismo biológico teorizado no século XIX e seus avatares jurídicos não sejam mais oficialmente aceitáveis após a Segunda Guerra Mundial, e que Estados, instituições e indivíduos o denunciem publicamente em posições de princípio, não é suficiente para apagar o racismo social, estrutural e político. E mais, a raça não é apenas um problema de racistas explícitos/as: é uma ordem social global que surge na era moderna, na relação entre Europa, África e América, para organizar mundialmente a distribuição do trabalho, a produção de riquezas e as relações sociais. Essa ordem ainda tem efeitos vigentes hoje em dia.

Distinta da categorização biológica plural *das* "raças" teorizada nos séculos XVIII e XIX, *a* raça não se refere a nenhum pertencimento fenotípico naturalizado, mas a relações sociais de poder: não é biológica nem ontológica, mas *relacional*. O termo remete à fabricação histórica, social e política de hierarquizações por meio da colonização, do massacre de populações indígenas nas Américas, na África, na Ásia e na Oceania, da escravidão e do tráfico de africanos/as, e, mais tarde, dos processos de migrações econômicas incentivadas ou restringidas: isso é, um conjunto de elementos que fundamentam a modernidade e o desenvolvimento do capitalismo. A raça é

---

29 "Não mexa com meu colega", slogan oficial da associação francesa SOS Racisme.
30 "Délégation Interministérielle à la lutte contre le racisme, l'antisémitisme et la haine anti-LGBT" (Delegação Interministerial de Combate ao Racismo, Antissemitismo e Ódio Anti-LGBT).
31 "Ligue internationale contre le racisme et l'antisémitisme" (Liga Internacional contra o Racismo e o Antissemitismo).

uma construção social, que resulta da categorização e hierarquização das populações de acordo com suas línguas, culturas, práticas religiões e interesses econômicos na distribuição do trabalho. O uso sociológico *da* raça, em vez do uso biologizante e pseudocientífico *das* raças, simultaneamente invalida as classificações essencialistas e naturalizadoras das populações e aponta para sua permanência nas relações sociais.

Vale a pena ressaltar a análise elaborada por Magali Bessone para recapitular o que a raça é e não é:

> A raça não é um tipo biológico ou físico;
> A raça não é um gênero produzido naturalmente;
> Não existe essência racial;
> A função, a história e a natureza da raça diferem de um lugar para outro;
> Não existe um único gênero racial humano que seja verdadeiro em todos os lugares;
> A raça não é necessária;
> A raça não é uma ilusão;
> A raça não é um gênero nominal;
> A raça parece hoje ser inevitável;
> A raça é um gênero humano real socialmente construído;
> A raça é um gênero social interativo e dinâmico;
> Os fatos raciais são fatos institucionais, ou seja, consistem na atribuição de funções-estatutos, produzidos por uma intencionalidade coletiva e regras constitutivas;
> O referente do conceito de raça no discurso comum é um grupo flutuante determinado por traços visíveis que funcionam como rótulos falíveis associados a traços sociologicamente determinados e que correspondem a uma história contínua de dominação e conflitos sociais.[32]

A raça é, portanto, relacional: não se trata nem de genótipo nem de hábitos e costumes, mas de relações de poder historicamente construídas. Por isso, usarei o termo raça aqui num sentido bastante diferente daquele definido em inglês. A raça não caracteriza um indivíduo ou um grupo (como se poderia escrever em inglês: "*People are categorised according to their gender, sexuality and race*"). Ela não remete a um indivíduo ou um grupo separado, mas vem sempre inserida numa relação: é um princípio de divisão e articulação do corpo social. A raça é uma relacionalidade que, durante um longo período da história social, política e econômica, definiu, na interação entre sujeitos ou

---

32 Magali Bessone, *Sans distinction de race? Une analyse critique du concept de race et de ses effets pratiques*, Paris, Vrin, 2013, pp.113-114. Minha tradução.

grupos, duas posições sistêmicas de minoria e maioria, exclusão e inclusão, desvantagem e vantagem, insegurança (social, simbólica, econômica e até física) e estabilidade, anormalidade e normalidade, excepcionalidade e norma, diferença e semelhança.

O racismo, um conjunto de práticas, discursos e representações baseado numa "fantasia de profilaxia ou segregação"[33] e articulado em torno do estigma da alteridade (cor da pele, fenótipo, origem, nome, práticas religiosas), estabelece simultaneamente uma comunidade racista e uma racizada, alterizada, designada por uma "identidade" definida contra ela, o que, em contrapartida, possibilita a delimitação da identidade maioritária.

Segundo Pap Ndiaye, embora a raça como objeto não tenha sentido, "como noção para explicar as experiências sociais, ela é útil. Nesse sentido, é uma categoria válida para a análise social, do mesmo jeito que outras categorias sociais como 'nação' ou 'gênero', que são igualmente noções imaginárias".[34]

Que a raça seja interativa e dinâmica significa que a designação de uma identidade racizada não se baseia num conjunto de critérios "objetivos", deduzidos imediata e diretamente da realidade das diferenças fenotípicas, mas procede sempre de uma inscrição do percebido nas relações de poder entre grupos historicamente definidos. Por exemplo, em 1751, Benjamin Franklin não considerava os/as espanhóis/las, italianos/as, franceses/as, russos/as ou suecos/as como brancos/as, reservando esse estatuto apenas para ingleses/as e saxões/ãs.[35] A constituição de grupos sociais hierárquicos e racizados é sempre organizada em contextos específicos: os/as afrodescendentes, por exemplo, não ocupam a mesma posição no Brasil, na França ou no Marrocos, mas se inscrevem em relações sociais de poder locais que os/as racializam de uma maneira particular.

Nesse sistema de hierarquias étnico-raciais, o racismo equivale a legitimar uma ordem na qual alguns/algumas ficam favorecidos/as em termos de dignidade, educação, moradia, renda, ou acesso ao emprego. Assim como o sexismo, além da misoginia ideológica ou psicológica, é o efeito de um sistema social banalizado de desigualdades, hierarquias e violências de gênero, e como a homofobia, além do ódio individual, psicológico ou ideológico aos gays e lésbicas, remete a um heterocentrismo comum que classifica as sexualidades e as prerrogativas sociais associadas a elas, o racismo designa globalmente um mecanismo social, às vezes até sem sujeitos diretamente racistas, que atribui posições diferentes e "identidades" distintas a grupos em função de re-

---

33 E. Balibar "Néoracisme", in E. Balibar, I. Wallenstein, *Race, nation, classe. Les identités ambigües* [1988], Paris, La découverte, 2018.
34 Pap Ndiaye, *La Condition noire: Essai sur une minorité française*, Paris, Calmann-Lévy, 2008, edição eletrônica. Minha tradução
35 Benjamin Franklin, *Observation Concerning the Increase of Mankind and the Peopling of Countries* (1751), Londres, Andura Publishing, 2020.

lações sociais de poder. Nesse sentido, a raça continua sendo hoje o princípio organizador das relações sociais, mesmo nas democracias, e das relações entre os Estados-Nações. Aurélia Michel destaca uma série de experiências cotidianas nas quais a raça age de forma banalizada:

> Quando entramos num prédio público importante, como um museu ou uma universidade, não nos surpreendemos ao encontrar cada qual no seu lugar, de acordo com o status racial: sabemos, inconscientemente, sem dúvida, associar fenótipos e origens geográficas aos indivíduos que percebemos como guardas de segurança, equipe de limpeza, funcionários administrativos, aqueles em posições de responsabilidade. Nas salas de aula da educação nacional, também conhecemos de antemão as atitudes que os alunos adotarão de acordo com sua 'origem' e o cuidado que os adultos oferecerão em resposta, o que de fato produzirá os resultados esperados em sua trajetória acadêmica e profissional. Entende-se também que algumas nações terão de gerenciar os resíduos de outras em seu território, ou as consequências climáticas dos seus modos de consumo (...). Muitas de nossas atitudes são claramente organizadas pela raça, inclusive não deliberadamente, ou sem que tenhamos consciência disso (...). Essa grade, internalizada por todos, é geralmente perfeitamente explícita para aqueles que são suas vítimas, enquanto os beneficiários, que de fato não solicitaram sê-lo, a ignoram e frequentemente dizem que 'não veem cores'.[36]

O uso do termo raça pela teoria crítica da raça e pela sociologia ressalta que é uma realidade sociopolítica inegável e ajuda a denunciar a essencialização religiosa, filosófica, fenotípica e biológica de grupos humanos hierarquizados. Essa construção social se inscreve numa longa história.

Esquecendo a história

Raça e história

Se a raça se torna efetiva nas Américas, ela está ligada, como aponta Etienne Balibar, à formação de um nacionalismo europeu, cuja matriz pode ser associada à definição hereditária da *raza* na Espanha do século XV.[37] Cabe

---
36 Aurélia Michel, *Un monde en nègre et blanc. Enquête historique sur l'ordre racial*, Paris, Seuil, 2020, pp. 336-337. Minha tradução.
37 Étienne Balibar, "La forme nation: histoire et idéologie", in Étienne Balibar, Immanuel Wallerstein, *Race, nation, classe*, op. cit.

estabelecer aqui uma dupla genealogia da raça: na Península Ibérica, de forma religiosa, a partir da (Re)Conquista[38] e das exações da Inquisição; mas também no movimento de expansão colonial em direção às Américas com as classificações de populações que o legitimaram.

1. A raça foi inventada em Europa na época dos reinos árabes (muçulmanos e judeus) da Península Ibérica, e ulteriormente na (Re)Conquista. Dos anos 1390 a 1430, uma política de cristianização dos/as judeus/judias e muçulmanos/as abriu as alianças matrimoniais com membros da antiga sociedade cristã para muitos/as convertidos/as (*conversos* e *conversas*). Para os/as antigos/as cristãos/ãs, havia um interesse econômico em se aproximar de outras fortunas, mas também prevalecia uma visão ideológica - a conversão dos/as judeus e judias sinalizava o retorno de Cristo. Quatro décadas depois, em meados do século XV, a adoção dos *Estatutos de limpieza de sangre* (Estatutos de pureza do sangue) regulamentou o acesso à ascensão social estabelecida por essas alianças matrimoniais, excluindo delas os/as descendentes de um ancestral convertido. A rejeição se baseava mais na presença de sangue judeu na ascendência do que em crenças ou cripto-judaísmo: foi aqui a primeira naturalização da raça.

Da mesma forma que os/as judeus/judias convertidos/as, os/as mouriscos/as, descendentes de muçulmanos/as convertidos/as no século XVI e expulsos/as no início do século XVII, eram aquela parte da sociedade que se tornou alheia no seu próprio país: ambos grupos não eram estrangeiros/as como os/as portugueses/as, franceses/as ou gregos/as presentes na Espanha, mas por transmissão pelo sangue da religião de uma fração às vezes infinitesimal de seus/suas antepassados/as. Os processos da Inquisição confirmaram isso: a presunção de culpa, mais do que na prática de gestos heréticos ou de sacrilégio verbal, era baseada, na maioria das vezes, na genealogia dos indivíduos. A busca pelas origens era fundamental nos inquéritos da Inquisição: se podia remontar à quinta geração de avós não cristãos de um sujeito (ou seja, um sexagésimo quarto na ancestralidade) para atestar a transmissão por sangue da *mácula*, uma mancha religiosa.

Essa ontologização própria à criação da raça também implicava uma conversão infinda.[39] Os/as convertidos/as eram, por essência, suspeitos/as de ter reservas na sua conversão: o processo permanecia inacabado, a ser repetido por toda a sua linhagem, e seu estatuto de convertidos/as permanecia

---

[38] Houve realmente uma reconquista, "recuperação do território hispânico invadido pelos muçulmanos em 711", como afirmava o *Diccionario de la Real Academia* em 1936, ou simplesmente uma expansão e conquista pelos monarcas católicos do território em mãos dos muçulmanos? Os/as historiadores/as contemporâneos/as contestam a ideia de uma Reconquista, mito que só surgiu no século XI e se tornou um artefato ideológico e político no século XIX, como evidenciado pela capitalização do termo.

[39] Pierre-Antoine Fabre, "La conversion infinie des conversos. Des 'nouveaux-chrétiens' dans la Compagnie de Jésus au XVIe siècle", in *Annales. Histoire, Sciences Sociales. 54e année, N. 4*, 1999. pp. 875-893.

insuperável.⁴⁰ Os termos *cristiano/a nuevo/a* ou *converso/a* se referiam tanto ao/à antepassado/a convertido/a quanto a todos/as os/as descendentes. A universalidade do catolicismo defendida pela Espanha do Século de Ouro se revelava, portanto, limitada.

O ano de 1492, quando Isabel de Castela e Fernando de Aragão invadiram Granada, o último reino muçulmano da Europa Ocidental, e expulsaram judeus/judias e muçulmanos/as, parece coincidir com as primeiras expedições colombinas às Américas. A *limpieza de sangre* definida na península foi então aplicada num contexto muito mais amplo e se tornou fundamental para justificar as hierarquias populacionais necessárias para a colonização. Essa é a tese defendida por Jean-Frédéric Schaub, que considera essa alterização dos/as conversos/as como matriz dos processos de racialização e alterização ontológica: esses, pois, visão o ser das pessoas e não seus atos.⁴¹ No entanto, mais do que uma única matriz, porque a raça tem diferentes destinos, funções e aplicações no mundo colonial e escravocrata, vejo aqui um posicionamento comum no que diz respeito à definição de uma alteridade ontológica irredutível. Um grupo é constituído como elemento exógeno necessário à coesão política, ideológica e econômica do grupo maioritário unificado por essa exclusão.

2. A conquista dos impérios asteca e inca no México e no Peru deu origem a uma regulamentação semelhante dos frutos das uniões hispano-ameríndias. Os filhos de um conquistador e de uma ameríndia convertida (geralmente de família imperial) eram inicialmente elegíveis para os cargos, dignidades e alianças matrimoniais próprios à sociedade espanhola das Américas. No entanto, algumas décadas mais tarde, foi negado aos seus filhos o casamento com uma mulher espanhola e, na década de 1560, o acesso aos colégios, ao clericato e às principais magistraturas: se tornaram exógenos à República Espanhola.

Porém, mais do que simplesmente para regular as uniões ou a ascensão social, a raça nas Américas foi usada para justificar a distribuição do trabalho (semiescravidão ou escravidão) e o tratamento atroz sofrido pelos/as indígenas e os/as deportados/as africanos/as. A colonização dos Açores, de Madeira, das Canárias, do Cabo Verde, de São Tomé e depois das Américas e o desenvolvimento das plantações de açúcar nessas terras deram origem a uma racização do mundo. Após a pilhagem dos recursos naturais, a produção de riquezas nas Américas dependeu inicialmente do trabalho forçado dos/as indígenas, que, entretanto, se tornaram súditos do rei Carlos V em 1519.⁴² Quando a Coroa de Portugal passou a fazer parte da Espanha em 1580, a interdição de escravizar indígenas conduziu Portugal a recorrer ao comércio de deportados/as africanos/as para substituir a mão de obra indígena.⁴³ Outras

---
40 Ibid., p. 882.
41 Jean-Frédéric Schaub, *Pour une histoire politique de la race*, Paris, Éditions du Seuil, 2015.
42 Aurélia Michel, *Un Monde en nègre et blanc. Enquête historique sur l'ordre racial*, op. cit., p. 93.
43 Ibid., p. 97.

nações europeias seguiram o exemplo: as plantações e minas que criaram a fortuna da Europa por vários séculos exigiam um tráfico contínuo.

Embora a escravização dos/as africanos/as tenha sido muito anterior a essas exações, não se fundamentou em nenhuma teoria da diferença racial. Ao invés disso, os argumentos religiosos, filosóficos, antropológicos e científicos que atestavam a inferioridade dos/as deportados/as negros/as, bem como dos/as indígenas das terras invadidas, deram um impulso especial ao racismo moderno, baseado numa linha de cor. Indígena virou sinônimo de "inferior" a ser evangelizado, "negro" de "escravo", "que não pode ser considerado como humano/a, por ter perdido esses atributos".[44] A genealogia, os traços físicos e a cultura passaram a definir a raça como uma diferença hierárquica, distinguindo os brancos (conquistadores e seus descendentes) dos/as que eram sujeitados por eles. Na América hispânica, os pleitos de *limpieza de sangre* foram reativados dois séculos depois de ter aparecido na Espanha, para permitir que os fazendeiros e proprietários de terras tivessem a branquitude de oito ascendentes certificada no tribunal.[45]

A raça foi biologizada nos séculos XVIII e XIX, quando a comunidade acadêmica se apoderou do termo, que inicialmente designava uma linhagem ou família, para transformá-lo na base da classificação dos povos do mundo. Depois de Bernier no século XVII, Linnaeus, Buffon e Blumenbach, para citar apenas alguns, estabeleceram, por lógicas distintas, classificações naturais dos diversos tipos humanos: branco, vermelho, amarelo e preto. Essas propostas "filosóficas" retomavam as diferenças usadas para separar cristãos e selvagens e fundamentar a dominação, e as completavam por uma animalização dos/as racizados/as.

As classificações hierárquicas de Virey, Duméril e Cuvier foram perpetuadas pela antropologia, a "ciência das raças" do século XIX.[46] De acordo com Gustave d'Eichtal, membro da Société Ethnologique de Paris, a tarefa da etnologia era "determinar as características e aptidões das diferentes raças para atribuir a cada uma delas um papel específico".[47] A humanidade foi dividida em grandes grupos geográficos e físicos cujas qualidades respectivas foram hierarquizadas, e "cientificamente" medidas pela frenologia, a antropometria e a medicina legal. Isso justificou a subordinação econômica, política e moral

---

44 Ibid., p. 163. Minha tradução.
45 Ibid., p. 179.
46 Jean-Jacques Virey, *Histoire naturelle du genre humain, ou Recherches sur ses principaux fondements physiques et moraux, précédées d'un Discours sur la nature des êtres organiques, et sur l'ensemble de leur physiologie*, F. Duffart, Paris, 1801, e Auguste Duméril, *Zoologie analytique*, Allais, Paris, 1806, apud. Anna Degioanni, Géraud Gourjon, La "race blanche". Retour sur les tentatives trompouses de classification et de hiérarchisation de l'espèce humaine, in Sylvie Laurent, Thierry Leclerc, éd., *De quelle couleur sont les blancs? Des "petits Blancs" des colonies au "racisme anti-Blancs"*, Paris, La Découverte, 2013, pp. 206-213.
47 Gustave d'Eichtal, apud. Aurélia Michel, op. cit., p. 238. Minha tradução.

de certos povos àqueles encarregados de educá-los. Entre muitos outros, Paul Broca desenvolveu uma classificação das "raças inferiores" e "raças superiores" por estudos antropométricos que atribuíam menor inteligência aos negros e às mulheres com base em medidas cranianas.[48] Da mesma forma, Ernest Renan designou funções para as "raças" (os chineses serviam como obreiros, os negros como trabalhadores e os europeus como mestres e soldados);[49] e Gobineau proclamou a total distinção da raça branca dos pensadores, base de "toda a civilização"[50], às raças inferiores de povos aprisionados no instinto. Essa impostura científica passou a justificar o projeto colonial ocidental implementado por liberais e industriais, pois a raça autorizava a violência necessária para a organização global do trabalho e a distribuição internacional dos recursos.

Esses desenvolvimentos "científicos" foram acompanhados por uma popularização da raça. Os "zoológicos humanos" nas Feiras Mundiais, representações histriônicas da diferença física e cultural, a literatura, a imprensa, os cartões postais, os diários de viagem, o teatro e o cinema e, de modo mais geral, as produções socioeconômicas, inscreveram a raça nas representações coletivas.[51] A propaganda do universo iconográfico colonial e as mídias de informação e divertimento promoveram a imagem do "herói branco" com "missão civilizadora", do médico colonial cuidando dos povos necessitados, e do cientista e técnico conduzindo-os rumo ao progresso.[52]

Enquanto as teorias eugênicas de Gobineau, Le Bon e Vacher de Lapouge floresciam na Europa, as políticas de atração de migrantes europeus para as Américas implementavam literalmente essa engenharia social. Em repúblicas como a Argentina e o Uruguai, o embranquecimento civilizador foi acompanhado pelo extermínio de uma grande proporção das populações ameríndias e afrodescendentes.

Esse darwinismo social deu origem a inúmeras leis sobre a raça (como as leis Jim Crow da segregação nos Estados Unidos, o aparato legal da Alemanha nazista, da França de Vichy e da África do Sul) e culminou, em solo europeu, na atrocidade do genocídio judeu e cigano. A *Shoah* parecia marcar um retorno do que foi recalcado fora das fronteiras da Europa; reatualizou o que havia sido criado na Europa no século XV, que deu origem às piores crueldades nas colônias e que ficava então reproduzido em solo europeu: a raça. O antissemitismo europeu é, portanto, uma das matrizes do racismo moderno: é

---

48 Paul Broca, *Sur la topographie crânio-cérébrale, ou sur les rapports anatomiques du crâne et du cerveau*, Ernest Leroux Editeur, Paris, 1876
49 Ernest Renan, *Réforme intellectuelle et morale*, Calmann Lévy, 1871.
50 Arthur de Gobineau, *Essai sur l'inégalité des races humaines*, Paris, Librairie de Firmin Didot Frères, 1853.
51 Veja-se o livro coletivo sob a direção de Pascal Blanchard e Sandrine Lemaire, *Culture coloniale 1971-1931. La France conquise par son empire* (Paris, Autrement, 2011).
52 Pascal Blanchard, Gilles Boëtsch, "La construction du 'Blanc' dans l'iconographie coloniale", in Sylvie Laurent, Thierry Leclère, *De quelle couleur sont les blancs?...* op. cit.

um dos lugares centrais da essencialização, naturalização e atemporalidade características da criação da raça no Ocidente cristão.

Contudo, não se trata de definir uma única raiz para as dominações raciais, mas de situar a racização específica do mundo atual dentro da história do Ocidente. A esse respeito, Aurélia Michel contesta a concepção por Jean--Frédéric Schaub da história da raça como ideologia, com matriz comum ao antissemitismo do mundo ibérico e ao racismo das invasões americanas. A historiadora considera a raça, antes de tudo, como fato social, relação de forças a serviço da organização do trabalho.[53] Subscreveria inteiramente a crítica de Aurélia Michel, que, após elogiar o esforço de Jean-Frédéric Schaub para afirmar a construção política da raça, enfatiza a especificidade, no contexto americano, da definição da raça a partir do trabalho forçado e da exploração colonial. Porém, Aurélia Michel argumenta que o uso do termo raça para desumanizar uma categoria da população e expô-la à violência e à dominação só é atestado a partir do século XVIII. Meu objetivo aqui, ao me referir a essa dupla construção ibérica e americana de raça, não é traçar uma matriz de raça que retorne à sua origem nominal. Procurei melhor apontar a analogia entre os processos de exclusão baseados na naturalização da diferença, que se originaram na Europa, se desenvolveram nas colônias e ressurgiram na Europa nos séculos XIX e XX (sem terem previamente deixado de existir). Em todos esses casos, a raça (*ante* ou *post-litteram*) naturaliza uma diferença, em nome da qual um grupo interno a um determinado espaço social fica excluído, explorado e oprimido.

E mais, se opondo a de J.-F. Schaub, Aurélia Michel ressalta que o pensamento da genealogia (própria ao antissemitismo que afeta os/as convertidos/as) é muito diferente da raça. Esta, pois, desune um indivíduo da sua linhagem, sendo a escravidão, segundo Aurélia Michal, uma anti-parentalidade.[54] Porém, que a raça institua uma des-historicização, ao conferir um conjunto de atributos imutáveis que determinam a função social e econômica de um grupo[55], não é incompatível com sua inscrição numa genealogia - como mostram claramente as legislações estadunidenses do *One-Drop-Rule*, por exemplo. Genealogia e classificação dos grupos humanos (que proliferaram nos séculos XVIII e XIX) são perfeitamente compatíveis: ambas são baseadas na hereditariedade, transmissão naturalizada de um estatuto. De fato, apesar da ruptura no parentesco que produziu a figura do/a escravo/a nas Américas, o pensamento genealógico fundamentava o funcionamento da escravidão, cuja transmissão era baseada na lei do ventre - o/a filho/a de uma escrava se tornava escravo, mesmo que o pai não fosse.

---

53 Aurélia Michel, "À propos de *Pour une histoire politique de la race*, de Jean-Frédéric Schaub", *Problèmes d'Amérique latine*, vol. 103, no. 4, 2016, pp. 119-133.
54 Aurélia Michel, *Un monde en Nègre et blanc*, op. cit.
55 Veja-je o capítulo seguinte "Gente sem história".

Embora a raça seja claramente produzida por relações de poder e dinâmicas socioeconômicas muito diferentes, na Península Ibérica e no mundo americano, o princípio de separação ontologizado e naturalizado que justifica uma relação de exploração, dominação e extermínio daqueles/as que foram excluídos/as da humanidade (encarnada pelo grupo majoritário) permanece o mesmo. Pois a raça pode ser ao mesmo tempo uma construção social e um fato ideológico. Na verdade, é assim mesmo que ela funciona: nasce na encruzilhada de relações de poder e exploração, emerge como fato social de dominação. Mas esse objetivo inicialmente socioeconômico é rapidamente complementado por um aparelho ideológico (religioso, moral, filosófico, biológico ou nacional) que ao mesmo tempo se apoia sobre esse fato social e acaba reforçando-o. Ambos fenômenos são indissociáveis, o que também torna possível evitar o risco, legitimamente apontado por Aurélia Michel, de transformar a raça numa simples ideia malévola desvinculada de uma realidade social e política sistêmica, de conceber que o racismo possa ter alvos intercambiáveis[56] ou de vinculá-lo à simples rejeição de um aspecto físico. Pois esse aspecto só se torna relevante para a discriminação racial se se inscrever num sistema de relações específicas (é a escravidão que cria a negrofobia, não a cor dos/as africanos/as que determina sua escravidão).

Portanto, não se trata aqui de estabelecer uma origem única de raça, nem muito menos uma classificação entre os sofrimentos ligados ao antissemitismo e os decorrentes da negrofobia e do racismo colonial. Atualmente, na França, os principais alvos do racismo continuam sendo os homens norte-africanos, descendentes dos súditos das antigas colônias, afetados por quase três quartos dos atos racistas. Cada uma dessas formas de racismo tem suas próprias especificidades, e nenhuma delas pode, por si só, constituir a origem da raça - a busca por uma origem mítica, pois, é precisamente o que define o processo de racismo. Os diversos tipos de racismo - antissemitismo, negrofobia, racismo anti-magrebino, anti-asiático, colonial, racismo praticado contra os povos indígenas da América, da Oceania ou contra os Roma - são articulados na história do Ocidente moderno e se combinam para formar a nebulosa da raça.

Essa genealogia plural da raça, vinculada ao antissemitismo europeu, revela que essa se fundamenta menos sobre a diferença do que sobre um excesso de semelhança ameaçador. Pois ela decorre menos da alteridade, do que de um "narcisismo das pequenas diferenças", distinções construídas, de acordo com Freud[57], entre grupos ou sujeitos que terceiros consideram idênticos. Isso explica, por exemplo, o ressurgimento do antissemitismo na Europa após a Haskala, o Iluminismo judaico, quando os signos distintivos

---

56 Conferir o capítulo deste livro sobre o chamado "racismo antibranco".
57 Sigmund Freud, *O malestar na civilização,* in *Edição Standard Brasileira das obras completas,* op. cit., Volume XXI (1927-1931), edição eletrônica.

de parte da comunidade judaica foram apagados (guetificação, vestimenta, exclusão de certas formações e profissões etc.).

É, portanto, uma diferença imperceptível que o racismo procura detectar, a fim de estabelecer a dominação imperial branca: mais do que uma alteridade, uma alteração, como ressalta Claude-Olivier Doron.[58] O racismo é, assim, uma forma de rastrear nas comunidades alterizadas um resquício irredutível de estranheza situado no corpo. As perspectivas monogenistas estudadas por C.-O. Doron, como as de Boyle e Buffon, consideram a raça como conjunto de diferenciações, transformações degenerativas em relação ao modelo original do homem branco. Essa abordagem possibilita a manutenção de uma tradição racista dentro da estrutura do humanismo supostamente inclusivo do cristianismo ou da filosofia do Iluminismo. A degenerescência, um conjunto de desvios de conduta em relação à norma da origem, legitima a dominação dos/as "degenerado/as", incapazes de se governar, pelos representantes da norma original, os homens brancos.

Esse "racismo da alteração" produz, portanto, rejeições e exclusões a partir da inclusão de todos/as numa mesma humanidade, porém definida por diferenças de grau. Essa tese se revela importante: embora o racismo possa claramente ser deduzido de todas as perspectivas de exclusão explícita e desumanização, ele também se encaixa, de acordo com outras lógicas, em certas perspectivas de afirmação da unidade da espécie, de humanismo universalista ou de liberalismo político. No entanto, afirmaria, divergindo da tese de Claude-Olivier Doron, e à luz da rápida genealogia da raça apresentada aqui, que foram primeiro práticas socioeconômicas e políticas que deram origem a esses desenvolvimentos "científicos". Antes de ser estabelecida como um objeto de conhecimento, a raça foi produzida por distribuições diferenciadas do trabalho, das prerrogativas, tarefas, subordinações e privilégios econômicos e simbólicos - em suma, por práticas de poder. Os usos que fabricam a raça precedem o conceito, e as relações de poder de raça sustentam a produção de saberes sobre a raça.

Gente sem história

Se a raça se inscreve num processo histórico, suas modalidades de aplicação social e sua eficácia dependem precisamente do apagamento dessa historicidade. Isso fica claro na obra de Maurice Olender *Race sans histoire*, uma coletânea de artigos escritos entre 1981 e 2009 que visa reconstituir a história de uma categoria pretendidamente a-histórica. Essa noção, estabelecida "cientificamente" no século XIX, associa qualidades morais e intelectuais invariáveis às características geográficas, climáticas ou fenotípicas de um

---

58 Claude-Olivier Doron, *L'homme altéré: races et dégénérescence (xviie- xixe siècles)*, Paris, Champ Vallon, 2016.

povo. Dessa forma, a raça combina o "físico" (aspectos escolhidos de acordo com objetivos particulares de dominação) com o "metafísico", o visível com o "invisível", atribuindo a diferentes grupos humanos uma natureza imutável, atemporal, inata e genealogicamente transmissível. Como "naturalização das relações sociais e históricas"[59], a categoria de raça imobiliza os grupos humanos numa essência sem história que determina sua identidade e seu lugar na escala da humanidade. Racizar um grupo é atolá-lo numa origem irremediável, que determina seu presente e impossibilita qualquer mudança social, religiosa, econômica ou política futura.

E a raça permanece vigente até hoje. O discurso de Nicolas Sarkozy em Dakar, em 26 de julho de 2007, é um exemplo desse processo de des-historicização que consiste em atribuir qualidades imutáveis a povos. Após ter homenageado a colonização por seu objetivo, "quebrar as correntes do obscurantismo, da superstição e da servidão", realizado construindo pontes, estradas, hospitais, dispensários e escolas, o então presidente da República Francesa convidou os/as africanos/as (todos/as indistintos/as, porque nessa massa exotizada "está o primeiro mistério da África") a valorizar a parte da Europa neles/as: essa parte é "o apelo à liberdade, à emancipação, à justiça e à igualdade entre mulheres e homens", "o apelo à razão e à consciência universais". A responsabilidade pelos males da África, seu "drama", reside no fato de que "o homem africano ainda não entrou suficientemente na história":

> O camponês africano, que por milhares de anos viveu com as estações, cujo ideal de vida é estar em harmonia com a natureza, conhece apenas o eterno recomeço do tempo pontuado pela repetição interminável dos mesmos gestos e das mesmas palavras.
> (...)
> Nesse universo em que a natureza manda tudo, o homem escapa da angústia da história que assola o homem moderno, mas permanece imóvel meio de uma ordem imutável em que tudo parece ter sido escrito de antemão.
> (...)
> O problema da África é deixar de repetir, ruminar, de se libertar do mito do eterno retorno, e de perceber que a idade de ouro que ela lamenta nunca voltará, porque nunca existiu.[60]

Mais de um século antes, em 1879, foi em nome da mesma exceção à história que Victor Hugo instou a Europa a tomar a África, porque "Deus dá a terra aos homens. Deus dá a África à Europa". Esse continente, segundo

---

59 Maurice Olender, *Race sans histoire*, Paris, Points Seuil, 2009, p. 35.
60 Discurso do Presidente da República Francesa em Dakar, em 26 de julho de 2007.

ele, "esse bloco de areia e cinzas, esse amontoado inerte e passivo que, por seis mil anos, tem impedido o progresso universal", a África, "não tem história. Uma espécie de lenda vaga e obscura a envolve". Ela tem futuro apenas pela Europa, porque "no século XIX, o branco fez do negro um homem; no século XX, a Europa fará da África um mundo".[61] O convite aos colonizadores é claro e teve posteridade.

Portanto, não é preciso convocar a extrema direita para destacar a operatividade da categoria da raça: ela está presente nos discursos mais comuns, e até mesmo nos mais oficiais.

Voltou a biologia?

Por ser uma construção histórica, a raça, portanto, não tem significado biológico. Porém, a questão é mais complexa. Parece que o uso biológico e genético do termo raça está longe de ter sido apagado após a Segunda Guerra Mundial. De fato, a raça ainda é usada nas "ciências exatas", especialmente em pesquisas sobre haplogrupos e biomarcadores geográficos, em epigenética (campo que estuda a influência do ambiente na expressão gênica), em medicina nos Estados Unidos para dosar certos medicamentos de acordo com o perfil do paciente, e em testes genéticos usados para determinar a ancestralidade.[62] Portanto, a noção biológica de raça não foi abandonada, como aponta Claude-Olivier Doron: nos anos 2000, os saberes da genética da população humana, os estudos farmacogenéticos, e as análises médicas da raça passaram a constituir questões sociais e políticas fundamentais, principalmente nos Estados Unidos.[63]

A epigenética pode ser vista como uma forma de naturalização sem essencialização: a experiência histórica de certos indivíduos ou grupos pode ter efeitos sobre seu material genético. Em determinadas circunstâncias, certas experiências traumáticas, seja em escala individual ou coletiva, podem modificar a expressão gênica e ser transmitidas de uma geração para outra: é precisamente o caso da experiência do racismo, passível de ter consequências sobre a vulnerabilidade a certas doenças.[64] Entretanto, o que é transmitido biologicamente permanece contingente: a raça, mais uma vez, é uma construção social, por meio da essencialização racial de determinados grupos, que, em consequência dessa designação, são submetidos a experiências históricas particulares.

---

61 Victor Hugo, "Discours sur l'Afrique", *Actes et paroles, Les 4 volumes*, edição eletrônica, 2019.
62 Élodie Grossi, Christian Poiret, "
63 Claude-Olivier Doron, in Élodie Grossi, Christian Poiret, "
64 Cf. por exemplo o estudo de Shannon Sullivan, "Inheriting Racist Disparities in Health: Epigenetics and the Transgenerational Effects of White Racism", in *Critical Philosophy of Race*, 1(2), 2013, pp. 190-218.

A construção inteiramente social da raça vem, portanto, inevitavelmente acompanhada por resquícios biologizantes: quer consistam em alterações genéticas determinadas por experiências sociais, como é evidenciado pela epigenética, ou, mais perniciosamente, num alicerce biológico cientificamente invalidado, mas ainda operante na hierarquia cultural e "metafísica" dos grupos humanos. Portanto, como aponta Magali Bessone, no contexto francês do pós-guerra, a raça não desapareceu, mas foi "varrida para debaixo do tapete" porque "entrava em conflito com o modelo republicano da indiferença às diferenças".[65] Como aponta Claude-Olivier Doron, a ficção biológica reaparece quando, pela generalização de um discurso de extrema direita na França, a cidadania de certos sujeitos, designados racialmente como "cidadãos de papéis"[66] fica questionada.

Portanto, é perfeitamente irrealista e hipócrita seguir afirmando a inexistência de raça, enquanto perspectivas médicas, biológicas ou genéticas ainda a utilizam, mas, sobretudo, quando o contexto sociopolítico dessas perspectivas e os discursos que as sustentam continuam apoiando relações sociais de raça. Portanto, manter o uso desse termo para designar sua efetividade social, apesar da sua invalidade científica, é um ato político: se trata de visibilizar as múltiplas formas como a raça, historicamente construída, continua a determinar os racismos de hoje.

Além da impostura das raças, a raça é, pois, uma realidade social, e as categorias raciais são armas políticas. É o que Magali Bessone argumenta no seu livro *Sans distinction de race*: mesmo em sociedades que, como a França, se recusam a usar a palavra raça, permanecem linhas de fractura sociais baseadas na raça. Os discursos produzidos desde o século XVIII sobre a divisão da espécie humana para justificar muitas desigualdades políticas e econômicas ainda estão em vigor.[67]

Noli me legere

O tabu em torno do termo "raça" e sua substituição por termos considerados menos ofensivos se revelam prejudiciais à luta contra o racismo. Substituí-lo pelo vocábulo "etnia" ou "etnicidade" não é apenas incorreto como também falacioso: perpetua uma das principais estratégias de eufemização própria ao racismo cultural. Da mesma forma, o uso das categorias de "minorias visíveis", "estrangeiros/as", "imigrantes" ou "descendentes de imigrantes" (isolando assim, na França, certos/as cidadões/ãs) contribui para a mesma eufemização.

---

65 Magali Bessone in Élodie Grossi, Christian Poiret, "
66 Claude-Olivier Doron, in Élodie Grossi, Christian Poiret, "
67 Magali Bessone, *Sans distinction de race?*, op. cit.

De fato, "raça" e "etnia" abrangem realidades diferentes. Enquanto a etnicidade se refere a um conjunto de distinções culturais que definem a identificação coletiva de um grupo humano com uma instituição simbólica, uma história e uma língua, a raça remete à designação de um sujeito ou grupo a uma posição simbólica e material específica, na maioria das vezes a partir de uma naturalização de aspectos fenotípicos e comportamentos que dá lugar a uma classificação dos seres humanos. A raça, assim como o gênero ou a classe, diz respeito a uma relação social de dominação, implicando uma hierarquia: a instituição de uma posição hegemônica e uma posição dominada. Falar de raça ou racialização significa, portanto, desviar o olhar dos grupos divididos para o princípio da divisão.

Uma outra forma de proibição da categoria de raça, com base na fantasia de conjurá-la, se manifesta na controvérsia que vem acontecendo há vários anos sobre as estatísticas raciais, proibidas na França com exceção de três áreas em que a referência à cor da pele é permitida: a pesquisa médica, os empregos baseados na aparência física (modelagem, cinema, teatro) e a inteligência geral da polícia judiciária. Cabe perguntar por que essa informação seria relevante nesses casos e inadequada em outros, quando essas três áreas simplesmente refletem um conjunto de fantasias e realidades sociais permeadas pelas relações de raça: a naturalização biologizante, o papel desempenhado por aspectos fenotípicos e culturais nas relações sociais, ou o impacto das designações raciais nas políticas de segurança e luta contra o crime.

Lembrar a raça aos/às legisladores/as e governantes significa questionar a ideia de uma igualdade republicana dada logo de início, antes de qualquer avaliação sociológica ou demográfica da sua efetividade, da sua implementação real, e das discriminações sociais e materiais que a comprometem. Uma igualdade real e certa é magicamente deduzida do objetivo assintótico de igualdade ideal da República. Entretanto, esse ideal é contradito diariamente pela desigualdade concreta, ainda dificilmente quantificável por causa da proibição das estatísticas raciais.

Por último, cabe analisar outra tentativa de eliminar o termo na França, por meio de sua remoção da Constituição. A votação de 12 de julho de 2018 visando eliminar a palavra, após o projeto de 2013 apresentado à Assembleia Nacional pelo Front de gauche, não resolve de forma alguma o problema do racismo. Vale ressaltar a ironia na própria redação do projeto de lei de 2013. O objetivo era incluir uma emenda estipulando que "A República não reconhece a existência de nenhuma raça": para contestar o valor do termo e ratificar sua exclusão, foi necessário recorrer a ele...

A análise que Magali Bessone faz desse assunto destaca sutilmente a complexidade da questão e expõe os simplismos e sofismas que embasam a argumentação para a abolição do termo.[68] A filósofa identifica três argumentos a favor da supressão da palavra: ontológico – "as raças não existem", - histórico – "o termo raça pertence a um sistema discursivo obsoleto", - e expressivista – "sua eliminação é um gesto poderoso de antirracismo". Esses três argumentos acabam confundindo o ideal com a realidade e eliminando uma experiência não majoritária de raça.

O argumento ontológico, segundo o qual o/a legislador/a deve tirar as conclusões corretas da tese de que as raças não existem, considera que o conceito de raça só tem significado biológico ou antropológico através de construções científicas errôneas e ultrapassadas. O fato de a raça não ter legitimidade biológica ou antropológica não nega, de forma alguma, a realidade sociopolítica dos seus efeitos. Descartar essa questão é recorrer a uma grade epistemológica dominante e preguiçosa que ignora os significados socioconstrutivistas da raça enquanto estes estão claramente presentes no debate público.

E mais, esse argumento ontológico não tem validade, porque uma norma jurídica nunca pode ser deduzida de um argumento científico (biológico ou antropológico): a expressão pública do racismo não é proibida porque é uma teoria falsa, mas porque é altamente prejudicial aos valores democráticos da Constituição, como aponta Magali Bessone.

O argumento histórico é igualmente equivocado. Se poderia até admitir que esse termo pertence a uma gramática ultrapassada, mas isso significaria que o ressurgimento de atos antissemitas, negrofóbicos ou anti-ciganos na França não tem nada a ver com as concepções e os valores raciais do passado. Essa linha de raciocínio pressupõe que, assim que as práticas discriminatórias, segregacionistas ou estigmatizantes se manifestarem sem o termo raça (substituindo raça por cultura, etnia ou nação), o racismo desaparecerá. Porém, o racismo pode ser perfeitamente expresso sem o termo "raça", e cabe identificar como a raça continua sendo o "referente inconsciente" de certas atitudes e práticas. Caso contrario, muitas ocorrências de discriminação racial e racismo institucional permanecem invisibilizadas.

O argumento expressivista, por fim, afirma que a remoção da palavra "raça" equivale a um engajamento contra o racismo e serve até mesmo para cancelar a ideia de raça de todos os contextos discursivos e mentais. A presença da palavra "raça" expressaria uma diferenciação desvalorizante entre grupos da população, enquanto sua eliminação, ao contrário, possibilitaria a afirmação da igualdade entre todas/os. Quem, porém, decide qual sentido deve ser concedido à manutenção ou à eliminação do termo? Cabe perguntar se esse gesto de fato expressa uma mensagem unívoca, ressalta Magali Bessone. Como, então, evitar que se confirme aqui uma relação de poder, atribuindo a

---

68 Magali Bessone, "Analyser la suppression du mot 'race' de la Constitution française avec la *Critical Race Theory*: un exercice de traduction?", in *Droit et société*, vol. 108, no. 2, 2021, pp. 367-382.

determinados grupos apenas essa competência interpretativa e eliminando a priori a capacidade de outros grupos de produzir uma interpretação plausível de uma categoria, lei ou decisão? A convicção inabalável de que a abolição do termo "raça" é um sinal perfeito da abolição do racismo revela uma ignorância epistêmica: é, ao contrário, precisamente a nomeação da raça, como categoria construída, que oferece aos grupos racizados e aos estudos críticos sobre a raça a maneira mais eficaz de combater o racismo.

Banir o termo significa, portanto, se privar de meios de explicitação e visibilização das injustiças cometidas em seu nome, mas também decidir que as experiências vividas por aqueles/as que continuam sendo discriminados/as por causa da sua designação racial não são dignas de consideração. Só a experiência daqueles/as que pouco se importam com essa discriminação no dia a dia têm relevância aqui: o/a legislador/a representa uma posição epistêmica dominante. A eliminação do termo raça não torna, portanto, por nenhum desses argumentos, a luta contra o racismo e a discriminação mais eficaz em termos jurídicos, políticos e sociais. Contribui, ao contrário, a reforçar as desigualdades e injustiças raciais, a invisibilizá-las privando-as de uma ferramenta que as assinale.

Aqui parece particularmente relevante considerar as consequências psíquicas da retórica que sustenta a decisão do Estado de remover a palavra da Constituição. Não é difícil imaginar os efeitos sobre as pessoas racizadas confrontadas com essa negação da sua experiência. Elas se encontram no paradoxo inexorável de serem asseguradas que o Estado está combatendo o racismo e a discriminação que padecem, sem, porém, que a sua própria experiência seja reconhecida. O Estado reprova o racismo quanto abstração, mas refuta a concretude da sua racização. Assim, elas são incentivadas a denunciar o racismo, e ao mesmo tempo convidadas a declarar que a tradição histórica na qual se inscreve e a série de representações teológicas, filosóficas, antropológicas, científicas, jurídicas ou políticas que o acompanham são coisas do passado. Devem, então, nomear o racismo sem ter as palavras para dizê-lo, ou aclamar o antirracismo oficial do Estado e se contentar com ele, ignorando a indiferença oficial à sua causa. Assim, o objetivo de antidiscriminação se torna propriamente discriminatório.

Estipular que a mera menção da raça alimenta o racismo equivale a fazer ouvidos moucos às vivências do racismo e a reforçar, naqueles/as que sofrem racismo, a sensação de que a sua experiência não conta. Tal atitude só serve para aguçar a sua desconfiança para com às vozes maioritárias.

Só tem classe

Assim, no plano social, político e acadêmico, as relações sociais de raça são geralmente desmentidas na França. Talvez isso também se deva à centralidade das relações sociais de classe nas ciências sociais francesas, numa perspectiva que desconsidera outras injustiças e discriminações irredutíveis às relações de classe. E mais, não só se ignora a importância das minorias étnico-raciais, mas aqueles/as que se referem à raça são acusados/as de dividir a classe trabalhadora em benefício do capitalismo, de importar realidades estrangeiras ou de desenvolver discursos identitários.

Eis, no contexto británico, uma escolha frequentemente imposta a Reni Eddo Lodge, sob o pretexto que toda luta genuína contra desigualdades tenha que se centrar na classe. Essa autora se recusa, porém, a favorecer uma relação de poder em detrimento de outra, e destaca a forma como a raça pode ser instrumentalizada numa abordagem demagógica da classe. É o caso dos discursos que vinculam a precariedade de certos británicos com uma imigração transbordante e incontrolável. Esses argumentos se encontram também nos clichés de extrema direita na França, alegando que os/as estrangeiros/as - e, de forma mais ampla, as pessoas racizadas - vêm roubar o trabalho dos/as franceses/as desfavorecidos/as - brancos/as. No entanto, não há evidência nenhuma de que a exclusão de imigrantes remedeie as hierarquias de classe necessárias para o funcionamento do sistema capitalista e, agora, neoliberal.

As inferiorizações por classe e raça não são mutuamente exclusivas: se combinam e seguem lógicas bastante diferentes. Embora a pobreza possa afetar qualquer indivíduo, como Reni Eddo Lodge aponta, enquanto há 20% de británicos/as brancos/as que vivem abaixo da linha da pobreza, existem 30% de negros/as do Caribe, 45% de negros/as africanos/as, 55% de paquistaneses/as e 65% de bengaleses/as. Os homens negros com idade entre 16 e 64 anos no Reino Unido têm a maior taxa de desemprego, e as mulheres negras têm maior probabilidade de ficar desempregadas do que as brancas. Aliás, como destaca Reni Eddo Lodge, o paradigma da classe trabalhadora não é mais um homem branco trabalhando numa fábrica, mas uma mulher negra empurrando um carrinho de bebê.[69]

Essa era já a análise desenvolvida por Colette Guillaumin no final da década de 1970, que se revela extremamente relevante ainda hoje:

> Em 1977, na França, se você se depara com um homem mediterrâneo - e não estou usando deliberadamente um termo nacional, porque a nacionalidade não tem nada a ver, enquanto a região do mundo é determinada... - há

---

[69] Reni Eddo-Lodge, *Why I'm No Longer Talking to White People About Race*, Londres, Bloomsbury, 2018, edição eletrônica.

uma boa chance de você se encontrar frente a um desses trabalhadores com um tipo específico de contrato, ou mesmo com um que talvez não tenha nenhum contrato, e talvez nem mesmo uma autorização de residência, alguém que lavora mais horas do que os outros trabalhadores, na construção, mineração ou indústria pesada.

Em 1977, se você se deparar com um afro-americano, homem ou mulher, será mais provavelmente alguém empregado no setor terciário e especialmente em serviços: hospitais, transporte, comunicações; e precisamente alguém empregado no setor público.

Em 1977, na França, se você se deparar com uma mulher mediterrânea, será mais provavelmente alguém que também trabalha no setor de serviços, não no setor público, mas privado, individualizado (um patrão particular) ou coletivo (uma empresa): faxineira, zeladora, empregada de cozinha etc.; será alguém que realiza, por um salário menor do que mínimo (como mulher) um trabalho de empregada (como mediterrânea), e gratuitamente o trabalho doméstico familiar (como mulher) etc.[70]

Além disso, como Reni Eddo Lodge salienta, nenhum privilégio de classe, riqueza ou educação pode proteger uma pessoa racizada do racismo.

A perspectiva desenvolvida por Gérard Noiriel e Stéphane Beaud em seu livro *Race et sciences sociales* é paradigmática dessa rejeição da categoria de raça. O antirracismo atual seria apenas o resultado de um identitarismo, produzido por uma ideologia de direita construída historicamente nos séculos XIX e XX: "a própria história política da França perpetuou a divisão entre uma esquerda que favorece o critério social e uma direita que favorece o critério nacional, religioso ou étnico-racial".[71] Assim, esses autores se empenham em estabelecer uma genealogia dessas "lógicas identitárias impulsionadas pela classe dominante, mas também alimentadas pelos dominados".[72] O uso do termo raça sempre obedeceu à mesma lógica: impor medidas discriminatórias na administração colonial e metropolitana. Na França, o termo serve uma direita desejosa de proteger a identidade nacional e abafar as críticas às desigualdades de classe. O que resulta pelo menos surpreendente, porém, é a surdez dos autores à especificidade das populações racizadas nas colônias e na metrópole: elas literalmente desaparecem por trás dos debates políticos.

---

70 Colette Guillaumin, *Sexe, race et pratique du pouvoir*, Paris, Ixe, 2016, edição eletrônica, minha tradução.
71 S. Beaud, G. Noiriel, *Race et sciences sociales. Essai sur les usages publics d'une catégorie*, Paris, Agone, 2021, p. 16.
72 Ibid.

Esse raciocínio leva à conclusão de que usar a raça como categoria para analisar uma realidade social, tanto na época colonial quanto no presente, ainda é racista hoje como era ontem.

Essa divisão esquerda/direita, classe/raça teria atravessado toda a história francesa, até que o Partido Socialista, com a vitória de François Mitterrand em 1981, se apropriou da luta contra o racismo para quebrar a liderança do Partido Comunista sobre a esquerda.[73] Portanto, se a raça procede de uma retórica de direita, o antirracismo seria uma arma usada pelo Partido Socialista para dividir a esquerda... E, mais uma vez, a experiência das pessoas principalmente concernidas pela raça é ignorada, enquanto a raça é considerada apenas como a ferramenta oportunista de uma retórica com interesse político.

De acordo com os autores, o abandono do critério social levou à criação da figura do imigrante, que substitui a do trabalhador na mídia e nos discursos políticos, por uma "transformação identitária (...) acentuada pela mudança de foco da fábrica para os subúrbios".[74] Assim, a direita e a extrema direita retomaram o antigo discurso de denúncia da imigração conferindo-lhe uma forma compatível com os valores republicanos. Dessa forma, a raça substituiu a classe.

Cabe notar aqui o etnocentrismo da análise: a raça está confinada ao discurso dos políticos franceses de direita dos séculos XIX e XX, ignorando a realidade das relações raciais dentro e fora das fronteiras francesas, da escravidão à colonização e à subjugação e massacre de populações. Esse apagamento da história global da raça deixa perplexo/a: nada é mencionado do ponto de vista das Américas, das colônias ou mesmo do comércio triangular, que garantiu o enriquecimento da Europa. Uma França isolada do resto do mundo, limitando o significado do termo "raça" apenas ao seu uso pela direita política, define peremptoriamente todas as relações sociais de poder que atravessam a humanidade: essas se baseiam apenas na classe, e em nenhuma outra categoria.

Até mesmo o racismo, a realidade social e política que estruturou o funcionamento das colônias, está restrito a uma existência nominal tardia: segundo os autores, o termo apareceu pela primeira vez na obra de Charles Malato em 1888 para designar um estágio da humanidade, e adquiriu seu significado negativo somente após o caso Dreyfus. Será que o fato de a palavra ser atestada tão tardiamente com esse sentido na França magicamente anula as realidades históricas francesas (na metrópole e nas colônias) e globais que ela nomeia? O uso ressignificante que as minorias racizadas poderiam fazer do termo "raça" é julgado errôneo: só o ponto de vista informado dos autores pode determinar o significado desse termo, e a sua realidade. Esse mesmo desprezo é endereçado aos/às autores/as que abordam questões de raça

---
73 Ibid., p. 154.
74 Ibid., pp. 161-162.

na França⁷⁵, numa confusão real e uma ignorância reivindicada para com os estudos críticos da raça, ou os estudos pós-coloniais e decoloniais. Que pena que Noiriel e Beaud não tenham lido mais atentamente os/as autores/as que eles atacam: pois destaca a articulação sutil das questões de classe e raça na obra pioneira de Eric Fassin e Didier Fassin, *De la question sociale a la question raciale*. Não se trata efetivamente de dar primazia a uma categoria (raça) sobre outra (classe), "mas sim de examinar a pluralidade das lógicas de representação da sociedade".⁷⁶ Nesse sentido, a questão não é substituir classe por raça:

> O discurso político não está condenado à pobreza de uma única chave para interpretar o mundo; da mesma forma, as ciências sociais não estão restritas a uma única grade de leitura da sociedade. Falar de classe não exclui falar de raça, e vice-versa. Além disso, podemos multiplicar as aberturas, como implicado pela diversidade dos questionamentos minoritários, que levantam uma pluralidade de questões raciais e uma pluralidade de questões sexuais. Essas questões múltiplas não podem ser reunidas e resolvidas numa só.

Em outras palavras, contra análises simplistas das evoluções contemporâneas, advogamos um pensamento da complexidade.⁷⁷

Portanto, é urgente levar as relações sociais de raça realmente a sério, sem reduzi-las apenas à classe, ou considerar que aqueles/as que as discutem são cúmplices do capitalismo, ou não têm voz na questão, por estarem demasiado concernidos/as por esse tema, ou por saírem de um academicismo exclusivamente francês.

Assim, a raça vem irredutivelmente acompanhada por múltiplas recusas ou desmentidos: da sua realidade social como relação de poder, dos seus efeitos múltiplos, e da sua validade como ferramenta de análise. A questão principal que emerge aqui é como desfazer esse desmentido social, político, econômico e acadêmico das relações de raça e dos seus efeitos psíquicos.

---

75 Isso será analisado mais detalhadamente no capítulo "Ideia de uma história universal de um ponto de vista 'não político'", na segunda parte do livro.
76 Éric Fassin, Didier Fassin, "Introduction. A l'ombre des émeutes", in Éric Fassin, Didier Fassin, *De la question sociale à la question raciale?* Paris, La Découverte, 2006, p. 19.
77 Éric Fassin, Didier Fassin, "Conclusion. Éloge de la complexité", ibid., p. 254.

O que a raça vem causar?

"Não, a raça não existe. Sim, a raça existe".

Uma das primeiras formas desse desmentido, como vimos, tem a ver com o próprio termo, que alguns/algumas políticos/as e pesquisadores/as pretendem eliminar, remetendo-o a um imperialismo acadêmico estadunidense. Falar de raça significaria importar categorias culturais e políticas estadunidenses numa realidade social francesa que fica longe do "comunautarismo" ou da "ditatura das minorias" dos Estados Unidos. Desfazer esse desmentido implica primeiro recordar que o termo raça na sua acepção crítica não é estadunidense: apareceu na França na década de 1970, no trabalho de Colette Guillaumin, que designa assim a naturalização ideológica de uma relação de poder.[78] Em seu livro *L'Idéologie raciste*[79], ela define a raça como o resultado de um processo de alterização e inferiorização de um grupo social ao qual são atribuídas características hereditárias. Portanto, um grupo alterizado não é uma comunidade identitária, mas uma categoria naturalizada pela discriminação, à qual é assim designada uma identidade homogênea outra.

Num outro livro, *Sexe, race et pratique du pouvoir*, Colette Guillaumin analisa conjuntamente as relações de poder de raça e sexo, ambas categorias supostamente "naturais". Assim como o sexismo, o racismo é um naturalismo, a atribuição ideológica de uma "natureza" a grupos inferiores envolvidos numa relação desigual de apropriação.[80] De acordo com Colette Guillaumin, a raça surge quando uma classificação por marca é naturalizada: neste caso, o fenótipo e a cor da pele, próprios à população escravizada e deportada da África para as Américas durante quase quatro séculos. O sistema de marcas, que por muito tempo acompanhou as divisões sociais, atesta a natureza convencional e artificial das práticas sociais: é exatamente o oposto de qualquer distinção "natural". Um exemplo disso é a diferenciação no vestuário entre a nobreza e a burguesia: até o século XVIII, as cores vivas, as peles e joias eram exclusivamente reservadas à nobreza, e o preto um monopólio da burguesia. Por conseguinte, a marca morfológica não é mais "natural" do que essa diferenciação de roupas: "não precede mais a relação social do que a marcação a ferro em brasa ou a tatuagem de um número".[81] Nos séculos XVII e XVIII, a deportação

---

78 Colette Guillaumin, *L'Idéologie raciste. Genèse et langage actuel*, Paris, Mouton, 1972 e Colette Guillaumin, *Sexe, race et pratique du pouvoir*, Paris, Ixe, 2016 (édition numérique), sobretudo os textos "Race et Nature. Système des marques, idée de groupe naturel et rapports sociaux" (1977) e "Je sais bien mais quand-même ou les avatars de la notion de race" (1981).
79 Colette Guillaumin, *L'Idéologie raciste*..., op. cit, p 94.
80 Colette Guillaumin, "Race et Nature. Système des marques, idée de groupe naturel et rapports sociaux", in Colette Guillaumin, *Sexe, race et pratique du pouvoir*, op. cit.
81 Colette Guillaumin, "Race et Nature. Système des marques, idée de groupe naturel et rapports sociaux", op. cit.

de mão de obra escravizada da região do Golfo da Guiné e da África Oriental desempenhou um papel catalisador na formação da noção de raça, naturalizando a marca "cor da pele negra", que se tornou sinônimo de escravidão. Mas essa marca só aparece como realidade relevante a partir da escravidão: ela resulta da escravidão, não a precede. Por uma inversão estratégica que procura legitimar a escravidão, a marca natural passa a ser a suposta causa do lugar que um determinado grupo ocupa numa relação social, enquanto, na realidade, ela só provém da relação social que criou e alterizou esse grupo. Colette Guillaumin argumenta que não há nada menos natural do que o grupo "negros/as", "mulheres", "imigrantes": são as relações sociais (escravidão, casamento, trabalho imigrante) que produzem continuamente esses grupos.

Desfazer o desmentido também significa lembrar que o fim da impostura científica da raça, ou a redução das legislações racistas, não significa a erradicação das relações sociais de raça. Como argumenta Colette Guillaumin, a raça tem a ver principalmente com parte inconsciente de nossos mecanismos de conhecimento e relacionamento com os/as outros/as. Demonstrar que é cientificamente inválida não a cancela das categorias mentais, inclusive para quem é convencido/a que ela não existe como fato "natural". A raça pode ser suprimida como categoria empiricamente válida, mas permanece empiricamente eficaz: "Ela não existe. No entanto, ela causa mortes. Produz mortes e continua a fornecer a estrutura para sistemas ferozes de dominação".[82]

E mais, seria indecente afirmar que uma categoria jurídica e politicamente vigente ao longo da história, que organizou e ainda organiza Estados, que faz parte da lei, e que foi a causa direta do assassinato de milhões de seres humanos, não existe. Escreve Colette Guillaumin: "Não, a raça não existe. Sim, a raça existe. Não, é claro que não é o que dizemos que é, mas é, no entanto, a mais tangível, real e brutal das realidades".[83]

Em outras palavras, embora as classificações e divisões raciais, étnicas, culturais ou confessionais sejam irrelevantes, o racismo lhes confere uma realidade *a posteriori*: as faz existir como crenças comuns, designando os/as racizados/as para uma posição de discriminação. A negação dessa realidade pela rejeição hipócrita do termo "raça" equivale a um desmentido da opressão coletiva e subjetiva sofrida pelos/as discriminados/as.

Desfazer esse desmentido significa, então, reconhecer os efeitos sociais e psíquicos ainda vigentes da raça. Como O. Slaouti e Olivier Le Courteau apontam, as mobilizações antirracistas na França, a violência policial, as discriminações sistêmicas e os numerosos discursos desenvolvidos sobre esse assunto assinalam o retorno exacerbado de um racismo e de uma islamofobia

---

82 Colette Guillaumin, "'Je sais bien mais quand même' ou les avatars de la notion 'race'", in *Sexe, race et pratique du pouvoir*, op. cit.
83 Ibid.

das elites, assumidos por "políticos, editorialistas, filósofos e acadêmicos, que invocam o espectro racialista na origem dos estados-nação e a estirpe branca da identidade francesa".[84]

Desfazer o desmentido também significa usar a raça como uma ferramenta de análise. Além de ser uma construção, real, oriunda de relações sociais de poder, a raça, ressalta Elsa Dorlin, assim como o sexo, também é um conceito crítico, designando

> ao mesmo tempo 'velhas' categorias ideológicas (supostamente naturais), 'novas' categorias de análise crítica (críticas dos dispositivos históricos de dominação, como o sexismo e o racismo) e, finalmente, categorias políticas (categorias de identificação, ou melhor, de subjetivação-abjeção, de si e do outro).[85]

Raça, sexo e classe são dispositivos naturalizadores, criando relações de dominação, exploração, subordinação e alterização, mas também são categorias de análise crítica. Assim, a raça possibilita a definição das realidades de racialização e racização. A racização, um termo cunhado por Colette Guillaumin, se refere apenas a um aspecto dos processos de racialização, como recorda Sara Mazouz: é a produção de uma designação dominada.[86] A racização é uma racialização alterizadora e inferiorizadora. As pessoas brancas são racializadas, mas de forma alguma racizadas.

Corpos do délito

Corpos de exceção

Desfazer o desmentido também significa não apagar a história da racização e a forma como ela produziu "corpos de exceção". A raça é uma criação da modernidade colonial, sendo a "matriz privilegiada de técnicas de dominação, passadas e presentes".[87] A colonização, o lado sombrio do Iluminismo europeu, se caracterizou por dois aspectos ainda vigentes: banalizou uma violência ilimitada contra os corpos autóctones e os excluiu de todo direito. A análise por Abdias Nascimento[88] das diversas formas de genocídio dos negros brasileiros é uma ilustração clara disso: constam a escravidão e suas atrocidades, a criminalização das religiões de matriz africana que, foram alternativamente

---

84 Omar Slaouti, Olivier Le Cour Grandmaison, "Le racisme dans tous ses États", in Racismes de France, op. cit.
85 Elsa Dorlin, "Introduction. Vers une épistémologie des résistances", in Elsa Dorlin (dir.), Sexe, race, classe. Pour une épistémologie de la domination, Paris, P.U.F., 2009, p. 6.
86 Sara Mazouz, Race, Paris, Anamosa, 2020, p. 49.
87 Achille Mbembe, Critique de la raison nègre, Paris, La Découverte, 2020, édition numérique.
88 Abdias Nascimento, O Genocídio do negro brasileiro: processo de um racismo mascarado, São Paulo, Perspectivas, 2016.

proibidas e depois exotizadas e exploradas, e, num verdadeiro epistemicídio, a condenação ao esquecimento de grandes artistas, escritores/as, pintores/as e outras personalidades afro-brasileiras.

Achille Mbembe mostra como essa violência sem limites está associada à supressão de todo direito do indivíduo racizado. O corpo do/a autóctone é abandonado à brutalidade de um "conluio entre o corpo médico, o corpo policial e o corpo militar"[89], numa deflagração pulsional desmedida. Porém, na metrópole, essa violência permanece encoberta. Na França, a revolução realizada em nome da liberdade e da igualdade conviveu sem dificuldade com a prática da escravidão, da segregação e da domesticação pelo ferro e o chicote desses corpos selvagens.

O poder nas colônias consiste então em ver ou não ver, reconhecer ou invisibilizar por meio da indiferença, uma alternativa que ainda se aplica atualmente à raça na França:

> O poder racial se expressa, antes de tudo, no fato de que aquele que escolhemos não ver e ouvir não pode existir ou falar por si mesmo.
>
> (...) Aquele que é privado da capacidade de falar por si mesmo é compelido a se considerar sempre como 'intruso', ou pelo menos a nunca aparecer no campo social, ao não ser na forma de um 'problema'.[90]

O desmentido atual das relações sociais de raça reproduz essa invisibilização, que parece ser da maior importância não perpetuar no consultório do/a psicanalista "indiferente à cor" ou reprovador/a de raça.

Essa violência também se expressa por uma abolição total dos direitos, justificada pela diferença racial. O colonialismo legitima o direito dos/as civilizados/as de dominarem os/as primitivos/as, tomarem posse de suas terras e seus direitos, devido à sua inferioridade moral e cultural. A diferença racial, exaltada pela filosofia, a moral, a etnologia, a antropologia, a biologia, a frenologia e a geografia, é a base desse estado de falta de direito que reinou fora das fronteiras da Europa.

Para a França, as leis da República não se aplicavam aos/às autóctones das colônias: não havia separação de poderes na África, Ásia ou Oceania, para os "súditos franceses" que não eram "cidadãos" e permanecem privados de direitos e liberdades individuais e coletivos fundamentais. E mais, os/as autóctones estão sujeitos/as a disposições que se aplicam somente a eles/as, e que ficam especificadas no Código Negro de 1685, e nos diversos Códigos

---

89 Achille Mbembe, *Critique de la raison nègre*, op. cit.
90 Ibid.

dos Autóctones (*Codes de l'indigénat*) do final do século XIX, da Argélia à Cochinchina, passando por Madagascar e as colônias do continente africano. Por causa dessa hierarquia entre as "raças", a lei não podia ser a mesma para todos/as: estabelecia, pois, um estado permanente de exceção para os/as colonizados/as, e um racismo de Estado.

Submetidos a uma violência sem limites nem medida, e ficando fora do direito, esses corpos são verdadeiros "corpos de exceção", como aponta Sidi Mohammed Barkat.[91] Relegados/as a um regime jurídico especial, excluídos/as da cidadania apesar de serem nacionais franceses, considerados/as como perigosos/as, os/as autóctones das colônias não passam de corpos físicos indignos da esfera política. Se reivindicarem direitos ou pretenderem contar no espaço público, se tornam uma massa de corpos brutos a serem eliminados: sem alma nem dignidade, sem razão nem individualidade, sem história nem humanidade. Suas características racialmente diferenciadas, irredutivelmente identificáveis e ontologicamente naturalizadas os separam irrevogavelmente dos corpos livres dos colonos.

O destino desses corpos, concebidos como puramente pulsionais, perigosos, a serem coagidos e contidos, ainda é perpetuado na França hoje através do tratamento dos/as descendentes de migrantes das ex-colônias, os "jovens selvagens" da periferia.

Corpos estrangeiros na República

Na França, como na maioria dos países europeus, a criação dos corpos racizados está intimamente ligada à circulação intranacional de súditos/as do Império Francês ou dos DOM-TOM[92] para a França metropolitana e, ulteriormente, à migração internacional de cidadãos/ãs das antigas colônias. As inúmeras leis anti-imigração que atualmente entrincheiram a Fortaleza Europa implementam a raça nos movimentos entre Sul e Norte globais. Produzem os "corpos de exceção" do presente: estrangeiros/as e franceses/as (ditos/as "oriundos/as da imigração") indiscriminadamente referidos/as à mesma designação racial.

Uma série de leis penalizadoras aprovadas nos últimos cinquenta anos institucionalizou a segregação dos corpos, submetidos, se não se conformarem as regras de mobilidade internacional diferenciada, a um tratamento extremamente violento. Após a independência, nas décadas de 1950 e 1960, a circulação de cidadãos/ãs do Sul global e, mais especificamente, das antigas colônias francesas, não foi diretamente alterada. Entretanto, de acordo com

---

[91] Sidi Mohammed Barkat, *Le Corps d'exception: Les artifices du pouvoir colonial et la destruction de la vie*, Paris, Amsterdam, 2005.
[92] Áreas e Territórios Ultramarinos (*Domaines d'Outre-Mer et Territoires d'Outre-Mer*).

Alexis Spire[93], as políticas de imigração introduzidas após 1945 revelaram práticas ministeriais discriminatórias, com base na capacidade postulada dos imigrantes se integrarem à sociedade francesa: desde os mais facilmente integráveis, os/as europeus e europeias do norte, até os/as menos desejáveis, os/as norte-africanos/as.

A imigração oriunda do Magrebe e da África subsaariana foi considerada problemática pelos altos funcionários públicos a partir da década de 1960. O regime de livre circulação para cidadãos/ãs das antigas colônias francesas mudou drasticamente em 1974, quando as fronteiras foram fechadas para a imigração de trabalhadores extra-europeus, assim restringindo a entrada, a permanência e a regularização dos/as migrantes. Desde então, como afirma um site oficial do governo, "o controle dos fluxos migratórios e o combate à imigração ilegal têm sido um objetivo permanente de todos os governos".[94]

De 1977 em diante, o objetivo era reduzir o número de migrantes (extra-europeus), promovendo o retorno assistido, e limitando a renovação das autorizações de trabalho. Em 1980, a Lei Bonnet alterou a Ordem de 2 de novembro de 1945 relativa aos/às estrangeiros/as na França, tornando mais rígidas as condições de entrada e residência: realizadas ilegalmente, eram motivo de expulsão por ameaça à ordem pública.

Isso deu início à criminalização dos/as estrangeiros/as "ilegais", passíveis de serem reconduzidos/as à fronteira ou mantidos/as em detenção administrativa antes de serem deportados/as. Os controles preventivos de identidade foram legalizados em fevereiro de 1981 pela lei Peyrefitte, que ampliou as prerrogativas da polícia e da gendarmaria nessa área. Os controles com base em "características faciais" se tornaram comuns, com o objetivo de identificar supostos "imigrantes ilegais" por sua aparência física.

No início da década de 1980, os acordos entre a França e vários países da América Central, do Caribe e da Ásia, que isentavam seus cidadãos de vistos de curta duração, foram encerrados. Em 1986, um visto de entrada se tornou obrigatório, salvo para cidadãos/ãs da CEE[95] e de alguns países fronteiriços: a medida foi imposta como meio de luta contra o terrorismo. Para os países classificados como "sensíveis" e com risco migratório, a obtenção de um visto ficou sujeita a inúmeras condições. No mesmo ano, a primeira lei Pasqua expandiu as formalidades e condições a serem cumpridas, restringiu a concessão de cartas de residência, permitiu que as autoridades deportassem pessoas sem revisão judicial, e facilitou as expulsões sem nenhuma garantia

---

93 Alexis Spire, *Étrangers à la carte. L'administration de l'immigration en France (1945-1975)*, Paris, Grasset, 2005.
94 [FALTA NOME DO AUTOR POIS É MATÉRIA JORNALÍSTICA – não, não falta nada: não é matéria, é artigo de lei] *Entrée, séjour, travail, éloignement : le statut des étrangers en France*. Disponível em: https://www.vie-publique.fr/eclairage/20165-entree-sejour-travail-eloignement-le-statut-des-etrangers-en-france. Acesso em: 23 de fevereiro de 2024.
95 Comunidade Econômica Europeia.

processual. Assim, ela enfraqueceu consideravelmente a situação de muitos/as estrangeiros/as provenientes de antigas colônias. A segunda lei Pasqua, em 1993, reformou o código da nacionalidade, ao introduzir, para indivíduos nascidos na França, uma necessária declaração expressa do desejo de ser francês aos 18 anos de idade. Estendeu assim a desconfiança manifestada para com estrangeiros/as aos/às descendentes franceses/as de migrantes pós-coloniais. Condições mais rigorosas foram impostas para a obtenção de uma carteira de residência de dez anos, para a reunificação familiar e para a naturalização. Ao mesmo tempo, a agência de emprego francesa (ANPE) foi compelida a verificar a legalidade dos/as estrangeiros/as em busca de emprego: esses/as ficavam condenados/as a uma interdição do território francês se trabalharem sem autorização. Da mesma forma, a proteção social passou a ser condicionada à legalidade da residência. Todas essas medidas expuseram muitos/as estrangeiros/as à ameaça constante de deportação e tornaram suas condições de vida, trabalho e integração mais precárias.

Em 2003, a lei Sarkozy "relativa ao controle da imigração, à residência de estrangeiros na França e à nacionalidade" ampliou os períodos de retenção dos/as migrantes "ilegais", aumentou as penalidades contra quem assistir na entrada, na residência e no emprego "ilegais" de estrangeiros/as. A fim de lutar contra os "casamentos fictícios", a lei ampliou o período de tempo de vida comum para que os cônjuges estrangeiros de cidadãos/ãs franceses/as obtivessem uma carteira de residência. Uma nova lei Sarkozy, aprovada em 2006, alterou novamente o direito da imigração na França, condicionando a emissão de um título de residência à obtenção de um visto de mais de três meses. Também introduziu a possibilidade de as autoridades da prefeitura emitirem uma "obrigação a deixar o território francês", e restringiu a reunificação familiar e as regularizações de estrangeiros/as.

A lei de 2007 "relativa ao controle da imigração, à integração e ao asilo" simplificou as medidas de remoção de estrangeiros/as e proibiu aos/às estrangeiros/as ilegais de usar centros de hospedagem de emergência. Também tornou mais rigorosas as condições para a reunificação familiar: a emenda Mariani exigia que cidadãos/ãs de países com Estado civil defeituoso provassem sua filiação por meio de um teste genético, uma verdadeira violação do direito da filiação na França.

Mais recentemente, de setembro de 2021 a dezembro de 2022, a França decidiu condicionar a emissão de vistos para o Marrocos, a Argélia e a Tunísia aos esforços feitos por esses países para repatriar cidadãos/as sujeitos/as à obrigação de deixar o território francês. Assim, a concessão de vistos foi temporariamente reduzida em 30% para a Tunísia e em 50% para o Marrocos e a Argélia.

Por último, após uma censura parcial do Conselho Constitucional, uma nova Lei sobre Asilo e Imigração foi promulgada em 26 de janeiro de 2024, tornando mais rígidas muitas das condições que regem o acesso à residência e limitando a proteção contra a deportação. A entrada na França passou a ser condicionada à cooperação do país do/a migrante em questões de deportação, e os controles e repressões foram intensificados. A lei visa incentivar uma "imigração seletiva", introduzindo títulos de residência emitidos em caráter excepcional em determinadas situações, porém restritas. As condições de residência foram reforçadas e sujeitas ao conhecimento da língua francesa, à educação cívica e a comprometimentos republicanos. Os/as estrangeiros/as devem, portanto, provar uma integração exemplar na sociedade francesa (cujos critérios e meios de avaliação ficam pouco claros), independentemente dos elementos factuais específicos a cada um/a. Além disso, foram criados novos motivos para recuso de emissão, renovação ou retirada de carteiras de residência (fraude documental, delitos, etc.). Os processos de remoção foram reforçados e a expulsabilidade ampliada.

Em 25 de janeiro de 2024, o Conselho Constitucional censurou trinta e dois artigos desse projeto de lei por motivos processuais e, parcial ou totalmente, três artigos com respeito ao fundo. Embora essas medidas não tenham sido validadas, foram objeto de um acordo entre o governo Renaissance (partido do Presidente) e seus aliados estratégicos, Les Républicains[96] e o Rassemblement National.[97] Esses artigos são representativos da maneira como a imigração é vista por uma maioria no poder. Incluem a introdução de cotas migratórias, a exigência de ter residido legalmente por um determinado período de tempo para se qualificar para certos benefícios, a dificultação da reunificação familiar, a introdução de uma "garantia de retorno" para estudantes estrangeiros/as, o restabelecimento do delito de residência ilegal, condições particulares de acesso à nacionalidade francesa para os/as jovens nascidos/as na França de pais estrangeiros, a consideração do grau de cooperação dos Estados estrangeiros na repatriação dos seus cidadões/ãs para a alocação de assistência ao desenvolvimento, a exclusão dos/as estrangeiros/as sem documentos das tarifas reduzidas no transporte público etc.

Se essas "leis de inospitalidade"[98] visam essencialmente os/as estrangeiros/as, petrificam as fronteiras francesas e revelam a desconfiança da França em relação aos países do Sul, especialmente suas ex-colônias, elas também têm um impacto fundamental sobre o racismo. Na prática, são aplicadas a corpos racizados, identificados pelas autoridades como estrangeiros/as ilegais, indignos/as de residir na França. Embora o racismo não esteja diretamente inscrito nesses textos (ainda que a distinção entre as possibilidades de circulação dos povos seja um efeito direto da construção da raça na era moderna), a

---

96 Partido de direita dura.
97 Partido de extrema-direita, inicialmente chamado "Front Populaire", criado por torturadores durante a guerra de independência da Argelia, com simpatias nazistas.
98 Didier Fassin, Alain Morice, e Catherine Quiminal, *Les Lois de l'inhospitalité. Les politiques de l'immigration à l'épreuve des sans-papiers*, La Découverte, 1997.

implementação dessas leis o oficializa. Processos do Estado contra migrantes, abusos policiais contra minorias racizadas e discriminações estruturais contra pessoas não brancas são todos herdados diretamente das práticas coloniais.

Portanto, embora o racismo e a xenofobia permaneçam dois fenômenos bastante distintos, o racismo colonial continua onipresente na França, de acordo com Etienne Balibar: os/as trabalhadores/as das antigas colônias francesas são seus "objetos privilegiados".[99] O Estado-nação e o imaginário de uma comunidade nacional ficticiamente uniforme etnicizam a diferença social, transformando-a numa divisão entre "verdadeiros" e "falsos" nacionais.[100] Nessa análise na qual raça, nação e classe permanecem inseparáveis, Etienne Balibar destaca a maneira como o racismo anti-imigrante "alcança a identificação máxima da situação de classe e da origem étnica", promovendo a categoria de imigração como substituta da noção de raça.[101]

Surge, portanto, um "neoracismo": um racismo da era da descolonização, centrado no "complexo de imigração", um "racismo sem raças" cujo tema dominante não é a hereditariedade biológica, mas a irredutibilidade das diferenças culturais.[102] Mais do que a superioridade de certos povos sobre outros, é a incompatibilidade de estilos de vida e tradições que ganha destaque aqui, por meio de uma "naturalização cultural".[103] A arabofobia e a islamofobia são exemplos atuais disso. Esse racismo decorre da ideia de que as culturas históricas da humanidade podem ser divididas em duas classes: universalistas progressistas e particularistas primitivas.

Embora o racismo atual seja caracterizado pela rejeição das diferenças culturais, ele mantém um "preconceito de cor"[104] em seu cerne: a "identidade cultural" é baseada diretamente na aparência física dos representantes da cultura "asiática", "árabe" ou "africana", por prolongação da naturalização da raça e do imaginário racial construído nas colônias.

Desfazer o desmentido significa perceber que a raça fundamenta um racismo diretamente inscrito na herança colonial e sua gestão racializada do espaço e da circulação. O/A imigrante de "primeira", "segunda", ou "terceira geração", uma figura que abrange estrangeiros/as e franceses/as de forma indiferenciada, carrega, como o/a *converso/a* do século XVI, a mesma mancha transmitida de uma geração para a outra.

---

99 Étienne Balibar, "Racisme et nationalisme", in Étienne Balibar, I. Wallenstein, *Race, nation, classe*, op. cit.
100 Étienne Balibar, "La forme nation: histoire et idéologie", in Étienne Balibar, I. Wallenstein, *Race, nation, classe*, op. cit.
101 Étienne Balibar, "Le 'racisme de classe'", in Étienne Balibar, Immanuel Wallenstein, *Race, nation, classe*, op. cit.
102 Étienne Balibar, "Y a-t-il un 'néoracisme'", in Étienne Balibar, Immanuel Wallenstein, *Race, nation, classe*, op. cit.
103 Idem.
104 Frantz Fanon, *Pele negra, máscaras brancas*, op. cit.

Fenomenologia dos corpos racizados

Fenômeno e estrutura racial

Os corpos racizados são, portanto, historicamente constituídos por tratamentos violentíssimos estatutos jurídicos arbitrários. Desfazer o desmentido da raça significa considerar os efeitos dessa história sobre a forma em que esses corpos aparecem, são percebidos, se apreendem a si mesmos, e entram em contato com outros corpos.

Qualquer percepção de um corpo (próprio e alheio) só acontece por meio da unidade consciente e inconsciente de um conjunto de representações acompanhando e determinando-a. Como ressaltou Maurice Merleau-Ponty, na maioria das vezes, um corpo é habitado e vivido sem reflexividade: é atravessado por uma "intencionalidade operante", um movimento de consciência sem atenção ou reflexão explícita.[105] Essa intencionalidade carrega consigo um conjunto de significados perceptivos que surgem na junção do corpo e da linguagem, da sensação e do seu contexto simbólico, do fenômeno e da estrutura. Um corpo racializado se inscreve nessas significatividades, determinadas por um conjunto de representações culturais e simbólicas construídas ao longo da história dos povos. Portanto, aparece acompanhado por essa unificação significante: cercado por um halo de significados implícitos, definidos pela raça, tornando arbitrariamente mais relevante certos aspectos (cor da pele, cabelo, altura, formato do nariz, roupas etc.). A percepção de um corpo se refere, pois, a uma infinidade de indicadores sensitivos, cuja unificação, hierarquização e redução a um significado específico é um ato social, produzindo uma percepção-interpretação da racialização.

O racismo, seja biológico ou cultural, usa os padrões perceptivos determinados pela estrutura cultural e conceitual de uma época para constituir outros raciais e justificar sua exclusão. Não é a cor da pele que, numa percepção "objetiva" ou "neutra", alteriza o/a outro/a e o/a raciza, mas um sistema definido pela hegemonia colonial, a escravidão, as divisões Norte-Sul e as exclusões socioeconômicas e culturais que faz o/a outro/a aparecer como negro/a, norte-africano/a, branco/a, asiático/a etc. Quer a diferença seja física ou cultural, permanece performativamente constituída: a divisão precede as entidades divididas, e a percepção de corpos racizados não preexiste ao racismo.

É isso que Franz Fanon descreve em *Pele negra, máscaras brancas*, ao ressaltar como, num mundo branco, o sujeito negro tem dificuldade em ela-

---

[105] A intencionalidade operante é "aquela que forma a unidade natural o antepredicativa do mundo e de nossa vida, que aparece em nossos desejos, nossas avaliações, nossa paisagem, mais claramente do que no conhecimento objetivo, e fornece o texto do qual nossos conhecimentos procuram ser a tradução em linguagem exata", M. Merleau-Ponty, *Fenomenologia da percepção*, Martins Fontes, 1994, São Paulo, p. 16.

borar seu esquema corporal. O "conhecimento do corpo em terceira pessoa" e a "atmosfera de incerteza incerta", elementos da impessoalização do corpo e da intencionalidade operante descrita por Merleau-Ponty, são comandados pelo mundo do outro, "'o branco', que os teceu para mim através de mil detalhes, anedotas, relatos".[106] Por baixo do esquema corporal do sujeito racizado aparece um "esquema histórico-racial" [107], um "esquema epidérmico racial", "lendas, histórias, a história e, acima de tudo, a *historicidade*", combinando "a antropofagia, (...) o atraso mental, o fetichismo, as taras raciais, os negreiros e, sobretudo, '*Y a bon banania*'".[108]

Porém, ainda mais do que essa significatividade implícita, é um conjunto de significados inconscientes, transmitidos coletivamente e ressignificados subjetivamente, que determinam a apreensão do corpo próprio e alheio, e a inscrevem numa estrutura fantasmática. Se um corpo sempre aparece como racializado (racizado ou branco), é por meio da retomada subjetiva de fantasias coletivas. Essas fantasias carregam um imaginário racial derivado de práticas mais ou menos instituídas, mais ou menos conscientes, e que aparecem numa série de imagens (das exposições coloniais às agências de viagem), objetos (das estatuetas às máscaras ou tapetes), discursos (da Assembleia Nacional ao balcão do café), expressões ("a coisa tá preta", "serviço de preto", "amanhã é dia de branco") ou criações artísticas (literatura, cinema ou música), todos eles testemunhando trocas socioeconômicas passadas e presentes entre brancos/as e racizados/as, o Norte e o Sul globais. Esses agenciamentos socioculturais e sua atmósfera colonial continuam vigentes: dentro deles, é perpetuada uma percepção dos corpos carregando um significado racializante, hierarquizador e, na maioria das vezes, não diretamente consciente. Uma apreciação racial historicamente construída dos corpos estrutura e sobredetermina o campo da percepção.

Nessa fenomenalização do corpo racizado, a cor da pele, primeira aparência irredutível, desempenha um papel central. Ela carrega um imaginário e representações construídos cultural, sociológica e antropologicamente. Portanto, provoca expectativas e representações particulares na percepção dos corpos: precede o sujeito, tanto no olhar dos/as outros/as quanto no seu próprio, dotando-o de uma identidade geral simplista, caricatural, normativa e alienante. A cor passa a ser essencializadora: torna o imaginário que ela convoca necessário, em vez de historicamente construído, congela suas representações racizadas latentes e manifestas, e faz com que o indivíduo desapareça por trás do mandato da raça.

Fingir não enxergar a racialização, ser "indiferente à cor", *colourblind*, significa negar a longa história de inferiorização dos corpos racizados, bem

---
106 Frantz Fanon, *Pele negra, máscaras brancas,* op. cit., p. 105.
107 Ibid.
108 Ibid., pp. 105-106.

como os estereótipos, as representações culturais e as designações identitárias que, por mais ultrapassadas que pareçam, ainda têm efeitos reais. Desfazer o desmentido significa recordar que a leitura dos corpos nunca é imediata, mas sempre resulta de um aprendizado da cor, que, desde a infância, se inscreve num simbólico historicamente construído, retoma as linhas de discriminação próprias às relações entre os grupos humanos, e perpetua o estigma associado durante cinco séculos a determinadas tonalidades de pele.

No contexto brasileiro, por exemplo, a feminista negra Sueli Carneiro descreve esse aspecto da seguinte forma:

> Trata-se de uma identificação quase espontânea, gerada pelas milhares de imagens registradas mentalmente ao longo de nossa vida sobre os lugares ocupados por brancos e negros. Imagine quantas vezes seu cérebro registrou a imagem de um menino no centro da cidade pedindo dinheiro no semáforo; lembre-se de todas as imagens dos "arrastões do Rio de Janeiro", dando a entender que os assaltantes são exclusivamente negros; imagine as milhares de horas passadas em frente à TV assistindo ao mocinho branco e ao bandido negro, em português, inglês... em tantas outras línguas; imagine quantas vezes observamos trabalhos precarizados sendo executados por negras e cargos de liderança ocupados por brancas — tudo isso constitui também um capital sociorracial que permite a cada brasileiro identificar imediatamente se alguém é ou não lido como negro na sociedade. [109]

Assim sendo, o corpo racizado se move num mundo onde ele é pré-dito, pré-pensado e pré-cedido por um conjunto de expectativas que limitam sua liberdade, sua conduta e suas margens de inédito. O sujeito racizado é, portanto, "sobredeterminado de fora" por sua aparência; é exigido dele que se comporte de acordo com o significado racial que lhe foi atribuído; ele é "fixado", "traído". "Sinto, acrescenta Fanon, vejo nesses olhares brancos que não é um homem novo que está entrando, mas um novo tipo de homem, um novo gênero. Um preto!"[110] Excluído do mundo racional branco, o sujeito negro é enviado de volta à "magia negra, mentalidade primitiva, animismo, erotismo animal", àqueles "povos que não acompanharam a evolução da humanidade", àquela "humanidade vilipendiada".[111]

Quando o movimento da negritude reabilitou sua sensibilidade ao mundo, sua ligação com a terra, a poesia dos elementos e o lirismo da emoção pura, a resposta branca foi categórica: "O branco, por um instante baratinado, de-

---

109 Sueli Carneiro, *apud*. Alessandra Devulsy, *Colorismo*, São Paulo, Jandaíra, 2021, edição eletrônica.
110 Frantz Fanon, *Pele negra, máscaras brancas,* op. cit., p. 108.
111 Ibid., p. 116

monstrou-me que, geneticamente, eu representava um estágio: 'As qualidades de vocês foram exploradas até o esgotamento por nós. Tivemos místicas da terra como vocês não terão jamais'".[112] O drama aqui descrito por Fanon é o etnocentrismo do Simbólico, deixando para o sujeito racizado a única alternativa de ser o abjeto do mundo branco ou, no máximo, um estágio romantizado da sua evolução. Desfazer o desmentido significa ver que essa fenomenologia da cor, que remonta a 1952, continua relevante hoje na França, assim como nas antigas metrópoles e colônias atravessadas por diferenças raciais.

Quando a intersubjetividade falha

A questão da fenomenalização dos corpos racizados, alterizados, é, na verdade, a da intersubjetividade: o que, na minha percepção do/a outro/a, faz com que ele/ela apareça como semelhante, dotado/a do mesmo estatuto humano e não redutível a um objeto? Husserl faz essa pergunta em muitos dos seus textos, especialmente na quinta de suas *Meditações Cartesianas*. Para responder, recorre à diferença fundamental entre as noções de corpo físico (*Körper*), objetivo e passível de medição e ciência, e corpo próprio (*Leib*), corpo vivido em relação com o mundo e o/a outro/a. Enquanto um é o corpo objetivado, uma massa de músculos, ossos e conexões neurofisiológicas, que permanece o mesmo vivo ou morto, o outro é vivido em primeira pessoa: é o meu corpo, na sua relação com o mundo, os outros e consigo mesmo. Quando apreendo o/a outro/a, ressalta Husserl, percebo seu corpo físico, e simultaneamente, faço presente seu corpo vivido a partir do meu, num processo que o filósofo chama de "transposição aperceptiva". Essa transposição é baseada numa semelhança carnal (*Leiblich*) entre o/a outro/a e eu, uma "apercepção assimiladora". Dessa forma, nossos corpos físicos aparecem como sendo os mesmos porque nossos corpos vividos são dados juntos: surgem um com o outro, no que Husserl chama de "acoplamento original". Assim, o/a outro/a é percebido/a conjuntamente como um outro eu (semelhante a mim, outro humano).

Na experiência racista, a apercepção assimiladora é complementada por um índice de valorização dos corpos e das culturas, de modo que o corpo físico do/a outro/a não se fenomenaliza como outro corpo vivido equivalente ao meu. Distintamente da neutralidade cultural postulada por Husserl, aqui, o contexto histórico-cultural acompanha esse corpo físico por uma outra valência. Ele aparece mais como uma superfície de inscrição do que, no meu corpo vivido, é inassimilável nas minhas próprias referências culturais: é um corpo alterizado, produzido pela identificação projetiva do abjeto do meu corpo vivido. Essa é a experiência de objetificação que Franz Fanon descreve nos seguintes termos:

---

112 Ibid., p. 118.

'Preto sujo!' Ou simplesmente: 'Olhe, um preto!'

> Cheguei ao mundo pretendendo descobrir um sentido nas coisas, minha alma cheia do desejo de estar na origem do mundo, e eis que me descubro objeto em meio a outros objetos.
>
> Enclausurado nesta objetividade esmagadora, implorei ao outro. Seu olhar libertador, percorrendo meu corpo subitamente livre de asperezas, me devolveu uma leveza que eu pensava perdida e, extraindo-me do mundo, me entregou ao mundo. Mas, no novo mundo, logo me choquei com a outra vertente, e o outro, através de gestos, atitudes, olhares, fixou-me como se fixa uma solução com um estabilizador.[113]

O espelho deformador

Em termos psicanalíticos, como Franz Fanon aponta, aparece aqui uma falha no que Lacan definiu como estágio do espelho. Para este psicanalista, diante do espelho, a captura da criança por sua imagem redistribui a relação entre o interior e o exterior: se ela se reconhece, é logo de saída dividida, ali, entre o corpo e a imagem do corpo. A alienação é original: essa identificação com a *imago* no espelho confronta o sujeito com uma imagem ao mesmo tempo desejada como promessa de completude, totalização de um corpo fragmentado na percepção própria, e odiada como rival. A identificação do eu não é, portanto, originária; ela é mediada pelo desejo do outro: se efetua através de uma projeção na imagem do outro.

Na experiência do sujeito racizado exposto a um mundo branco, o espelho é distorcido. Para Franz Fanon, "nas Antilhas, a percepção se situa sempre no plano do imaginário. É em termos de branco que cada um percebe o seu semelhante".[114] O drama do eu ex-centrado descrito por Lacan no estágio do espelho é acompanhado aqui por uma intimação a se tornar o Outro (branco), pela sua impossibilidade, e pela alteração que daí decorre. A intersubjetividade incita o sujeito racizado a se tornar o outro referencial, o branco, ou o outro alterizado, o abjeto rejeitado por uma identificação branca.

Desfazer o desmentido equivale a reconhecer que essa percepção alucinada é o destino do/a colonizado/a ou, hoje do/a raciado/a num contexto branco, submetido/a à alternativa de se tornar outro/a (embranquecido/a) ou de ser alterizado/a: hipersexualizado/a e fetichizado/a, fixado/a no biológico, genitalizado/a ou, num "maniqueísmo delirante", remetido/a ao mal.

---

113 Ibid.
114 Ibid., p. 142.

Guilaine Kinouani descreve essa experiência, ainda atual, de exclusão do corpo racizado dos espaços brancos:

> Você entra numa sala. É um espaço branco. Ao entrar, você sente um peso, por assim dizer. Você olha ao seu redor. Os olhos o/a fixam como se fossem devorá-lo/a. Você percebe instantaneamente que é a única pessoa de cor na sala. Uma sensação de desconforto toma conta de você. Você se sente um pouco enjoado/a. O desconforto pode até deixá-lo/a zonza/a. Ou nauseada/o. Talvez você tente impor sua presença em silêncio. Ou até mesmo sentar. De qualquer forma, seu corpo está reagindo a algo. Muito rapidamente, esse algo se torna sufocante. Cada movimento seu é feito com precisão milimétrica à medida que você se torna mais consciente do seu corpo. Seus atributos negros são examinados sob um microscópio. Tudo o que você quer fazer é sair dali. Você sabe que esse lugar é inóspito para você. (...) O que aconteceu naquela sala? O que foi a reação do seu corpo? Foi apenas ansiedade ou você foi expulso/a desse lugar? De quem foi a fantasia que você encenou?[115]

Essa exclusão, sem ser explícita, é concretamente sentida pelo sujeito racizado no seu corpo. Essa hostilidade quase palpável vivenciada por muitos sujeitos racizados num espaço branco decorre de uma identificação projetiva. É um processo duplo: um sujeito (percebido como branco) identifica em outro sujeito (percebido como racizado) elementos que lhe são específicos, considerados abjetos, e dos quais se defende atribuindo-os ao outro. Mas, em contrapartida, o sujeito racizado, virado uma superfície para a projeção de sensações, pulsões, representações e fantasias, por sua vez se identifica com esses elementos. Se consegue escapar a abjeção que lhe é imposta, sente pelo menos uma intrusão no seu espaço psíquico, o que gera o desconforto de se encontrar em tal lugar.

À luz dessa fenomenologia, parece importante não perpetuar os desmentidos da designação racial que afeta os corpos racizados. Quando essas experiências não são reconhecidas por uma posição maioritária não racizada, ansiosa por afirmar que o racismo é coisa do passado, as experiências de exclusão dos corpos racizados passam a ser assumidas apenas pelas pessoas racizadas. Esse isolamento social pode ter consequências psíquicas consideráveis.

---

[115] Guilaine Kinouani, *La Vie en noir. Comment vivre dans une société blanche*, Paris, Dunod, 2022, edição eletrônica.

O retorno do reprimido

Desfazer o desmentido consiste então em reconhecer a maneira como a fabricação de corpos alterizados pela colonização, a escravidão, e as "leis da inospitalidade" tem efeitos psíquicos inegáveis. Isso inclui sentimentos de falta de ancoragem e pertencimento, temas centrais nas vivências de desamparo psíquico das comunidades negras, de acordo com Guilaine Kinouani.[116] O tráfico de escravos e seu desenraizamento das suas terras, mas também de qualquer forma de existência estável - sendo que um/a escravo/a sempre pode ser vendido/a e levado/a para longe dos seus - constitui o fundamento histórico para essa falta de ancoragem entre os/as afrodescendentes.

A biopolítica da imigração, a designação para um lugar irredutível de estrangeiridade, a ameaça constante de deportação e desapropriação, a xenofobia e o racismo estendem esse sentimento à maioria dos/as migrantes e seus/suas descendentes. Quando a existência é condicionada, quando os controles de "regularidade" proliferam e têm como alvo principalmente os corpos racizados, quando um ambiente hostil é criado por uma série de leis que tornam as condições de residência, trabalho, moradia e acesso à saúde mais precárias, a afiliação cultural e o sentimento de habitar e pertencer ficam comprometidos.

Essa fabricação histórica de corpos racizados, por meio da colonização, da escravidão e da criminalização da imigração, tem consequências diretas na vida de jovens franceses/as racizados/as. Para alguns/algumas, o sentimento de não pertencimento é acompanhado por uma revolta que combina uma resposta à violência racista institucional presente com uma resistência às violações coloniais passadas ainda atuais, apesar do esquecimento oficial. Isso é analisado em detalho por Malika Mansouri no seu livro *Révoltes postcoloniales au cœur de l'Hexagone*.[117] Em 27 de outubro de 2005, Zyed Benna e Bouna Traoré, adolescentes de 17 e 15 anos, fugiram de um controle policial por não levarem consigo seus documentos de identidade, e foram compelidos a se abrigarem numa subestação de eletricidade, local onde morreram eletrocutados. De 27 de outubro a 17 de novembro de 2005, estourou uma revolta de adolescentes, descrita como "motim" pela mídia e os políticos. Embora esse movimento prolongasse uma série de revoltas nas periferias francesas em resposta a intervenções mortíferas da polícia, ele se distinguiu por sua abrangência nacional e sua duração de três semanas. O ano de 2004 foi marcado pelo "caso do véu", pela promulgação de uma lei contra símbolos religiosos ostensivos[118], e pela adoção da lei de 23 de fevereiro de 2005, que mencionava "o papel positivo da presença francesa no exterior, notadamente

---
116 Guilaine Kinouani, *La vie en noir...*, op. cit.
117 Malika Mansouri, *Révoltes postcoloniales au cœur de l'Hexagone. Voix d'adolescents*, Paris, P.U.F., 2013 edição eletrônica.
118 Foi promulgada em 2004 uma lei proibindo o uso de lenços de cabeça em instituições de ensino secundário.

na África do Norte". No ano seguinte, para combater a "violência urbana" que eclodiu após as mortes de Bouna Traoré e Ziad Benna, foi restabelecido o regime de exceção adotado durante a guerra da Argélia em 1955. Malika Mansouri analisa os efeitos psíquicos desse retorno do recalque da colonização sobre jovens da periferia. Suas entrevistas com adolescentes de Clichy-Sous-Bois revelam claramente o mal-estar social e psíquico, a falta de ancoragem e de pertencimento que pesam sobre os corpos racizados desses jovens franceses.

Uma "ferida ontológica" intrínseca à colonização se abre de novo para os/as descendentes da antiga força de trabalho colonial, mão de obra imigrante, durante muito tempo marginalizada pelo racismo institucional que lhe negou um espaço, funções, direitos e bens simbólicos e econômicos. A tragédia colonial da Argélia retorna hoje com força, e seus horrores são inesquecíveis: extermínio de um terço da população durante a conquista entre 1830 e 1847, estatuto miserável dos/as autóctones, manutenção do trabalho compulsório até 1946, ou repressão sangrenta da revolução argelina. Esses atos de violência foram direcionados tanto à população autóctone da colônia quanto aos/às migrantes na metrópole: a brutalidade do Estado assumiu a forma de represálias policiais bárbaras - prisões, violência em massa e afogamentos - contra manifestações de "franceses muçulmanos" na França entre 1953 e 1962.[119]

Esse conluio do passado e do presente evidencia a atualidade de um racismo arraigado que remete a práticas, discursos e representações do "outro" próprias ao império colonial francês. Os/as descendentes de migrantes se sentem rejeitados/as pela República, assim como seus ancestrais colonizados/as eram segregados/as. Suspeitados/as no seu pertencimento à República, são constantemente instados a demonstrar que são franceses, simbólica e materialmente através dos controles de identidade.

Esses jovens vivenciam o racismo cotidiano principalmente na relação com a polícia: banalização de uma violência institucionalizada, insegurança em vez de proteção, controles repetitivos e brutais em que os jovens não têm outro recurso senão fugir se não levarem seus documentos, desprezo no tratamento (desrespeito, presunção de culpa, suspeita de ilegitimidade) e vários abusos policiais com consequências mortais. A discriminação é também perpetuada pela escola, que desautoriza as aspirações de progresso desses jovens, e multiplica a violência simbólica (posturas desqualificantes de certos docentes, orientação quase sistemática para cursos de curta duração e, às vezes, insultos racistas).

Aqui, mais claramente do que nunca, o corpo racizado aparece como "corpo de exceção", na dupla qualificação do corpo colonizado apontada anteriormente: ele está sujeito a inúmeras formas de violência e permanece parcialmente isolado da lei e da justiça. Distinguido dos outros corpos france-

---

119 Ibid.

ses, esses corpo negro ou "norte-africano" é destituído da sua singularidade e fundido numa identidade de grupo imutável, radicalmente outra, excluída e refletida em olhares de desprezo.[120]

Identificados com as vítimas mortas das intervenções policiais, esses "corpos de exceção" são condenados à alternativa de afundar-se numa melancolização submissa ou erguer-se numa revolta por vezes violenta, uma espécie de autoestima explosivamente recuperada, "um narcisismo triunfante, mas efêmero e com graves consequências". Mas, num círculo vicioso, esse processo perpetua seu banimento para as margens da sociedade: "A 'raiva' assim expressada infelizmente reforça a disfunção do vínculo social, já baseado no medo mútuo entre esses jovens e a sociedade".[121]

Essa revolta passa a reivindicar todos os direitos que foram negados a seus pais: ela retoma uma história colonial impossível de escrever, silenciada num "dizer congelado" sepultado embaixo de construções imaginárias. Excluído da memória oficial francesa, esse "saber não sabido" é silenciosamente transmitido por uma memória familiar machucada que não pode verbalizá-lo. A recusa coletiva oficial alimenta a raiva, e "cada novo morto se torna a encarnação de um ancestral cuja morte real e/ou subjetiva não foi reparada".[122]

Desfazer o desmentido aqui significa tomar nota tanto da história passada da colonização quanto dos seus vestígios atuais no racismo institucional que continua produzindo corpos de excepção. Como destaca Malika Mansouri, o trabalho de um/a clínico/a aqui consiste em se extrair da amnésia coletiva para reconhecer e validar a alterização vivenciada por esses adolescentes privados do apoio social e abandonados ao racismo.

Desfazer o desmentido e identificar os efeitos atuais da raça não significa, porém, exacerbar as diferenças, o "identitarismo" ou as "vitimizações", muito menos atiçar as chamas do ódio e da vingança. Ao contrário do que afirmam as maiores autoridades francesas, não é o reconhecimento da raça e do racismo que divide a República[123], mas a indiferença à experiência daqueles/as que sofrem discriminações diárias: pois perpetua a ideia de que alguns/algumas não podem nem devem falar. Portanto, é essencial procurar maneiras de superar esse diálogo de surdos e esse jogo de espelhos repletos de incompreensão e animosidade. Mais especificamente, como responder psicanaliticamente a esses desmentidos, na prática clínica, mas também na produção de saberes sobre o psiquismo?

---

120 "'Olham para os jovens', mas não 'veem ninguém'. Nenhum deles existe como indivíduo. Cada um é apenas um fragmento de uma massa difusa e indiferenciada que a polícia gostaria de 'derrubar um por um'". Ibid.
121 Ibid.
122 Ibid.
123 Em 10 de junho de 2020, abordando os protestos de numerosos jovens contra a violência policial e o racismo, Emmanuel Macron afirmou que o mundo acadêmico tinha a culpa de ter "incentivado a etnização da questão social, achando que era uma mina de ouro (para a pesquisa). Mas o resultado só pode ser secessionista. Isso equivale a partir a República em dois".

***

    Tentei rastrear a construção histórica da noção de raça e a forma como ela opera no cotidiano atualmente, particularmente através de desmentidos. Uma fenomenologia do corpo racizado destacou certos mecanismos psíquicos próprios à racização. Como, então, a psicanálise pode abordar clinicamente esses mecanismos e pensá-los teoricamente? Pode a psicanálise simultaneamente levar em conta a singularidade do sujeito, e os efeitos da história coletiva de fabricação da raça? Será que ela permite desfazer o desmentido da raça?

    Antes de propor uma abordagem psicanalítica da raça, que procure analisar seus efeitos psíquicos (capítulos 3 e 4), cabe apresentar um estado da arte sobre as relações entre raça e psicanálise, no que diz respeito à teoria metapsicológica, mas também às concepções da prática clínica (capítulo 2).

2
A raça na psicanálise: estado da arte

Uma metapsicologia racista?

Como apontou Edward Said, o Outro na obra de Freud é sempre imediatamente reconhecível para os/as leitores/as que dominam os clássicos da antiguidade greco-romana e hebraica.[124] Se sua concepção de cultura era eurocêntrica (e como poderia ter sido de outra forma, numa era anterior à descolonização e à globalização?), Freud se recusou a erigir uma barreira intransponível entre os/as não europeus/eias e a civilização europeia.

Entretanto, vale acrescentar que a teoria freudiana se concentrou apenas nos/as europeus-eias, e ignorou a questão da raça. Se não fosse por uma questão específica, que Freud abordou com ambivalência: as relações sociais de raça são levadas em conta no que diz respeito ao judaísmo e ao antissemitismo.

"Ciência judia"

Freud baseou a psicanálise numa enunciação oriunda das margens, desde a minorização racial à qual estava sujeito como judeu. Existem muitos estudos sobre a importância do judaísmo na obra de Freud: vários destacam a forma como Freud se declarava "judeu sem Deus", um sintagma significativo em que a questão religiosa abre espaço para considerações políticas.

Mas o que é ser judeu/judia?

"Privar um povo do homem de quem se orgulha como o maior de seus filhos não é algo a ser alegre ou descuidadamente empreendido, e muito menos por alguém que, ele próprio, é um deles"[125], escreveu Freud no início do *Moisés e o monoteísmo*. A questão da identidade de Moisés se revela central na forma como Freud abordou o judaísmo e o antissemitismo: o fundador do judaísmo foi apresentado como um estrangeiro para o povo que o adotou como líder. De fato, a reconstrução feita por Freud retrata dois Moisés muito diferentes: um, egípcio, alto dignitário da corte de Akhenaten, deposto após sua morte, "escolheu um povo", as tribos judaicas, para continuar a religião de Aten, e o levou do Egito para a Palestina. O outro, um sacerdote hebreu, genro de Jetro, originário de Meribá-Cades, no sul da Palestina, perpetuou o culto a Iavé, uma divindade demoníaca primitiva atribuída por Freud à tribo árabe vizinha dos madianitas. No entanto, o conluio das duas figuras só aconteceu mais tarde. as tribos judaicas que saíram do Egito, segundo Freud, adotaram a religião

---

124 Edward Said, *Freud et le monde extra-européen*, Paris, le Serpent à Plumes, p. 24.
125 Sigmund Freud, *Moisés e o monoteísmo*, in *Edição Standard das Obras Psicológicas Completas de Sigmund Freud*, Rio de Janeiro, Imago, edição eletrônica. Volume XXXIII 1937-1939.

das tribos de Cades e, ulteriormente, a proibição de pronunciar o nome de Iavé. Mas isso aconteceu à custa de muitas omissões e distorções. O Moisés egípcio teria sido assassinado por seus seguidores, que se rebelaram contra as exigências do monoteísmo, e esse assassinato original foi apagado da Torá. Embora deformasse essa verdade histórica, o texto manteve o episódio do Êxodo do Egito, bem como a alta espiritualidade do culto monoteísta que bania a magia, a feitiçaria, e estabelecia como objetivo supremo dos fiéis uma vida de verdade e justiça. A história foi assim reconstruída e a saída do Egito atribuída a Iavé, enquanto, de acordo com Freud, o Moisés egípcio nunca conheceu Cades nem o nome de Iavé, e o Moisés madianita era completamente estranho à terra do Egito e ao culto de Aten.[126]

Dois Moisés, dois povos, dois reinos, dois nomes divinos e duas fundações religiosas: a primeira, recalcada pela segunda, reapareceu vitoriosa por trás dela. Moisés, seu povo e sua religião monoteísta são, portanto, o resultado de um retorno do recalque coletivo. As renúncias pulsionais exigidas pelo culto de Aten só foram aceitas num segundo momento, depois de os hebreus terem assassinado o Moisés egípcio, e vivenciado um intenso sentimento de culpa que fundamentou essas exigências morais.

Como aponta Edward Said[127], com essa figura dupla de Moisés, Freud desafia a ideia de que uma religião, uma cultura, nasça de dentro de uma comunidade. Moisés é egípcio, o monoteísmo é tomado de Akhenaten, a circuncisão é principalmente uma prática egípcia, os levitas são identificados como discípulos egípcios de Moisés e até mesmo o deus Iavé é emprestado da tribo árabe vizinha dos madianitas. O judaísmo só é possível, nessa genealogia, por meio da inclusão de um elemento estrangeiro: ser judeu/judia não pode ser definido sem referência ao não judeu. Portanto, a identidade judaica não pode ser homogênea, unívoca e exclusiva; ela não pode ser constituída sem essa falha ou imperfeição original radical. A especificidade judaica da qual Freud se considera depositário, cuja essência ele reivindica, não reside numa identificação religiosa, linguística ou nacional: não se trata de uma relação com o igual, mas com uma necessária alteridade.[128]

---

126 Ibid.
127 Edward Said, *Freud et le monde extra-européen*, op. cit.
128 Freud escreve, no prefácio da tradução hebraica de *Totem e Tabu*, em 1930: "Nenhum leitor [da versão hebraica] deste livro achará fácil colocar-se na posição emocional de um autor que é ignorante da linguagem da sagrada escritura, completamente alheio à religião de seus pais - bem como a qualquer outra religião - e não pode partilhar de ideais nacionalistas, mas que, no entanto, nunca repudiou seu povo, que sente ser, em sua natureza essencial, um judeu e não tem nenhum desejo de alterar essa natureza. Se lhe fosse formulada a pergunta: 'Desde que abandonou todas essas características comuns a seus compatriotas, o que resta em você de judeu?', responderia: 'Uma parte muito grande e, provavelmente a própria essência'" (S. Freud, *Totem e Tabu e outros textos,* Prefácio à tradução hebraica, in *Edição Standard das Obras Psicológicas Completas de Sigmund Freud*. op.cit., vol. XIII, 1913-1914, *apud.* Jacqueline Rose, in Edward Said, *Freud et le monde extra-européen*, op. cit., pp. 105-106).

Mas o que significa ser judeu/judia de acordo com Freud? O que está em jogo nessa designação racial, porém reivindicada? O primeiro paradoxo de Freud é a total oposição entre a sua correspondência e os seus textos no que diz respeito a esse tema. Desde suas primeiras cartas à sua noiva Martha Bernays, Freud falava amplamente do seu judaísmo, enquanto em seus escritos teóricos, com a exceção do *Moisés*..., silenciou a marginalização racial dos judeus, sob o pretexto de fundar uma ciência universal. Desde o início, a questão do judaísmo estava intimamente ligada à da fundação da psicanálise, numa relação complexa.

Em sua carta à loja vienense B'nai Brith, embora se declarasse desvinculado da religião e repudiasse todo orgulho nacional, Freud afirmou, no entanto, seu sentimento de pertencer ao povo judeu, por meio de "forças emocionais obscuras". Uma atração irresistível pelo judaísmo e pelos/as judeus/judias que não podia ser expressa em palavras, uma "clara consciência de uma identidade interior", o anticonformismo, a teimosia, a emancipação de preconceitos intelectuais e a disposição para se opor à "maioria compacta"[129] são todos aspectos desse judaísmo freudiano sem fé, língua nem nação. Se ele se recusava a ser um "judeu vergonhoso", também rejeitava o fanatismo daqueles que fetichizavam o Muro das Lamentações como uma relíquia nacional. Essa identificação judaica é, portanto, uma "construção psíquica" compartilhada, que levanta uma questão dupla: a da sua transmissão, mas também a da sua designação externa pelo antissemitismo. Pois se a construção é individual, como pode ser compartilhada por todos/as os/as judeus/judias, já que Freud rejeitava a noção junguiana do inconsciente coletivo?

Como observa Jacques le Rider, Freud não transformou uma impostura biológica, a "raça judaica", consideração à qual ele sempre foi hostil, numa categoria psicológica:[130] ao contrário das teorias raciais da sua época, qualquer ideia de *Volkscharakterologie*, caracterologia de povos e nações, permaneceu estranha à abordagem freudiana. A transmissão da tradição aqui, à maneira do judaísmo da Haskala, só ocorreu por meio de uma reinvenção.

Porém, se pertencer ao judaísmo era uma fonte de energia insubstituível para Freud, como ele explicava numa carta a Max Graf, a ascensão do antissemitismo o levou a se entregar aos seus afetos, como afirmava numa carta a Arnold Zweig em 1927. Aqui, o sentimento de judaísmo era reforçado pela adversidade racista: essa designação racial poderia até ter definido a orientação científica da psicanálise e, paradoxalmente, determinado, numa inversão do estigma, uma "ciência judaica" que Freud se esforçou para evitar em seus escritos teóricos.

---

129 Sigmund Freud, *Correspondance*, Gallimard, 1966, p. 398.
130 Jacques Le Rider, "L'identité juive de Freud", in *Commentaire*, n° 76, hiver 1996-1997, p. 858.

Aparece então uma dinâmica dupla: por um lado, se trata da transmissão interna de uma experiência que Freud remonta a Moisés e declara traumática. Mas o trauma também é expresso numa designação externa, produzida pelo antissemitismo, e Freud desenvolve aqui uma teoria indireta da raça. Proponho agora analisar esses dois tipos de transmissão da raça e as aporias que eles podem suscitar.

Uma transmissão fantasiada

A questão da transmissão da racialização é expressa no paradoxo de Freud reconhecer uma judaicidade rejeitando o judaísmo como religião. O que é transmitido, então? Traços mnésicos, discriminações comuns, exclusões compartilhadas ou um trauma?

Para Marthe Robert, uma das primeiras autoras a examinar essa questão, é uma transmissão negada do judaísmo que caracteriza a invenção da psicanálise e a identidade judaica ateia de Freud.[131] Embora Freud não renegasse sua herança da cultura judaica, que englobava aspectos tão distintos quanto o significado do Witz, o texto sagrado e a coragem da rebelião, ele se deparou com uma necessidade de universalidade, que lhe impedia o acesso à Universidade: de acordo com os seus próprios termos, ele primeiro tinha que entrar em Roma. Marthe Robert ressalta o desejo, presente nos sonhos de Freud, de "renegar o pai judeu responsável pelos defeitos, a pobreza e a condição humilhada"[132] do filho. A invenção do complexo de Édipo, que ele descobriu em si mesmo, mudou sua posição de filho de Jacó para a condição de ser humano universal. De acordo com Marthe Robert, Freud negociou sua racialização trocando a transmissão paterna do judaísmo pela transmissão universal do Édipo.

Em oposição à leitura de Marthe Robert, Yosef Hayim Yerushalmi identifica uma resposta ao mandato do pai nessa passagem do judaísmo para o universalismo: ele vê na escrita do *Moisés*... uma tentativa de fornecer uma resposta à questão da identidade judaica, escolhida e amaldiçoada ao mesmo tempo, e de propor um judaísmo renovado intimamente ligado à psicanálise.[133] Se trata por Freud de responder à injunção do seu pai de estudar a Torá, na dedicatória da Bíblia da família que lhe presenteou em seu trigésimo quinto aniversário. Escritas em hebraico, essas poucas linhas indicam que Freud era muito menos ignorante da língua e da tradição judaicas do que estava disposto a admitir. Como ateu judeu que, porém, conhecia a Bíblia, Freud

---

131 Marthe Robert, *D'Œdipe à Moïse. Freud et la conscience juive*, Paris, Calmann-Lévy, 1974.
132 Ibid., p. 166.
133 Yosef Hayim Yerushalmi, *Le Moïse de Freud. Judaïsme terminable et interminable*, Gallimard, NRF, 1993.

fundou, argumenta Yerushalmi, um tipo particular de judaísmo não religioso que questionava os textos, rompia com a tradição e criava uma história nova.

Ao dessacralizar os escritos bíblicos, decifrados como sonhos, e construir uma nova realidade através deles, Freud desenvolveu um pensamento judaico sobre a história, enfatiza Yerushalmi, na encruzilhada da memória e do esquecimento.[134] Em seu capítulo final, "Monólogo com Freud", o autor emprega a prática dialética talmúdica de *ledidah* (de acordo com você), na qual o debatedor adota os argumentos do oponente para apontar seus erros. Embora destaque os equívocos de Freud em relação aos textos bíblicos e rabínicos, ele também reconhece que Freud atinge o essencial, levantando, como em qualquer discussão talmúdica, questões geralmente descartadas, sobre a memória coletiva, o esquecimento, a anamnese e a relação entre judaísmo e cristianismo. O debate se concentra principalmente sobre a transmissão de uma tradição por meio do inconsciente de um grupo, uma tese inconcebível para Yerushalmi, pois vai contra as evidências científicas da genética da época de Freud e as diferenças fundamentais que Freud estabelece entre memória individual e coletiva.

Recordemos aqui as teorizações de Freud. No assassinato de Moisés pelos hebreus, a rejeição da religião de Aten, a união dos judeus do Egito com os de Cades e a consequente reformulação do culto a Iavé, Freud vê um renascimento do mito da horda primeva com suas consequências. Logo depois, ele introduz uma analogia entre o esquecimento, a repressão e a latência, detectados em nível coletivo, e, em nível individual, a neurose traumática, seu período de incubação e o período de latência. A religião agiria no nível coletivo como uma neurose traumática: elementos com conteúdo sexual agressivo, que foram esquecidos, produzem seu efeito após um período de latência, por meio do retorno do recalcado.[135] Freud argumenta que a primeira manifestação da religião na história consiste no totemismo, nascido da revolta assassina dos filhos contra o pai da horda primeva e logo da sua renúncia pulsional ao parricídio e incesto. Por meio da fixação e da repetição inerentes ao trauma, essa história antiga foi reatualizada no assassinato de Moisés. A culpa resultante deu origem à criação de uma religião, um destino que se repetiu com a morte de Jesus no culto cristão. Paulo, um judeu romano de Tarso, se apoderou do sentimento de culpa experimentado pelos judeus após o assassinato de Moisés e o remeteu à sua fonte histórica primitiva: o pecado original, um crime contra Deus. Introduziu então uma expiação do assassinato do pai original através da morte de um filho que assumia a culpa de todos. Se, portanto, os/as judeus/judias repetiram o crime dos tempos primitivos na pessoa de Moisés, ao negarem seu ato, eles, porém, impediram o acesso essa história primitiva. Negando obstinadamente o assassinato do pai, eles pagaram caro por isso,

---
134 Ibid., p. 80.
135 Sigmund Freud, *Moisés e o monoteísmo*, op. cit.

sendo acusados/as de deicídio, enquanto os/as cristãos/ãs reconheceram esse assassinato original.

Como funciona, pois, essa transmissão coletiva inconsciente? A posição de Freud se mostra problemática aqui: consiste em postular que "conteúdos inatos", de "origem filogenética" constituem uma verdadeira "herança arcaica"[136], através da transmissão de traços mnésicos inconscientes. Como prova da existência dessa transmissão filogenética, Freud menciona fatores constitucionais: os primeiros anos de vida, semelhantes em todos os indivíduos, ou a universalidade simbólica da linguagem. Nesse argumento metafísico, que também é usado por vários antropólogos e biólogos/a ontogênese, o desenvolvimento do indivíduo, repetiria a filogênese, a evolução da espécie. Os sentimentos dos/as judeus/judias em relação a Iavé seriam então simplesmente uma repetição dos afetos relacionados ao pai da horda primeva. Eis uma herança hereditária baseada no modelo dos instintos dos animais, que transmite aos novos indivíduos as experiências conservadas da espécie. Empobrecendo assim suas construções sobre a singularidade da pulsão humana, Freud quase adere, nessa transmissão genética, ao inconsciente coletivo de Jung, que ele tinha, porém, amplamente refutado. A relação entre psicologia individual e psicologia dos grupos fica particularmente simplificada aqui: se resume a uma pura aplicação de fenômenos psíquicos individuais (trauma, repressão, latência, retorno do recalcado) ao grupo, por meio de uma hipotética herança filogenética, um conluio que Freud sempre evitou.[137]

Essa obstinação em pensar a transmissão de uma "herança arcaica" contra qualquer racionalidade científica, ao ponto de contradizer sua própria teorização do inconsciente, decorre de uma necessidade imperiosa, argumenta Yerushalmi. Se uma herança arcaica pode ser transmitida além da comunicação ou da influência da educação, então uma judaicidade "sem fim" pode ser herdada independentemente do judaísmo "acabado. Portanto, Freud pode se declarar judeu sem judaísmo, e a psicanálise se torna a depositária disso:

> "Acho que, em seu íntimo, o senhor acreditava que a psicanálise era um avatar, talvez o último, do judaísmo, uma espécie de extensão do judaísmo despojado de suas manifestações religiosas ilusórias, mas mantendo suas características monoteístas fundamentais (...) Em duas palavras: assim como o senhor se dizia judeu sem Deus, também considerava a psicanálise como um judaísmo sem Deus".[138]

---

136 Ibid.
137 Freud se esforçou para não aplicar de forma simplista os processos individuais ao coletivo, como será visto nos subcapítulos "Racistas no divã" e "Uma psicanálise do racismo?".
138 Yosef Hayim Yerushalmi, *Le Moïse de Freud...*, op. cit., p. 186. Minha tradução.

A psicanálise surge, pois, como "ciência judaica" numa inversão do estigma: vira um avatar do judaísmo, uma maneira para Freud de ser judeu sem o judaísmo. Por ausência de terra, argumentaria, o texto, a linguagem, as Escrituras são o lugar de continuidade do judaísmo. A psicanálise poderia, pois, ser inscrita nas múltiplas reescrituras da Torá, por meio dos vários estratos do Talmude (*Mishna* e *Guemara*), da Cabala, da filosofia judaica, e das literaturas em hebraico e línguas judaicas (iídiche, judaico-arábico etc.). Esse conjunto de meta-textos e arqui-textos implica que a função simbólica não seja mantida por uma terra, mas por um texto e sua reescrita incessante. Por uma série de palimpsestos, a identidade é construída à medida que evolui, e se torna o avatar de uma textualidade mutável.

Ora, o que pensar dessa transmissão da raça? Na perspectiva desenvolvida neste livro, essa identificação interna (judaísmo vivenciado como legado de uma geração para a seguinte), "identificação com", não explica por si só o fenômeno da racização. Se seguirmos a hipótese de Yerushalmi, Freud, ao fazer da psicanálise um judaísmo sem deus, reverte o estigma de designação de uma identidade judaica. No entanto, aparece aqui o risco de dissolver a questão da raça como designação, "identificação por", no universalismo de uma transmissão filogenética, e de essencializar a "identidade judaica". Cabe tentar abordar a raça de forma diferente, não a partir de um paradigma de identificação centrífuga, que poderia perpetuar a ideia racista de identidade racial específica a um grupo, mas de identificação centrípeta: relacional, a raça é essa designação por um grupo de uma identidade a outro grupo. É uma relação de exclusão e discriminação repetida e transmitida que constitui a homogeneidade do grupo racizado. Freud relata em várias ocasiões como foi minorizado como judeu. Na *Interpretação dos Sonhos*, por exemplo, lembra a humilhação infligida a seu pai por um cristão que o faz descer da calçada e joga seu boné na lama. O antissemitismo, portanto, aparece aqui como elemento principal na transmissão da raça.

Uma racização projetiva

A primeira versão do *Moisés...* foi redigida em 1934, posteriormente revisada e finalmente publicada em 1938. A fonte que Freud atribuia a esse texto era a atualidade contundente das perseguições antissemitas, como afirmava na carta que enviou a Arnold Zweig em 30 de setembro de 1934.[139] Essa obra lhe permitiu consolidar sua teoria da religião, mas também foi uma oportunidade para explicitar o ódio perpétuo contra o povo judeu. A eleição dos/as judeus/judias suscita o ódio antissemita contra eles. Mas, sobretudo, sua ocultação do assassinato do Pai, o parricídio original reatualizado na pessoa do Moisés

---

[139] Sigmund Freud, A. Zweig, *Correspondance 1927-1939*, Paris, Gallimard, 1973, p. 129.

egípcio, os/as expõe à acusação, por parte dos cristãos que fundaram uma religião do Filho, de terem matado Jesus.

Freud apresenta uma série de razões para o antissemitismo.[140] Entre as quatro razões conscientes, o estuto de estrangeiros/as dos/as judeus/judias é um motivo fraco, pois eles/as fazem parte das populações originárias de vários países; sua dimensão minoritária entre outros povos pode definir sua posição como bodes expiatórios, unindo uma comunidade por meio da sua exclusão. Se, pela terceira razão, as diferenças que os/as distinguem de "suas nações hospedeiras'"[141] são pequenas, sua tenacidade, a quarta razão, é central:

> eles desafiam toda opressão, (...) as perseguições mais cruéis não conseguiram exterminá-los e que, na verdade, pelo contrário, exibem uma capacidade de manter o que é seu na vida comercial e, onde são admitidos, de efetuar contribuições valiosas a todas as formas de atividade cultural.[142]

Entre os motivos inconscientes do antissemitismo, Freud conta a eleição, que desperta a inveja de outros povos. Adicionalmente, a circuncisão remete ao *Unheimlich* de uma castração temida que ressurge através do mito de um passado primitivo recalcado. Parece legítimo, aqui, se desassociar da hipótese inteiramente fantasiosa de uma castração originariamente exercida sobre os filhos pelo pai da horda primeva. Por fim, Freud argumenta que o antissemitismo prospera entre os povos que se tornaram tardiamente cristãos, "mal batizados"[143] e não superaram sua aversão à nova religião: se trata basicamente de um anticristianismo deslocado.

Nessas motivações do antissemitismo, vale observar que, embora a eleição e a tenacidade sejam atitudes reivindicadas pelo grupo discriminado, as pequenas diferenças - estrangeiridade e minoria, - o inquietante da castração, e o anticristianismo são atributos projetados. Revelam o processo de racização como relação essencialmente projetiva. Contudo, longe de se limitar apenas a fenômenos psíquicos, esse processo se baseia, como foi visto com respeito à fabricação da raça na Península Ibérica, nos objetivos inteiramente políticos de distribuição de prerrogativas econômicas e simbólicas. Os processos psíquicos e os objetivos políticos são inseparáveis aqui, e isso é provavelmente o que está faltando na definição freudiana da judaicidade como designação pelo antissemitismo.

Pois esse ódio é reforçado pelas práticas coloniais contra outros povos: Hannah Arendt considera o colonialismo europeu na África como a melhor

---
140 Sigmund Freud, *Moisés e o monoteísmo*, op. cit
141 Ibid.
142 Ibid.
143 Ibid.

escola para a elite nazista, e Aimé Césaire encara o nazismo como aplicação do colonialismo dentro das fronteiras europeias.[144] Para Daniel Boyarin, os/as judeus/judias da Europa constituem uma população colonizada dentro da Europa: os judeus/judias assimilados/as, como Freud, se identificam com a cultura europeia e reproduzem a estigmatização dos/as *Östjuden*, judeus/judias orientais, ou dos/as sefarditas da África do Norte e do Mediterrâneo. Portanto, o antissemitismo e o colonialismo andam de mãos dadas no reforço do sistema da raça das relações de subordinação.

> Além dessa análise da judaicidade, a raça não é, porém, abordada diretamente por Freud, com a exceção de raras passagens. Entre elas, essa reflexão sobre fantasias que traz à tona questões de racialização:

> Entre os derivados dos impulsos instintuais do *Ics.*, do tipo que descrevemos, existem alguns que reúnem em si características de uma espécie oposta. Por um lado, são altamente organizados, livres de autocontradição, tendo usado todas as aquisições do sistema *Cs.*, dificilmente distinguindo-se, a nosso ver, das formações daquele sistema. Por outro, são inconscientes e incapazes de se tornarem conscientes. Assim, *qualitativamente* pertencem ao sistema *Pcs.*, mas *factualmente*, ao *Ics*. É sua origem que decide seu destino. Podemos compará-los a indivíduos de raça mestiça que, num apanhado geral, se assemelham a brancos, mas que traem sua ascendência de cor por uma ou outra característica marcante, sendo, por causa disso, excluídos da sociedade, deixando de gozar dos privilégios dos brancos. Essa é a natureza das fantasias de pessoas normais, bem como de neuróticas, fantasias que reconhecemos como sendo etapas preliminares da formação tanto dos sonhos como dos sintomas e que, apesar de seu alto grau de organização, permanecem reprimidas, não podendo, portanto, tornar-se conscientes. Aproximam-se da consciência e permanecem imperturbadas enquanto não dispõem de uma catexia intensa, mas, tão longo excedem certo grau de catexia, são lançadas para trás. As formações substitutivas também são derivados altamente organizados do *Ics.* desse tipo; mas, em circunstâncias favoráveis, conseguem irromper até a consciência - por

---

[144] "E calam em si próprias a verdade - que é uma barbárie, mas abarbárie suprema, aque coroa, aque resume a quotidianidade das barbáries; que é o nazismo, sim, mas que antes de serem as suas vítimas, foram os cúm- plices; que o toleraram, esse mesmo nazismo, antes de o sofrer, absolveram-no, fecharam-lhe os olhos, legitima- ram-no, porque até aí só se tinha aplicado a povos não europeus; que o cultivaram, são responsáveis por ele, e que ele brota, rompe, goteja, antes de submergir nas suas águas avermelhadas de todas as fissuras da civilização ocidental e cristã", Aimé Césaire, *Discurso sobre o colonialismo*, Lisboa, Sá da Costa, 1978.

exemplo, caso unam suas forças com uma anticatexia proveniente do *Pcs*.[145]

A analogia colonial é de grande importância aqui; os indivíduos de raça mestiça, minorizados, que não gozam de qualquer prerrogativa dos Brancos, são similares aos derivados do inconsciente: eles perturbam a ordem branca da mesma forma que os derivados do inconsciente perturbam a plena identidade de si da consciência, e a ordem da ciência. A dimensão enunciativa do assunto é política: ao compará-los, Freud parece referir a constituição do saber ocidental à dominação colonial. Ele mina assim a confiança e a aparente "pureza" do saber ocidental, maculadas por uma necessária hibridez.

Além disso, nessa comparação, Freud destaca a fantasia de cerco inerente à branquitude: o fato de indivíduos camuflados se infiltrarem nela para "degenerá-la" revela sua profunda fragilidade. Ameaçada de ser contaminada por tudo, sua reivindicação de pureza vai além do perceptível (corpos que poderiam "passar por" brancos): a branquitude aqui não é uma questão de cor da pele, mas de sistema baseado na exclusão, de acordo com marcadores que variam com cada época e lugar.[146]

No entanto, a abordagem freudiana articula um paradoxo: ela identifica a designação racial relativa ao antissemitismo como a base da psicanálise, mas permanece geralmente insensível a outras relações sociais de raça contemporâneas, decorrentes da colonização ou da escravidão. O uso da categoria "primitivo" por Freud reflete, portanto, uma visão classificatória da humanidade, enraizada em vários séculos de inferiorização dos povos não europeus.

O primitivo e seu duplo

O colono e o primitivo

O nascimento da psicanálise coincidiu com o apogeu do colonialismo europeu do século XIX, que, para justificar a exploração das terras, dos bens e dos corpos dos/as colonizados/as e a distribuição diferenciada do trabalho, se apoiou num conjunto de saberes consagrando a superioridade dos povos brancos e seu dever de civilização. A categoria de primitivo decorre dessas formações discursivas que, desde o século XVI, percorreram a história, a geografia colonial, a teologia, a filosofia e, depois, a antropologia, a biologia e a psicologia. Essa categoria atesta os efeitos da construção colonial da raça sobre os textos fundadores da psicanálise.

---

145 S. Freud, "O inconsciente", in *Edição Standard das Obras Psicológicas Completas de Sigmund Freud*. Rio de Janeiro, Imago, edição eletrônica, vol. XIV, 1914-1916.
146 Veja o subcapítulo "Branco é uma cor?".

O termo "primitivo" combina dois significados: o de simplicidade e o de anterioridade no tempo. Um traço da convergência de ambos pode ser encontrado nas *Regras para a Direção da Mente* de René Descartes.[147] Por esse conjunto de regras para orientar a mente na busca da verdade e na aquisição da ciência, é preciso, de acordo com Descartes, buscar objetos passíveis de um "conhecimento certo e indubitável", dado por uma "intuição clara e óbvia", descompondo todo objeto complexo em objetos simples. O pressuposto aqui é que todo complexo pode ser reduzido a um certo número de elementos simples, termos finais da divisão, últimas unidades numa classificação por gênero e espécie. A "ordem das razões", a forma de conhecer, partindo do complexo para o simples, é inversa à "ordem das coisas", a forma como elas existem ontologicamente: o simples precede o complexo no tempo, assim como os povos europeus sucederam aos primitivos e complexificaram sua simplicidade.

Quando aplicado a povos em vez de objetos físicos ou proposições matemáticas, o termo "primitivo" carrega um conjunto de julgamentos de valor. Fundamenta o mito do "bom selvagem" dos séculos XVII e XVIII, que retrata seres humanos livres da cultura, da história e da sociedade, mas remete também à selvageria, à brutalidade, ao canibalismo e a um estado pré-humano animalizado, justificando o jugo europeu, senão por sua superioridade, pelo menos por sua missão educativa. O termo "primitivo" tem sido usado para classificar culturas de acordo com um esquema de desenvolvimento hierárquico, desde os relatos de colonização do século XVI até o darwinismo zoológico e social.

Assim Cristóvão Colombo descreveu um povo primitivo das costas do Caribe cuja natureza não era corrompida, que, porém, ele teve a nobreza de subjugar por causa da sua diferença religiosa e cultural: os preceitos oportunos da lei religiosa concediam as "terras desabitadas" do mundo ao primeiro europeu cristão que as pisasse. Depois dos/as ameríndios/as, os/as africanos/as completaram a lista dos "primitivos" que os europeus precisavam dominar. A instituição da escravidão surgia "naturalmente" dessa dimensão escura e selvagem da África, chamada de "continente negro" a partir do século XVI. Mais tarde, durante a Controvérsia de Valladolid, para defender os/as ameríndios/as contra Sepúlveda e denunciar sua escravidão, Las Casas formulou um dos primeiros modelos de evolução cultural, colocando no auge da "civilização" os povos europeus, mais avançados do que seus primos "primitivos". Do final do século XVIII em diante, a noção de mente primitiva se referia indiscriminadamente aos humanos pré-históricos, aos selvagens contemporâneos, às crianças, aos/às loucos/as, mas também, mais tarde com Cesare Lombroso[148],

---

147 R. Descartes, *Règles pour la direction de l'esprit*, em *Œuvres philosophiques. I*, Classiques Garnier, 1988, p. 77.
148 Cesare Lombroso, *L'Uomo deliquente*, Milão, 1876. Lombroso também é o autor de Lombroso (Cesare), *L'uomo bianco e l'uomo di colore. Letture sull'origine e le varietà delle razze umane*, Padova, Sacchetto, 1871, e *La donna delinquente, la prostituta e la donna normale*, Milão, em 1893. Raça, gênero, patologização e criminalização, portanto, andam de mãos dadas.

aos/às criminosos/as. Dessa forma, o paradigma evolucionista converteu os primitivos em representantes contemporâneos dos primeiros seres humanos.

O analista e o primitivo

As teorizações de Freud não ficam isentas de tais considerações. Hourya Bentouhami destaca a maneira como os escritos de Freud, sobredeterminados pela referência à cultura grega, consideram a Europa como seu centro de escrita e objetivo de inteligibilidade. As culturas extraeuropeias são vistas como antecedentes contemporâneos que permitem enxergar o passado da cultura europeia no presente.[149]

Entretanto, Freud inscreveu de forma ambivalente a sua teoria da psique nas construções contemporâneas. Como Celia Brickman observa, ele superou as taxonomias raciais da sua época ao criar um modelo de psique comum a todos os seres humanos, quer fossem "civilizados" ou "primitivos".[150] A noção de primitividade também caracterizava as estruturas da subjetividade europeia, mas de forma latente. A soberba da Europa ficou assim abalada pela invenção do inconsciente, terceira ferida narcísica da humanidade, segundo Freud, depois do heliocentrismo e do evolucionismo. Entretanto, embora a primitividade fosse uma dimensão universal da psique, o termo acarretava uma depreciação racial, e a crítica de Freud não deixou de retomas as teses colonialistas e racistas vinculadas a esse vocábulo. Pois esse perpetuava as classificações raciais, atribuindo os estágios mais simples do funcionamento psíquico à infância, mas também aos chamados povos primitivos. A crítica ao etnocentrismo e ao orgulho europeu, relativizados pela primitividade do inconsciente, parece, portanto, ter mantido os termos das hipóteses que ela pretendia questionar. Ao adotar a tese de Haeckel de que a ontogênese, desenvolvimento do indivíduo, repetia a filogênese, evolução da espécie, Freud prolongou vários séculos de teorias europeias sobre os chamados povos primitivos.

Se esse paralelismo entre ontogênese e filogênese é recorrente em muitos dos textos de Freud[151], a psicanálise e a antropologia ficam intimamente associadas em *Totem e Tabu*[152] para perpetuar a ideia de uma escala única e universal de evolução. Esse é um legado dos antropólogos vitorianos - Frazer, Tylor, Robertson Smith, McLennan, John Lubbock, Morgan e J.J. Atkinson, - que

---

149 Hourya Bentouhami-Molino, *Race, cultures, identités. Uma abordagem feminista e pós-colonial*, Paris, PUF, 2015.
150 Celia Brickman, *Race in Psychoanalysis: Aboriginal Populations in the Mind*, Nova York, Routledge, 2018, edição eletrônica.
151 Foi exatamente isso que ele escreveu em *A interpretação dos sonhos*, em 1900, nos *Três ensaios sobre a teoria da sexualidade*, em 1905, no Caso Schreber, em 1911, nas *Conferências introdutórias sobre psicanálise*, em 1916-17, e em O inconsciente, em 1918.
152 Sigmund Freud *Totem e Tabu*, in *Edição Standard das Obras Psicológicas Completas de Sigmund Freud*. Rio de Janeiro, Imago, edição eletrônica, vol. XIII, 1913-1914.

conheciam os países que descreviam apenas através dos relatos de terceiros (missionários, administradores coloniais). Suas teses eram logo de saída raciais, como ressalta Celia Brickman: para Frazer, em *Totem and Exogamy,* a pele branca era o sinal da civilização, assim como a pele escura o da primitividade, e o pensamento humano evoluia das fases da magia e da religião para a fase da ciência, personificada pela civilização branca europeia.

De acordo com Freud, essa escala da evolução dos povos caracterizava o desenvolvimento universal da psique, numa correlação entre narcisismo e animismo (estágio selvagem), Édipo e religião (estágio bárbaro) e maturidade e ciência (estágio civilizado). *Totem e Tabu* mobilizou, portanto, dois axiomas evolutivos: a vida mental dos/as "selvagens" dava uma clara imagem de um estágio inicial do desenvolvimento humano; os/as neuróticos/as e os povos primitivos compartilhavam muitas semelhanças. Assim, a neurose aparece como uma regressão a um estágio infantil do desenvolvimento libidinal, identificado com o passado primitivo - e racizado - da humanidade. Longe de ser apenas um mito heurístico para Freud, a explicação antropológica do totemismo e suas proibições, que ele encontrou em Frazer, Tylor e Wundt, se referia a um estágio real da humanidade: a horda primeva e o assassinato fundador do pai.

Celia Brickman sugere considerar esse mito como forma-significado da violência colonial. O assassinato do patriarca, violência primordial que consagra a subjetividade e as instituições da sociedade humana, pode ser lido como um encobrimento da violência primária que constituiu as instituições do Ocidente moderno: os massacres e explorações de povos não europeus. As infames atrocidades do colonialismo, cenário do surgimento do sujeito moderno, são, portanto, camufladas por trás do supostamente neutro "mito científico" de uma primitividade ultrapassada, da mesma forma que o assassinato do pai original foi, de acordo com Freud, ocultado por trás de narrativas de piedade religiosa e construções culturais.

Em *Totem e Tabu*, como em outros textos, o inconsciente descrito por Freud mantém características do ser humano "primitivo": falta de racionalidade, do princípio de realidade, de representações de palavras, de limites, de moralidade, de senso do tempo, de negação, de princípio do terceiro excluído, sendo todos esses "processos primários", supostamente próprios às mentes dos/as animistas. O eu do/a "selvagem" corresponde ao inconsciente do civilizado, e a figura do primitivo formada por séculos de discurso colonialista fundamenta o inconsciente da consciência europeia.

O "primitivo" se refere assim a paradas e retrocessos no desenvolvimento libidinal, numa patologização das "regressões" e "fixações" incarnadas por organizações psíquicas diferentes (a "perversão"), práticas sexuais não heterocêntricas, ou "primitivos/as" racizados/as contemporâneos/as. Cabe notar, no entanto, que na obra de Freud, a divisão psiquiátrica clássica entre normal e patológico é desconstruída tanto no que diz respeito aos efeitos do inconsciente, e os sintomas, quanto às práticas sexuais. Se, por exemplo, ele retoma o termo "perversão" (definido pela psiquiatria como um desvio com respeito ao objeto ou objetivo "normais" da sexualidade), acaba subvertendo-o, especialmente quando enfatiza a ausência de qualquer ligação necessária entre uma pulsão e seu objeto, sempre intercambiável, ou quando caracteriza o sexual-infantil como perverso polimorfo.[153]

Permanece, no entanto, o risco de uma leitura medicalizante e patologizante, produzindo exclusões de gênero, de sexualidade, mas também de raça: o/a "perverso/a" ou o sujeito colonizado, "primitivo", sendo considerados como recaídas, anomalias, fixações e/ou regressões a estágios anteriores do desenvolvimento psíquico, indexado no desenvolvimento da cultura ocidental. O lamarckismo de Freud, portanto, incentivou muitos/as pós-freudianos/as a consideraram o desenvolvimento psíquico libidinal e sexual com base em concepções evolucionistas da cultura, bem depois de essas ter sido abandonadas pela antropologia.

O político e o primitivo

A primitividade aparece mais como o núcleo de uma ideologia de raça que atravessa o modelo social freudiano nas teses da *Psicologia do grupo e análise do ego*. O objetivo do texto é definir a massa num delicado equilíbrio entre desorganização e relativa coerência interna, a fim de dar conta dos vínculos que a constituem. Para isso, Freud estende as análises de Le Bon e MacDougall, subvertendo-as ao mesmo tempo. Porém, Freud acaba produzindo uma psicologia da primitividade e uma teoria da sua produção política, numa dialética individual e coletiva de dominação e subordinação.

Gustave Le Bon é conhecido por suas posições racistas, antissemitas e antidemocráticas, tais como a justificação da subjugação dos membros das "raças primitivas", defendida em seu livro *Lois psychologiques de l'évolution des peuples*. Uma hierarquia racial, mas também classista, permeia sua *Psychologie des foules*, consideradas como agrupamentos nos quais "a personalidade consciente desaparece, e os sentimentos e ideias de todas as unidades são orientados na mesma direção".[154] De acordo com Lebon, a massa produz uma nova realidade humana, uma "alma coletiva" dotada de uma "unidade mental" composta por contágio e sugestão, qualitativamente diferente da simples soma espiritual dos indivíduos que a compõem. O indivíduo, alterado pela massa, regride a um estágio primitivo da humanidade, se torna mais receptivo à sugestão, "não é mais ele mesmo, mas se transformou-s num autômato

---
153 Sobre esses temas, confira os textos de Freud *Três ensaios sobre a teoria sexual*, e *Pulsões e destino das pulsões*.
154 Gustave Le Bon (1895), *Psychologie des foules*, Paris, P.U.F., 2013, p. 9.

que deixou de ser dirigido pela sua vontade".[155] Simultaneamente, ele adquire uma sensação de invulnerabilidade que o incentiva a se entregar aos instintos comuns. Como as massas são mais poderosas do que todas as vontades e inteligências individuais, o indivíduo deve se proteger do seu perigo, que, de acordo com Le Bon, levaria à aniquilação da civilização.

Embora Freud vire as análises de Le Bon et de MacDougall de ponta-cabeça, e subverta os objetivos antidemocráticos que eles almejam, ele mantém a categoria de "primitivo", considerada como oposta à autonomia da subjetividade moderna: os perigos da subjugação da massa estão inscritos no "inconsciente primitivo" do sujeito moderno tanto quanto na psique dos "povos primitivos". A primitividade característica dos povos racizados passa a ser, portanto, a base de uma relação de submissão.

Na perspectiva de Freud, é a libido que sustenta a transformação dos indivíduos em grupo, exaltando a afetividade e inibindo o pensamento. O vínculo específico do grupo, que determina sua relativa coerência interna, é de natureza amorosa: o indivíduo abandona sua singularidade "por amor" pelos membros do grupo, e aqui, o papel do líder, um substituto paterno às vezes representado por um ideal, é essencial. O grupo é, portanto, formado por um duplo vínculo libidinal: a identificação, que reúne os indivíduos numa comunidade afetiva, tem como base um segundo vínculo entre cada indivíduo e o líder. Esse é um estado extremo de amor, semelhante à relação entre uma criança e seus pais, ou à relação com o hipnotizador. "Um grupo primário desse tipo, escreve Freud, é um certo número de indivíduos que colocaram um só e mesmo objeto no lugar de seu ideal do ego e, consequentemente, se identificaram uns com os outros em seu ego".[156]

No estágio final da análise, esse duplo vínculo que constitui o grupo aparece como uma função memorial. No Capítulo 10, a psicologia do grupo é apresentada como uma regressão a uma atividade psíquica primitiva, um renascimento da horda primeva descrita em *Totem e Tabu*. Psicologia do grupo e psicologia individual são, portanto, contemporâneas em seu arcaísmo, porque "desde o princípio, houve dois tipos de psicologia, a dos membros individuais do grupo e a do pai, chefe ou líder".[157]

Essa psicologia narcisista da primitividade, própria ao grupo regredido, à horda primeva ou aos "povos primitivos" contemporâneos, está submetida ao domínio de uma autoridade externa que impede qualquer autonomia moral ou intelectual. Portanto, surge aqui uma teoria política da primitividade que perpetua o clichê colonial de povos não europeus desejosos da sua própria

---

[155] Gustave Lebon, op.cit., *apud* Sigmund Freud, *Psicologia do grupo e análise do ego*, in *Edição Standard das Obras Psicológicas Completas de Sigmund Freud*. Rio de Janeiro, Imago, edição eletrônica, vol. XVIII, 1925-1926.
[156] Ibid.
[157] Ibid.

opressão, atolados numa submissão irredutível à autoridade ou exercendo-a despoticamente. Para vários/as pós-freudianos/as, isso resulta na descrição de uma "necessidade de tutela" do/a primitivo/a, desprovido/a de um superego próprio, um argumento retomado por muitos autores da psicologia colonial. Georges Hardy, fundador da École Coloniale, e Léopold de Saussure[158], por exemplo, usam essa noção de primitividade para estabelecer a heterogeneidade inevitável das "raças humanas". Foi essa interpretação literal da primitividade que determinou a maneira como os árabes eram vistos pelos teóricos da Escola de Argel, principalmente Antoine Porot, que descreveu a "mentalidade autóctone" nos seguintes termos: "O Norte-africano muçulmano, um fanfarrão, mentiroso, ladrão e preguiçoso, se define como um retardado histérico que ademais, está sujeito a impulsos homicidas imprevisíveis".[159] Numa teorização mais psicanalítica, mas igualmente grosseira, Octave Mannoni usa essa noção de primitividade para definir o "complexo de dependência" do malgaxe.[160] Essa também é a perspectiva de René Joseph Laforgue, que postula um superego coletivo próprio a cada civilização, determinando diferenças fundamentais entre povos, raças e culturas.[161] A estratégia é sempre a mesma: atribuir características imutáveis a povos com base em observações etnográficas generalizantes. Essa caracterologia do infantilismo permite a segregação racial nas colônias e determina um "comportamento de espécie" para todos/as os/as autóctones indiferenciados/as.

Portanto, essa abordagem da massa a partir da primitividade da sua psicologia produz um efeito político: justifica a subjugação dos/as "primitivos/as" pelos povos civilizados encarregados de educá-los/as, introduzi-los/as ao pensamento racional e dar consistência ao seu superego.

A primitiva: dupla pena

Se os membros da massa, os da horda primeva ou os da civilização são essencialmente homens, é porque as mulheres existem, nessas teorizações, apenas como objetos, nunca como sujeitos, diferentemente dos irmãos da horda primeva. Ampliando o estudo de Gayle Rubin[162], Celia Brickman argu-

---

158 Léopold de Saussure, *Psychologie de la colonisation française dans ses rapports avec les sociétés indigènes*, Paris, Félix Alcan, 1899.
159 Antoine Porot - *Notes de psychiatrie musulmane* - Annales medico-psychologiques, 1918, 74, pp. 377-384.
160 Octave Mannoni (1950), *Psychologie de la colonisation*, Paris, Seuil, 2022. Cabe notar, no entanto, como apontam Livio Boni e Sophie Mendelsohn, que Mannoni inverte a tese da inferioridade dos povos colonizados, atribuindo o empreendimento colonial ao "complexo de inferioridade" do homem europeu, que, para afirmar seu excepcionalismo branco, precisa do Outro primitivo para consolidar esse excepcionalismo, e projeta nele o que acredita ter superado: o infantil, as pulsões, a feminilidade ou o irracional (Sophie Mendelsohn, Livio Boni, *La vie psychique du racisme*, op. cit.). Porém, Mannoni define a situação colonial como uma complementaridade entre o "complexo de inferioridade do homem branco" e o "complexo de dependência" do primitivo.
161 René Joseph Lafargue, "Le super-ego individuel et collectif", in *Psyché 88*, février 1954, pp. 81-106.
162 Gayle Rubin, "Le marché aux femmes", in *Surveiller et jouir. Anthropologie politique du sexe*, Paris, EPEL, 2010, pp. 23-82.

menta que "primitivo/a" na psicanálise caracteriza a psicologia daqueles/as que são posicionados/as como objetos de troca: tanto dentro de uma sociedade (mulheres) quanto entre sociedades (povos colonizados e escravizados).[163] Portanto, "primitivo/a" essencializa a psicologia daqueles/as cuja terra, corpo e trabalho contribuem para manter uma ordem social e instituições simbólicas e políticas das quais são excluídos/as. A diferença é naturalizada, psicologizada, configurada como estruturalmente inferior e anterior ao estágio de pleno desenvolvimento do homem, branco, europeu. O falo, conclui Celia Brickman, não é apenas a personificação do estatuto masculino ou a expressão da dominação masculina num sistema intracultural de sexo/gênero. Ele também simboliza a transmissão da opressão intercultural e racial de um grupo para outro: "O falo não é apenas masculino, ele também é branco."[164]

Portanto, não é de surpreender que a sexualidade feminina apareça como o "continente negro da psicanálise", um conceito que revela as minorizações combinadas do gênero e da raça. Na perspectiva freudiana, o desenvolvimento das meninas inverte a relação entre o complexo de Édipo e o complexo de castração. Enquanto no menino é a ameaça de castração que determina a renúncia ao objeto incestuoso, na menina, que se descobre já "castrada" e, portanto, não tem "angústia de castração", o complexo de Édipo é introduzido pelo complexo de castração:[165] permanece, portanto, não resolvido, o que, segundo Freud, dá uma ideia da moralidade inferior das mulheres... A inveja do pênis, de acordo com a análise freudiana aqui claramente atolada em seus preconceitos sociais, é, no desenvolvimento normal, substituída pelo desejo de obter um filho do pai.[166] Assim, a feminilidade culmina na maternidade, que continua sendo o objeto primário e mais primitivo para o sujeito masculino - cujo olhar e enunciação determinam claramente essas concepções.

Assim como o membro do grupo primitivo, que obedece apenas por medo e submissão, a mulher dessa mitologia teórica é "hostil" à cultura que se baseia na renúncia pulsional: ela não teve nada a perder que pudesse colocá-la no caminho da renúncia. O desejo de ser dominado/a, pelo pai para algumas, pelo mestre branco para outros/as, permaneceria sempre presente. Essa forma de reinscrever, através da feminilidade, uma primitividade des-racializada dentro da "civilização" explica, de acordo com Celia Brickman, por que uma posição "feminina primitiva", atribuída a mulheres não brancas, permanece ausente do discurso analítico, limitado à condição da feminilidade branca europeia.

Ao adotar a categoria evolutiva lamarckiana ou haeckeliana de primitividade, Freud trouxe para a psicanálise um conjunto de preconceitos direta e

---

163 Celia Brickman, *Race in Psychoanalysis*, op. cit.
164 Ibid.
165 Sigmund Freud, *A dissolução do complexo de Édipo*, in *Edição Standard das Obras Psicológicas Completas de Sigmund Freud*. Rio de Janeiro, Imago, edição eletrônica, vol. XIX, 1923-1925.
166 Sigmund Freud, *Algumas Conseqüencias Psiquicas da Distincao Anatomica entre os Sexos*, in ibid.

indiretamente racistas. Num etnocentrismo insensível às especificidades dos povos não europeus, avaliados com base em critérios europeus, as hipóteses raciais do evolucionismo antropológico foram transpostas para uma psique universal. Isso possibilitou a perpetuação de representações coloniais e racistas entre muitos/as pós-freudianos/as que não se preocuparam em criticar a historicidade dessas categorias. E a representação de si do ocidental branco, dependente dessa exotização/alteração do primitivo racializado, não é questionada em contrapartida.

As teorizações freudianas têm o mérito de combinar as psicologias individual e coletiva, de acordo com regras específicas de concordância. Essas podem servir de base para uma metapsicologia da raça que inscreva seus efeitos subjetivos num contexto coletivo, social e político. Porém, essa metapsicologia não foi muito desenvolvida por Freud, que dedicou pouca atenção ao impacto das relações sociais de raça na psique. Embora a especificidade da racização judaica fosse abordada por Freud, na sua reivindicação de identificação e na sua designação social como judeu, os motivos do antissemitismo - eleição, tenacidade, pequenas diferenças, inquietante da circuncisão e anticristianismo disfarçado - não foram tratados na sua dimensão relacional: interpsíquica, social e política. O universalismo europeu etnocêntrico que Freud almejava o levou a conceder uma atenção apenas indireta ao tema da raça. No entanto, esse assunto ressurge no verdadeiro racismo que caracteriza a categoria de primitividade, que carrega as representações coloniais evolucionistas de vários séculos. É por isso que uma metapsicologia freudiana dos povos, retomada tal qual, e não historicizada, acaba sendo essencialmente racista.

Portanto, será possível reverter essa tendência, e elaborar uma metapsicologia do racismo suscetível de analisar seus efeitos até mesmo na construção da teoria analítica?

Metapsicologias do racismo

O "inconsciente coletivo": o Ocidente e seu umbigo

O inconsciente de um povo?

Várias abordagens metapsicológicas do racismo invocam a noção de inconsciente coletivo. Se trata aqui de atribuir traços inconscientes comuns a todo um grupo humano, o que necessariamente determina seu estado, seu comportamento e sua posição nas relações de dominação. O meu propósito aqui é destacar a dimensão problemática dessas metapsicologias do racismo que remetem a um nível exclusivamente intrapsíquico e abusivamente generalizado aquilo que procede de relações sociais de poder.

Na linha de Freud contra Jung, Fanon é muito claro a esse respeito: o "inconsciente coletivo" não é de forma alguma inato, mas se refere a uma série de representações adquiridas, "é simplesmente o conjunto dos preconceitos, mitos, atitudes coletivas de um grupo determinado".[167] No que diz respeito à raça, esse "inconsciente coletivo" é, de fato, especificamente europeu. Uma "imposição cultural"[168] irrefletida que associa as pulsões mais imorais e os desejos menos assumidos aos "povos selvagens" implica, continua Fanon, que o negro das Antilhas internalize essas fantasias culturais brancas: "no inconsciente coletivo, negro = feio, pecado, trevas, imoral."[169] Além disso, comenta Fanon, quando Jung acredita reparar a mesma estrutura psíquica nos povos "não civilizados", ele está enganado: esquece que todos os povos que ele conheceu tiveram contatos traumáticos com os brancos.

E mais, para almejar uma metapsicologia do coletivo, cabe não postular um inconsciente coletivo que mimetize as formas adotadas pelo inconsciente de um sujeito. Ao contrário, Fanon enfatiza que são as condições coletivas, econômicas e sociais da luta de classes - mas também, argumentaria, das relações sociais de raça, gênero e sexualidade, entre outras - que determinam os processos individuais - sexualidade, sonhos, sintomas. Uma metapsicologia da coletividade não procede, de fato, desde fenômenos próprios à psique individual - mecanismos de defesa, formações sintomáticas, efeitos do inconsciente - observados em sujeitos particulares, para aplicá-los a uma ficção da psique coletiva majoritária atribuída a um povo. É o que Fanon enfatiza *a contrário*, criticando os supostos complexos de inferioridade ou superioridade

---

[167] Frantz Fanon, *Pele negra, máscaras brancas*, op. cit., p. 159.
[168] Ibid., p. 162.
[169] Ibid., p. 163.

atribuídos a este ou àquele povo, ou o "complexo de colonizado" que Mannoni diagnostica nos malgaxes.

Pelo contrário, o objetivo de uma metapsicologia do coletivo, argumentaria, é colocar os processos psíquicos de um sujeito num contexto coletivo, social e político: pois a psicologia individual resulta de uma psicologia social. No outro sentido, do individual para o coletivo, não se trata de estender as características dos sujeitos a uma escala coletiva, mas de apreender as modalidades relacionais entre os sujeitos de uma sociedade que definem uma psicologia coletiva. Em termos freudianos, a psicologia da massa é caracterizada por um duplo vínculo entre os indivíduos: a identificação dos/as uns com os/as outros procede da introjeção, por cada indivíduo, do líder no lugar do ideal do eu - uma, entre várias modalidades relacionais possíveis.

O "inconsciente coletivo" apresenta, portanto, a dupla desvantagem teórica e ético-política de cair em generalizações (processos individuais aplicados a uma coletividade) e proceder de um etnocentrismo invisibilizado que confere características alterizadoras a povos, desconsiderando assim a singularidade dos sujeitos que os compõem.

O estudo de Karima Lazali sobre o trauma colonial argelino no seu livro *Le trauma colonial* levanta essa questão.[170] Embora essa análise seja particularmente interessante, ela incorre no risco da generalização. Se trata de desvelar o impensado persistente da colonialidade, na Argélia como na França, e levantar o silenciamento da violência colonial, a fim de abordar um conjunto de sobrevivências sem traços que, porém, permanecem totalmente ativas nas subjetividades e nos discursos políticos.

Quando a administração colonial decidiu mudar o sistema tradicional de nomeação tribal, que envolvia a seria dos nomes do pai, do avô e da localidade, e que foi considerado muito complexo, o registro civil colonial provocou o desmantelamento das filiações, argumenta a autora. Esse apagamento da referência à tribo e, portanto, ao pai, associou à desaparição real dos pais mortos pelos colonizadores a abolição da sua função para os filhos. Para esses filhos que ficaram "desancorados da função paterna"[171], a colonização "processo de arraso do simbólico", não produziu recalques, mas forclusões na relação com a história, apagamentos irremediáveis, "espaços em branco nos registros da linguagem, do nome e da história".[172] Tal apagamento da função paterna deu origem a incessantes guerras fratricidas até a década de 1990:

> Os filhos 'revolucionários' encaravam um sentimento de ilegitimidade aterrador, que pode ser associado à desa-

---

170 Karima Lazali, *Le trauma colonial. Une enquête sur les effets psychiques et politiques contemporains de l'oppression colonial en Algérie*, Paris, La Découverte, 2018.
171 Ibid., p. 73.
172 Ibid., p. 75.

> parição dos pais e à destruição das filiações, o que afetou diretamente o circuito de reconhecimento simbólico - a função paterna que nomeia, reconhece e instala numa genealogia. Não será que a destruição desse circuito empurra para um processo de luto que nunca começou?[173]

A autora invoca, assim, o mito da horda primeva: a ausência do pai, deposto pelo ocupante francês, daria origem a um fratricídio incessante e a catástrofes subjetivas renovadas a cada geração entre esses filhos privados da função paterna.

Se poderia, antes de mais nada, perguntar sobre o destino das filhas, totalmente ausentes do discurso da autora. Além disso, essa metapsicologia coletiva consiste em atribuir o mesmo processo psíquico à maioria dos argelinos, postulando indiretamente um "inconsciente coletivo" argelino produzido pelos apagamentos específicos da história colonial. Porém, parece difícil sustentar a hipótese de uma psique coletiva, de processos psíquicos idênticos para todos os argelinos, ao longo de mais de 160 anos de história. De forma mais problemática, é a dimensão pós-imperial da análise que pode ser questionada aqui. A "função paterna" continua sendo uma referência inscrita na história ocidental do cristianismo, definida por uma herança religiosa, uma configuração familiar e relações de gênero específicas. É uma noção própria à psicanálise da década de 1950 que se originou na França. Cabe perguntar se ela não acaba obscurecendo a especificidade argelina das relações sociais de gênero, sexualidade e filiação: apesar dos 132 anos de colonização, elas permanecem diferentes das configurações francesas.

Aqui aparecem os limites da universalização de certas categorias da psicanálise resultante do conluio implícito entre cristianismo e civilização ocidental. Essa é a visão de Fethi Benslama, que aponta o erro de Freud a respeito da noção de pai no islã: ao invés da intensificação cristã da noção de pai, o islã produz uma separação radical entre pai e Deus. Embora as sociedades islâmicas sejam predominantemente patriarcais, o dogma religioso exclui que Deus seja o pai, ou que o pai seja Deus. Freud extraiu a sua verdade psíquica individual do delírio cristão, e os trabalhos psicanalíticos por mais de um século perpetuaram esse recurso ao paterno.

O inconsciente contra um povo?

A teorização afro-pessimista de um inconsciente coletivo anti-negro também ilustra essa tendência à generalização. Para definir uma concepção ontológica da escravidão e da negritude, os/as editores/as de *Afropessimism: An intro-*

---

173 Ibid., p. 102.

duction[174] retomam o conceito de morte social do/a escravo/a desenvolvido por Orlando Patterson.[175] Inserido numa relação de apropriação, o/a escravizado/a se torna objeto, mercadoria a ser usada e trocada, e seu próprio ser é assim transformado, excluindo-o/a da categoria de seres humanos e do estatuto de sujeito social. A sua morte social é ontológica, argumentam vários teóricos/as afro-pessimistas: mais do que um sujeito oprimido, ele ou ela é um objeto de acumulação e trocabilidade. Essa morte social perdura, além da abolição da escravidão, na violência gratuita exercida pela supremacia branca e, de forma atual, na exposição dos homens negros à brutalidade policial.

No seu livro *Noirceur*[176], Norman Ajari apresenta o afropessimismo como meta-teoria, projeto político que, por meio da categoria de negritude (*blackness*), questiona a lógica subjacente do marxismo, do pós-colonialismo e da psicanálise. Apesar dos seus objetivos de libertação, todas essas perspectivas falham em dar conta do sofrimento dos negros, ou em tentar compará-lo com o de outros/as oprimidos/as. Frank B. Wilderson, comenta N. Ajari, retoma o conceito de paradigma de Giorgio Agamben para dar conta da condição negra. O paradigma, uma imagem ou conceito singular a ser utilizado de forma idêntica em qualquer época além das coordenadas sócio-históricas da sua emergência, anula a diferença entre o geral e o particular. Os afropessimistas apresentam o/a escravo/a negro/a como figura paradigmática da anti-humanidade, definida pela violência gratuita que lhe é infligida, a morte social que o/a exclui da ordem simbólica de transmissão, e a fungibilidade que o/a submete à acumulação, à trocabilidade e à substituibilidade. A negritude, virada sinônimo de escravidão, significa trans-historicamente anti-humanidade: é o objeto de uma violência dissociada das condições específicas que a possibilitaram, e estruturalmente suscetível de se deslocar e se repetir ao longo do tempo sem pertencer a uma época específica. De acordo com F. B. Wilderson, o tempo histórico da escravidão flui dentro de um tempo paradigmático, definido pela invariância da negrofobia e chamado de "éon da negritude"[177], um termo que se refere tanto a uma era geológica quanto à eternidade. Se, portanto, o devir-negro da escravidão transformou historicamente o significado da humanidade, essa transformação se torna ontológica, imutável: "A partir de então, ser humano, ou seja, ser livre, racional, religioso ou digno, será simplesmente o oposto de ser negro".[178] O tempo social e político da liberação e da emancipação permanece, portanto, subordinado ao tempo ontológico, ao éon da negritude, no qual os/as negros/as ficam cativos/as das fantasias, desejos e imagens projetados neles/as.

---

[174] Frank B. Wilderson (III), Saidiya V. Hartman, Steve Martinot, Jared Yates Sexton, Hortense J. Spillers, *Afropessimism: An Introduction*, Minneapolis, Racked and Dispatched, 2017.
[175] Orlando Patterson, *Slavery and Social Death: A Comparative Study*, Harvard, Harvard University Press, 1982.
[176] Norman Ajari, *Noirceur. Race, genre, classe et pessimisme dans la pensée africaine-américaine au XXIᵉ siècle*, op. cit.
[177] Ibid., p. 75.
[178] Ibid.

Cabe, porém, questionar a dimensão metafísica e imobilista dessa ontologia filosófica da negritude. Também parece pertinente apontar o paradoxo que consiste em reconhecer a constituição histórica da escravidão e da raça (invenções da modernidade), enquanto se nega toda historicidade dos relacionamentos inter-humanas e das relações sociais que deles decorrem. Embora existam indubitavelmente efeitos psíquicos e sociais atuais da escravidão e da imensurável violência infligida aos corpos negros ao longo de mais de quatro séculos, embora seja preciso reconhecer que a negrofobia e a anti-negritude são tragicamente irredutíveis hoje em dia, isso não significa que as modalidades dessa violência sejam a-históricas e as possíveis reações a ela definidas de uma vez por todas. A violência gratuita, a morte social e a fungibilidade do corpo negro são historicamente instituídas pela escravidão transatlântica, e a negrofobia é uma criação da raça a partir do século XVI.

Essa des-historicização resulta na teorização de um inconsciente anti-negro que cai na mesma generalidade metafísica. Como o corpo branco só consegue ter uma relação de uso com o corpo negro, ressalta N. Ajari, a negritude passa a ser o sítio de um *gozo* branco, no duplo sentido de apropriação e de além do prazer. O filósofo rejeita toda interpretação funcionalista do racismo anti-negro: o objetivo da anti-negritude não é justificar a distribuição do trabalho, a exploração econômica, os benefícios materiais ou a repressão social, mas fundamentar o prazer da sociedade e sua economia libidinal num verdadeiro sadismo anti-negro. "Como um necrófago, escreve N. Ajari, o inconsciente não-negro nunca deixa de extrair do cadáver do negro as condições da sua própria humanidade".[179]

Parece legítimo, pois, perguntar em que consiste esse inconsciente não-negro ou anti-negro, ao qual Norman Ajari confere aqui um funcionamento individual. O filósofo remete a um inconsciente coletivo imutável supostamente teorizado por Franz Fanon[180] - enquanto, como foi visto, Fanon este esse inconsciente como circulação historicizada de representações europeias brancas. Se uma intensa anti-negritude historicamente constituída ainda está em vigor hoje, cabe explicitar suas modalidades. Como esse inconsciente anti-negro é formado e compartilhado, e quais são suas formas de transmissão? Em que fenômenos sociais, que processos intersubjetivos e intrapsíquicos se baseia?

As diferenças no tratamento de sujeitos negros e brancos estão aqui inscritas numa ontologia que des-historiciza essas relações sociais e institui a categoria trans-histórica, fixa, eterna e imutável do inconsciente anti-negro:

---

179 Ibid., p. 68.
180 "Essa teoria explora a hipótese, inspirada por Frantz Fanon, da onipresença de um inconsciente coletivo negrofóbico como forma de explicar a inegável constante mórbida que afeta a vida negra, mas está sujeita a um constante negacionismo", ibid, p. 67.

> *É a onipresença multiforme da abjeção negra no inconsciente coletivo branco e, de modo mais geral, não-negro, que explica a existência de sistemas políticos racistas na perspectiva de Wilderson. Por isso, ele considera que a análise desse inconsciente coletivo é uma questão de ontologia política, ou seja, de análise da posição dos diferentes grupos humanos e desumanizados em relação uns com os outros. (...) A ontologia política na qual estamos inseridos equipara a negritude à servidão e à desumanidade. Para entender a profundidade do desprezo, da detestação, do desejo de apropriação, da desconfiança e da fúria que constantemente atingem as pessoas negras, é preciso raciocinar de forma indutiva. Assim como a teoria do Big Bang é um modelo cosmológico que visa descrever e explicar a origem e a evolução do universo, a teoria da anti-negritude é um modelo libidinal que visa descrever e explicar a origem e a evolução da negrofobia, postulando a existência de um vasto inconsciente anti-negro que nunca para de se reproduzir e se auto-alimentar.*[181]

Mas uma psicologia coletiva não pode raciocinar de forma indutiva. Isso levaria a postular um inconsciente independente de qualquer situação individual ou coletiva, e impermeável a qualquer mudança, por estar desinscrito das relações sociais na base da sua existência, transmissão e mutabilidade constante.

Mais ainda, esse raciocínio resulta numa despolitização das relações sociais e dos seus efeitos psíquicos, uma perspectiva claramente reivindicada aqui quando Norman Ajari considera a escala política como secundária:

> "Em outras palavras, a raiz da negrofobia não é política e o racismo não é fundamentalmente 'sistêmico', porque a negrofobia é, antes de tudo, inconsciente e libidinal, ou seja, reside no desejo coletivo antes de se manifestar nas instituições políticas e sociais".[182]

Mas o que é esse desejo coletivo uniformizado, concebido com base no modelo do desejo individual? E, mais uma vez, que são as suas modalidades de funcionamento? Se, como assevera Norman Ajari, os/as negros/as não têm o poder de reverter o estigma, se "a última palavra sempre vai para a negrofobia"[183], toda possibilidade de ação política está irremediavelmente comprometida...

Também cabe questionar o etnocentrismo envolvido nessa explicação da situação dos sujeitos negros de qualquer contexto em qualquer época através da particularidade dos/as negros/as estadunidenses. É incontestável que a an-

---
181 Ibid., pp. 72-73.
182 Ibid., pp. 69-70.
183 Ibid., p. 70.

ti-negritude é uma praga que atravessa a história do mundo há mais de quatro séculos e continua onipresente até hoje. Entretanto, parece mais justo tentar dar conta disso sem apagar as diversas situações/as dos afrodescendentes na América (distintas em cada país do continente, embora todas expostas à negrofobia), na Europa e na África. Mais uma vez, se trata de evitar o risco de uma forma de colonialidade na qual teóricos/as do Norte Global (Estados Unidos) pretendem falar por toda a humanidade negra.

Os/as racistas no divã

Além da definição de traços característicos de grupos, várias metapsicologias destacam processos psíquicos específicos aos sujeitos de um grupo racista. O funcionamento psíquico do racismo apelaria para certos mecanismos de defesa repetitivos: por meio da identificação projetiva, o sujeito odeia no outro racizado aquilo que percebe em si mesmo; por meio da clivagem, esse processo permanece separado do resto da psique; por meio da recusa do outro, esses mecanismos são reforçados. De modo mais geral, às vezes se postula que a base do ódio racial é a negação da diferença, frequente e sumariamente reduzida à "diferença entre os sexos".[184]

A veia lacaniana dessas metapsicologias se baseia essencialmente no gozo do sujeito racista e na sua fantasmatização do gozo do Outro. Embora Lacan não estivesse realmente interessado na raça, ele profetizou, em 9 de março de 1974, que "o racismo tem um futuro".[185] Se "não há relação sexual", como havia decretado anteriormente, "é porque, acrescentava em 1974, o Outro é de uma outra raça".[186] O sujeito racista se articularia essencialmente em torno do desejo de separar os modos de gozo, diferenciando o próprio gozo daquele atribuído aos/às outros/as, racizados/as. O racismo se basearia mais do que no ódio ao Outro, numa detestação invejosa do gozo do Outro e, portanto, do gozo próprio, revelado pelo primeiro.

Jacques-Alain Miller retoma essa leitura do racismo, na qual o Outro resiste ao meu gozo e o rouba de mim[187], mas é essencialmente Slavoj Zizek quem promove essa abordagem.[188] Todd McGowan amplia essa perspectiva para estabelecer uma metapsicologia do sujeito ou grupo racista.[189] O inves-

---

[184] Esse é o caso de Alain Didier-Weill, que, por exemplo, ao discutir a negação da diferença que dá origem a um universal totalitário, baseia-se no trauma da descoberta da diferença sexual (A. Didier-Weill, "Introduction. A propos de la journée mondiale de philosophie à l'Unesco: quelques réflexions sur l'Universel et le particulier", *Insistance*, 2012/2 (n° 8), pp. 11-14).
[185] Jacques Lacan, *Télévision*, Paris, Seuil, 1974, sessão de 9 de março de 1974.
[186] Ibid.
[187] Jacques-Alain Miller, *Extimité,* seminário 1985-1986 (online).
[188] Slavoj Zizek, *Métastases du jouir*, Paris, Flammarion, 1994.
[189] T. McGowan, "The Bedlam of the Lynch Mob: Racism and Enjoying through the Other", em George Sheldon, Hook Derek (orgs) *Lacan and Race. Racism, Identity and Psychoanalytic Theory*, Nova York, Routledge, 2021.

timento inconsciente no racismo, argumenta o autor, proporciona um prazer que excede qualquer saber consciente que condene cognitiva ou moralmente essa atitude. Se a educação ou a moralidade não são suficientes para superar o racismo, é porque esse fenômeno se baseia principalmente numa fantasia coletiva, que organiza o gozo dos membros de uma sociedade, permitindo que eles mantenham a miragem de uma satisfação total e ilimitada. Ao estabelecer o outro racial como um obstáculo a essa satisfação, essa fantasia institui um vínculo entre os membros de uma sociedade, separando-os daqueles/as que são excluídos/as por seu modo de satisfação.

O/a outro/a racizado/a me impede, portanto, de alcançar o gozo: ele ou ela transforma essa satisfação ilimitada impossível em gozo proibido. Assim, se torna o/a garantidor/a da fantasia, da qual ele/ela gozaria de forma ilimitada às custas do sujeito da fantasia. A suprema ironia, no entanto, reside no fato de que o gozo ilimitado atribuido na fantasia racista ao/à outro/a racizado/a é o próprio gozo que o sujeito racista almeja: este último goza por meio do/a outro/a racizado/a, mantendo-o/a não reconhecido/a.

Uma versão estadunidense desse/a outro/a racizado/a, cujo gozo ilegítimo infringe a lei e a moralidade, é a fantasia do homem negro de proeza sexual superior, que goza das mulheres brancas às custas dos homens brancos. Esse outro racizado trapaceia e não se conforma com as restrições da sociedade civilizada, usa a sedução e recorre à violência, procedimentos supostamente proibidos aos homens brancos. Essa fantasia ainda constitui a raiz, no imaginário cultural estado-unidense, da crença na criminalidade negra: justificou os inúmeros linchamentos de homens negros acusações de estupro nos séculos XIX e XX.

Vale a pena observar que essa fantasia aparece no texto da psicanalista Joan Rivière "A mascarada feminina". Uma das pacientes evoca a fantasia de se defender do ataque de um homem negro seduzindo-o, beijando-o, fazendo o amor com ele para depois entregá-lo à justiça. A excitação surge de uma cena de destruição reminiscente dos numerosos linchamentos de homens negros acusados de estuprar mulheres brancas, numa mistura inextricável de excitação sexual e ódio racial. Nesse texto, Joan Rivière aponta as opressões de gênero internalizadas que levam algumas mulheres a atuarem numa mascarada de infantilismo e burrice para afastar a inveja masculina por seu sucesso. No entanto, a interpretação desse caso ignora completamente as relações sociais de raça nas quais essas construções de gênero se baseiam e particularmente essa fantasia racista.

De acordo com Todd McGowan, nem a abolição da escravidão, que abriu caminho para o separatismo das leis Jim Crow, nem as lutas pelos direitos civis da década de 1960 acabaram com essa fantasia, que continua fundamentando

---

edição eletrônica.

toda discriminação sofrida pelos/as negros/as nos Estados Unidos atualmente (polícia, justiça, moradia, educação, saúde, trabalho etc.). Todd McGowan conclui que o racismo não é primariamente o resultado de um sistema jurídico ou de uma organização social, mas de uma fantasia racista. A diferença racial, argumenta o autor, não é anterior à fantasia, mas decorre da maneira como as relações de gozo são distribuídas.

É justamente isso que se revela, a meu ver, verdadeiramente problemático. Jean Genet já estava ciente disso em 1970:

> Não devemos nos deixar distrair pelos mitos sexuais que supostamente estariam na base do racismo. A origem do racismo é socioeconômica. Precisamos estar bem conscientes disso, porque é o ponto de partida para nossa solidariedade com os negros e o partido dos *Black Panthers*.[190]

Ao considerar a fantasia racista como a base da raça e do racismo, o autor corre o risco de obliterar toda a história colonial que fabricou a raça para justificar as invasões, o massacre de populações e a desapropriação das suas terras, a escravidão e a distribuição do trabalho, isso é, a base do sistema capitalista e do enriquecimento moderno da Europa. Essa intrapsiquização da raça e do racismo gera uma problemática despolitização da questão, e uma des-historicização das múltiplas formas que o racismo assume de acordo com as transformações sociais. O interesse econômico da raça, fundamental para a organização dos fluxos sociais e do trabalho na Europa e nas colônias, desaparece em favor de uma hipotética fantasia generalizada, que estende, de forma problemática os processos psíquicos de um sujeito racista a todo um grupo. Fica possível, de acordo com o modelo freudiano, imaginar a propagação da fantasia racista por meio da identificação entre os membros de um grupo, mas o principal problema aqui é a não-situação desse grupo, não definido como dominante. Essa análise meramente intrapsíquica considera esses grupos - racistas e racizados/as - como perfeitamente intercambiáveis, como se cada um pudesse fomentar a fantasia de um gozo ilimitado do Outro. O racismo não é, porém, um sistema de elementos permutáveis: a raça resulta de uma fabricação histórica própria à dominação de um determinado grupo; é uma relação social de poder, cujos polos não são intercambiáveis. Nesse sentido, seria completamente errado imaginar um "racismo antibranco" (concebível nessa análise lacaniana): racistas e racizado/as não estão, de forma alguma, na mesma posição de poder.[191]

Por fim, essa des-historicização da fantasia, concebida como uma estrutura de cima que escapa a todas as variações históricas e permanece imutável,

---
190 Jean Genet, "Lettre aux intellectuels américains", in *L'ennemi déclaré. Textes et entretiens choisis 1970-1083*, Paris, Gallimard, 2010, p. 30. Minha tradução.
191 Sobre esse assunto, confira o capítulo sobre o suposto "racismo antibranco" na terceira parte deste livro.

compromete, assim como a concepção ontológica de um inconsciente anti-negro", toda mudança e toda ação política.

Uma psicanálise do racismo?

Livio Boni e Sophie Mendelsohn realizam uma finíssima politização da questão racial em seu livro *La vie psychique du racisme I. L'empire du démenti*.[192] Ela/ele estabelecem uma diferença entre o chamado racismo colonial, um choque no encontro entre gozos - teorizado por Todd McGowan - e o racismo generalizado em regime pós-colonial, um sintoma da angústia de indistinção que permeia o mundo inteiro. Esse racismo pós-colonial se baseia num mecanismo psíquico globalizado, o desmentido *(Verleugnung)*, que consiste em afirmar e negar, reconhecer e repudiar ao mesmo tempo. Nesse sentido, se encaixa perfeitamente no discurso republicano que defende um ideal assimilacionista, e "tende a apoiar um regime de 'uni-verso', o de uma unidade defensiva imaginária".[193]

A figura do desmentido, que poderia ser teorizada pela fórmula "Eu sei..., mas ainda assim...", afirmando e negando ao mesmo tempo, levanta esta questão fundamental, muitas vezes deixada de lado por todos os regimes que se dizem universalistas: "como podemos *saber, sem saber* que vivemos num mundo racializado, um mundo que foi estruturado e funcionou de acordo com divisões raciais?".[194] Os/as autores/as argumentam que é possível saber de fato que *as raças* não existem em nenhum nível (biológico, genético, ontológico) sem abrir mão da crença na existência de diferenças raciais insituáveis.

Ao contrário do recalque, o desmentido é coletivo e só pode ser superado por um evento coletivo que seja ao mesmo tempo traumático e esclarecedor, tal como as revoltas contra a colonização. Enquanto o recalque, que protege contra o afeto, é um mecanismo estritamente individual, "porque o afeto não é algo que possa ser compartilhado", o desmentido contraria uma representação indesejável que pode ser compartilhada e se torna um elemento constituinte do trabalho da cultura quando é colocada em circulação.[195]

No entanto, acredito que mais precisão deveria ser introduzida nessa concepção. O objetivo tanto do recalque quanto do desmentido é poupar o sujeito de um afeto de desprazer, e ambos se relacionam a uma representação indesejável que, se se tornasse consciente, seria acompanhada com desprazer. Além disso, um afeto pode ser compartilhado entre sujeitos, por meio da identificação. O que difere aqui, a meu ver, é o destino da represen-

---

192 L. Boni, S. Mendelsohn, *La vie psychique du racisme I. L'empire du démenti*, Paris, La Fabrique, 2021.
193 Ibid., p. 221.
194 Ibid, p. 157.
195 Ibid, p. 168.

tação impedida: quando recalcada, ela pode voltar à consciência, por meio do retorno do recalcado (e, assim, ela envolve um constante contra-investimento por meio de outros mecanismos de defesa - isolamento, projeção, introjeção, formação reacionária etc.). No desmentido, mais do que uma representação psíquica, é uma realidade externa que é evacuada da consciência: na base do desmentido, há uma recusa, enquanto o recalque, para ser mantido, exige uma negação.

Isso é o que Éric e Didier Fassin destacaram em 2007, no que diz respeito aos diferentes destinos retóricos desses mecanismos:

No caso da recusa ou desmentido: 'Estou bem ciente de que há diferenças de tratamento entre as pessoas com base na origem, mas, mesmo assim, não podemos falar de discriminação e, além disso, não é racial'; e no caso de negação: 'Você vai dizer que a França é um país onde a discriminação racial é comum, mas não é bem assim', ou de forma mais direta: 'Você vai pensar que a França é um país racista, mas isso não é verdade'.[196]

No recalque, a representação das desigualdades e violências raciais é psiquizada: ela pode voltar à consciência e, nesse caso, dá origem a um argumentário político de denegação. O argumento do/a oponente é antecipado (a representação psíquica está presente, se torna intelectualmente consciente para ser afetivamente anulada) e cancelado por uma preterição: "você dirá que..., mas...", "você pensará que..., no entanto...". O desmentido, por outro lado, envolve um mecanismo duplo que requer uma clivagem: uma realidade externa é reconhecida - o racismo existe - e violentamente negada - essas não são diferenças raciais. O processo é muito mais oneroso do ponto de vista psíquico e, para manter esse duplo movimento de reconhecimento e supressão, deve evacuar a representação psíquica da realidade externa reconhecida: portanto, é muito mais difícil de remover do que o recalque.

Embora a análise do racismo por Sophie Mendelsohn e Livio Boni, baseada na categoria de desmentido, seja particularmente justa, a dimensão coletiva do desmentido permanece, a meu ver, não resolvida (e não pode só resultar da oposição que eles introduzem entre afeto e representação). Não se sabe como ocorre essa coletivização do desmentido. Sophie Mendelsohn e Livio Boni se referem à "lógica contagiosa"[197], historicamente identificável do desmentido: é precisamente esse mecanismo de identificação que valeria a pena esclarecer. Mais uma vez, parece importante não aplicar esse mecanismo individual a uma suposta psique coletiva, ou um suposto inconsciente coletivo, como se poderia acreditar quando os/as autores/as pretendem "abordar a questão racial no inconsciente pós-colonial".[198] De que inconsciente(s) se trata aqui? O de

---
196 E. Fassin, D. Fassin, *De la question sociale à la question raciale?* op. cit., p. 142.
197 L. Boni, S. Mendelsohn, *La vie psychique du racisme I...*, op. cit., p. 187.
198 Ibid., p. 20.

um sujeito singular, de um grupo particular de sujeitos, ou de uma pluralidade unificada? Como admitir a existência de um mesmo inconsciente, comum aos sujeitos racistas, ou aos sujeitos racizados, ou inclusive a ambos? Como aceitar essa ficção de homogeneidade grupal e psíquica?

Será que cabe voltar à solução metapsicológica freudiana da *Psicologia do grupo...*, postulando uma identificação entre os sujeitos racistas, que todos colocaram o líder no lugar de seu ideal do eu? Mas o que ocuparia essa posição de líder aqui, que sujeito ou que ideia contraditória (o racismo existe, o racismo não existe), já que o desmentido opõe uma afirmação a uma negação? Como esse fenômeno, próprio a uma psique individual, se espalha entre os sujeitos de uma sociedade?

A identificação parece central aqui, porém, mais do que um simples mimetismo entre os sujeitos, é uma repetição discursiva que produz essa dupla crença contraditória. Cada sujeito, identificado com os outros, toma nota da evidência de que um discurso majoritário repetido (o racismo não existe num regime universalista) produz menos desprazer do que o reconhecimento das desigualdades raciais reais. Identificação e compulsão de repetição vão de mãos dadas aqui. Essa análise, porém, mereceria ser aprofundada.

Por outro lado, abordar o racismo só a partir da figura do desmentido, intrapsiquizando-o, pode gerar a uma psicologização das relações sociais de raça e da esfera do político. Pode até mesmo levar a uma psicopatologização da vida política: apresentar o racismo como "disfunção psíquica" o torna um fenômeno excepcional, anormal e patológico. Cabe lembrar que o processo de desmentido, que Freud colocou na raiz do fetichismo[199], é, de forma generalizada, concebido como a base da estrutura da perversão por vários teóricos/as lacanianos/as.[200] Mas dizer que o sujeito racista, ou o racismo, é perverso não resolve nada das relações sociais de poder e mantém invisibilizado um racismo que é muito mais amplo do que o racismo psicológico de um sujeito ou um grupo: um racismo institucional, estrutural e sistêmico.

Portanto, mais do que uma metapsicologia da produção do racismo, é uma análise das consequências da raça que me parece necessária aqui. Nesse sentido, a noção de mineralização apresentada por Sophie Mendelsohn e Livio Boni se revela particularmente relevante para uma metapsicologia dos efeitos do racismo. Os autores a definem como "o fracasso dos recursos de transformação psíquica quando a situação vivenciada por um sujeito, em particular em razão da sua racização, é precisamente desmentida, ou seja, admitida e, ao mesmo tempo, considerada insignificante, simultaneamente superexposta e

---

[199] De acordo com Freud, o fetichismo se deve ao reconhecimento, combinado com a recusa, de que a mãe não tem um pênis (S. Freud, *O fetichismo*, in *Edição Standard das Obras Psicológicas Completas de Sigmund Freud*, op. cit., vol. XXI, 1927-1931.)

[200] Cf. por exemplo, Piera Aulagnier et Al. *Le désir et la perversion*, Paris, Seuil, 1967, ou Joël Dor, *Structure et perversions*, Paris, Denoël, 1987.

minimizada".²⁰¹ Essa noção, que pode ser identificada clinicamente em muitos/as pacientes racizados/as, parece inteiramente apropriada para desenvolver uma escuta psicanalítica da raça.

Assim, uma metapsicologia da raça precisa evitar o mito de uma formação coletiva ("inconsciente coletivo", "psique coletiva") que seguiria as mesmas "leis" do que a psique individual. Metodologicamente, parece incorreto inverter a relação entre grupo e indivíduo que Freud estabelece na psicologia do grupo. Epistemologicamente, o raciocínio em termos de tais categorias gerais (a psicologia de um povo ou de um perfil) introduz uma previsibilidade, um determinismo que estão em desacordo total com a desconstrução psicanalítica de qualquer "destino", e com o alvo de movimento e fluidez psíquica inerente ao trabalho analítico.

Portanto, não se trata aqui de desenvolver uma metapsicologia do racismo, que perderia a singularidade de cada situação e, ao intrapsiquizar o racismo, correria o risco de despolitizá-lo como sistema. Ao concebê-lo como fato de indivíduos ou de grupos isolados e patologizados, ela acaba negando as relações sociais de poder de raça e a dimensão sistêmica e invisibilizada do racismo. Considerá-lo apenas como um efeito do inconsciente coletivo, uma luta dos gozos, um processo de desmentido, significa confiná-lo a uma questão psíquica individual ou grupal e, assim, impedir qualquer perspectiva de ação ou mudança que vise um sistema, uma repartição social, uma distribuição estrutural das prerrogativas e minorizações.

"A análise do real é delicada", escreve Fanon. "Um pesquisador pode adotar duas atitudes diante do seu tema. Na primeira ele se contenta em descrever – à maneira do anatomista (...) Na segunda atitude, após ter descrito a realidade, o pesquisador se propõe a modificá-la".²⁰² Uma teoria psicanalítica da raça se beneficia eticamente de se perguntar eticamente se se limita a descrever a realidade ou se pretende mudá-la, adotando uma postura abertamente antirracista. Isso levanta a questão de se, e como, o trabalho psicanalítico individual de elaboração funciona para transformar modalidades relacionais específicas. Mas surge também a questão da compatibilidade entre o objetivo claro de mudar uma realidade – próprio a uma perspectiva antirracista - e a suposta neutralidade do analista.

Portanto, é preciso fundar uma metapsicologia que seja cada vez individual mais política, situando tanto o sujeito (racializado) quanto o/a autor/a dessa metapsicologia no seu contexto social. Cabe então estudar a enunciação dos discursos sobre racismo ou raça. Livio Boni e Sophie Mendelsohn enfatizam claramente que os escritos de Mannoni sobre a situação colonial só podem

---

201 Livio Boni, Sophie Mendelsohn, *La Vie psychique du racisme I...*, op. cit., p. 23. Minha tradução.
202 F. Fanon, *Pele negra, máscaras brancas*, op. cit., p. 145.

ser concebidos desde a sua posição colonial.[203] Essa autora e esse autor reconstroem uma troca Mannoni/Fanon que vai além da simples oposição, colocando em diálogo, de forma sutil e matizada, a "queixa do negro" teorizada pelo primeiro e a "experiência vivida do negro" pelo segundo. No entanto, nessa comparação entre Mannoni e Fanon, ou Mannoni e Baldwin, surge a questão da situação enunciativa: Mannoni não tem experiência vivida de ser negro, Fanon e Baldwin são confrontados com ela diariamente, e as posições de um ou de outro não são de forma alguma intercambiáveis.[204] Embora não se trate de ontologizar a experiência vivida, ela é, porém, parte integrante da determinação enunciativa, do conteúdo e do significado de um discurso. Como qualquer sujeito da enunciação, ou qualquer autor/a, o/a analista escuta e fala a partir de uma posição que não é meramente teórica, doutrinária ou epistêmica, mas, sobretudo social e política. Nem Octave Mannoni, nem Franz Fanon, nem James Baldwin, nem Sophie Mendelsohn, nem Livio Boni, e muito menos eu mesmo nesta análise, escapamos do nosso posicionamento racializado, que produz uma enunciação particular sobre o racismo, a negrofobia ou a branquitude. Por isso parece importante examinar agora essa localização das enunciações.

Enunciar a raça: discursos e silêncios

Lugares de fala

As epistemologias situadas, oriundas tanto da reapropriação crítica de um certo pensamento marxista quanto das análises afro-feministas, se revelam particularmente úteis para evitar a não-posicionalidade de uma psicanálise universalizadora, pregando desde as esfera etéreas da neutralidade.

É antes de tudo a figura do/a subalterno/a, introduzida por Antonio Gramsci em seus *Cadernos da Prisão*[205], que inspira esta reconfiguração epistemológica. Excluído/a de qualquer forma de representação, enquanto experimenta diretamente a dominação, o/a obrero/a, subalterno/a, desenvolve uma expertise de exploração na fábrica que fica inacessível aos patrões. De forma similar, as mulheres podem observar desde uma posição privilegiada a dominação masculina que fundamenta o sistema capitalista, e, assim, revelar o trabalho

---
203 Livio Boni, Sophie Mendelsohn, *La Vie psychique du racisme I...*, op. cit., p. 28.
204 Portanto, não parece justo afirmar que "a trajetória paradoxal do livro de Mannoni, cuja existência foi garantida por sua passagem pelo mundo anglo-saxão, é quase a imagem invertida da do escritor estadunidense James Baldwin" (ibid., p. 122), ou que ambos têm um posicionamento "comum" (ibid., p. 123) sobre a negrofobia, quando suas experiências sociais na França ou nos Estados Unidos não têm absolutamente nada a ver uma com a outra.
205 A. Gramsci, *I quaderni del carcere (1948-1951)*, Roma, Einaudi, 2014.

de reprodução invisibilizado. De acordo com Gramsci, a posição do oprimido/a possibilita desenvolver um pensamento crítico sobre a cultura dominante e propor outras fontes de saber, ignoradas pelos saberes hegemônicos. O saber situado das mulheres pode, portanto, transformar a esfera pública da qual elas são excluídas, e fundar uma epistemologia do posicionamento (*Standpoint Epistemology*) com efeitos teóricos, sociais e políticos.

Várias autoras afro-feministas estadunidenses, como bell hooks, Angela Davis, Audre Lorde ou Patricia Hill Collins, procuraram valorizar o saber produzido nas "margens"[206] pelas mulheres negras, mais apropriado do que o saber hegemônico supostamente definido por critérios de objetividade. Essa também é a posição de muitas feministas negras brasileiras, de Lélia Gonzalez e Márcia Lima a Neusa Santos Souza, Vilma Piedade, Beatriz Nascimento, Sueli Carneiro, Conceição Evaristo ou Cida Bento. Todas elas encarnam a perspectiva de *outsider within*, teorizada por Patricia Hill Collins[207] a partir da experiência de mulheres negras conjuntamente excluídas do saber acadêmico dominante, e participantes desse saber quanto acadêmicas. Esta consciência da margem no centro, interna e externa ao mesmo tempo, tem muito a ver com o objetivo da escuta analítica.

A epistemologia situada do afro-feminismo difere ponto por ponto dos critérios que caracterizam as abordagens positivistas - distância entre o/a pesquisador/a, sujeito, e seu objeto coisificado; ausência de emoção; ausência de ética ou valores; debates contraditórios e solidez do argumento que sobrevive. Ao contrário, a experiência vivida das mulheres negras é afirmada como critério fundamental para a constituição do saber. Ademais, diferentemente do debate contraditório, o uso do diálogo, baseado nas tradições orais africanas, ressalta a importância da conexão, em vez da separação, nos processos de validação do saber. Uma ética do cuidado (*care*) conjuga esses processos com a expressão pessoal, as emoções e a empatia, para enfatizar a unicidade do indivíduo (*individual uniqueness*) ressaltada pela tradição humanista africana. Por fim, as mulheres negras tornam-se sujeitos do saber em vez de serem seus objetos passivos, falam em seu nome próprio, numa epistemologia alternativa, caracteristicamente negra e feminina, na interseção de duas opressões susceptíveis de se transformarem em empoderamento e justiça social.

A questão dos saberes situados poderia ser concebida como uma radicalização do posicionamento da psicanálise como avesso da ciência, e da produção do sujeito do inconsciente pelo sujeito da ciência. Para Sandra Harding (1993), a "*Standpoint Epistemology*" ressalta a maneira como todos as produções de saber estão socialmente situadas, e revela que algumas localizações marginais são preferíveis a outras para iniciar o conhecimento. As epistemologias

---

[206] bell hooks, *Feminist Theory: from Margin to Center*, Boston, South End Press, 1984.
[207] P. Hill Collins, *Black Feminist Thought*, New York, London, Routledge, 2000.

do posicionamento ressaltam que os saberes maioritários não se revelam objetivos do ponto de vista das margens, em sociedades estratificadas pela cultura, a raça, a classe, o gênero e a sexualidade.[208] Trata-se, então, de produzir um conhecimento dirigido às populações marginalizadas, e não apenas aos grupos dominantes com os seus processos de administração e gestão dos grupos minoritários.[209] Contra os pressupostos sexistas e androcêntricos que impõem uma explicação hegemônica da natureza e da vida social, contra a ideia de que os saberes devem transcender a sua implicação com os interesses históricos locais, as epistemologias do posicionamento buscam constituir uma "objetividade" rigorosa, "maximizada" que não pretenda ter eliminado todos os valores e crenças de seu raciocínio, enquanto evita a reflexividade. O sujeito do conhecimento, uma comunidade social historicamente situada, deve ser considerado como parte do objeto conhecido, numa reflexividade que centra a crítica nos valores e interesses sociais dos/as produtores/as do saber: sujeito e objeto permanecem inscritos no mundo social e político.

Para Donna Haraway[210], se trata de evitar a ilusão de um ponto de vista de cima – chamado "truque divino" (*God trick*) um "ver sem ser visto/a" próprio à "posição não marcada de Homem e de Branco".[211] Os saberes parciais se inscrevem numa "topografia multidimensional da subjetividade"[212] que desmantela toda identidade a si mesmo por meio de uma postura crítica consigo mesma, que os/as assujeitados são mais suscetíveis de produzir. Correlativamente, o objeto de conhecimento destes saberes situados é visto como um ator e agente, com verdadeira capacidade de ação, abrindo "um lugar para as surpresas e a ironia, que estão no centro de qualquer produção de saber".[213]

Situar o saber não significa, no entanto, que só os sujeitos afetados por uma questão estejam legitimados/as a falar sobre ela ("somente mulheres/negros/gays podem falar de mulheres/negros/gays"), mas que se trata sempre de indicar a situação da própria enunciação. Essa situação é que torna um discurso pertinente e legítimo, e, conjuntamente, revela os seus limites.

É isso que Djamila Ribeiro ressalta ao desconstruir as críticas habitualmente feitas à reivindicação de uma posição situada. Os/as críticos/as das epistemologias posicionais argumentam que elas restringem a troca de ideias, fecham a discussão e impõem um ponto de vista no qual somente aqueles/as que são afetados/as por uma questão podem abordá-la. A autoridade de um discurso dependeria, portanto, das posições ou marcas políticas do corpo que

---

208 S. Harding, "Rethinking Standpoint Epistemology: What is 'Strong Objectivity'?", in L. Alcoff, E. Potter (eds), *Feminist Epistemologies*, New York, Routledge, 1993, p. 53.
209 S. Harding, "Rethinking Standpoint Epistemology…", op. cit., p. 56.
210 D. Haraway, "Savoirs situés: questions de la science dans le féminisme et perspective des savoirs partiels", in *Le Manifeste Cyborg et autres essais,* op. cit., p. 107.
211 Ibid., p. 115.
212 Ibid., p. 122.
213 Ibid., p. 132.

o defende. Entretanto, essa crítica confunde a consequência com a causa. Se surgem "ativistas" do lugar da fala, pedindo que todo discurso seja situado, é porque prevalecem regimes instituídos de autorização discursiva: convidar um homem branco europeu cis a ficar calado para refletir melhor antes de falar, ou a tomar nota dos limites do seu discurso como resultado da sua situação, equivale a desautorizar a matriz de autoridade que construiu o mundo como um evento epistêmico.[214]

Favorecer as abordagens das margens não silencia, portanto, aquelas do centro: continua sendo possível desenvolver um discurso a partir do centro se esta posição enunciativa não for invisibilizada, mas claramente evidenciada, na sua relevância e limitações. Nesse sentido, as epistemologias do posicionamento não advogam que um ponto de vista subalterno, por definição, produz saberes mais verdadeiros. Em vez disso, elas visam destacar a coletividade e a multiplicidade das construções do saber, a diversidade dos posicionamentos, maioritários e marginalizados, no contexto de um saber elaborado coletivamente. Pensar ser o/a autor/a de um saber individual, isentando-se da própria localização social, e alegando ocupar uma posição acima, só conduz a importar as próprias crenças e preconceitos nesse empreendimento. Mais do que apenas uma promoção do saber de personas ou grupos concernidos, se trata de uma crítica radical da objetividade concebida como distanciamento e posição acima, fora da esfera social, neutra e universal.

Esta multiplicação dos lugares de enunciação que permite ouvir vozes novas só pode inspirar a escuta analítica, e a reflexão sobre o que a facilita e o que a compromete. Conceber a psicanálise como saber situado envolve uma reflexão sobre o "saber analític" e as relações sociais de poder: o objetivo é que esse saber continue a ressoar com a multiplicidade das vozes dos/as analisandos/as sem que essas sejam silenciadas por uma posição de expertise sábia, dominante e hegemônica.

From "God's Trick" to "God's Wrath"

Ideia de uma história universal de um ponto de vista "não político".

Para entender mais claramente a importância da situação da enunciação e do posicionamento, tomarei, *a contrario*, o exemplo do livro de Gérard Noiriel e Stéphane Beaud anteriormente mencionado. Limitando a raça ao discurso dos políticos franceses de direita dos séculos XIX e XX, os autores acabam

---

[214] Djamila Ribeiro, *O que é lugar da fala*, Belo Horizonte, Letramento, 2017, edição eletrônica.

anulando, por um claro etnocentrismo, a realidade das relações de raça ao longo da história. E mais, consideram o antirracismo atual como resultado desse identitarismo de direita. O erro de perspectiva parece proceder da sua profissão de fé na neutralidade. Contra o "jogo de cegueiras cruzadas"[215], os autores sustentam que as questões cívicas não têm nada a ver com os problemas científicos e defendem o tópico da neutralidade política do/a pesquisador/a: "para produzir conhecimentos científicos sobre o mundo social, [o pesquisador deve se distanciar dele".[216]

Por essa razão, Pap Ndiaye é chamado a questionar sua própria posição em relação ao tema da sua pesquisa: ele "adere explicitamente a uma lógica de identidade", fala de "condição" em vez de questão negra e apresenta seu estudo como uma "formatação científica" das reivindicações expressas durante os tumultos de 2005.[217] Pap Ndiaye, um homem negro pesquisando a condição negra carece distância com seu estudo, porque "ele nunca questiona sua própria posição em relação ao seu objeto de estudo".[218] Se poderia aqui perguntar esses autores se eles questionam sua própria posição. Será que se deve entender que a sua posição de intelectuais brancos lhes garante total neutralidade e objetividade - impossível para minorias, alterizados/as, racizados/as, estrangeiros/as, feministas, muçulmanos/as, gays, lésbicas, pessoas trans ou pessoas com deficiência? A autonomia do pesquisador parece depender do seu pertencimento àquilo que não é socialmente marcado pela classe, raça, gênero, orientação sexual etc. Em outras palavras, aquilo que não é visibilizado como minoritário, mas que, no entanto, articula uma identidade situada: nesse caso, a de homens brancos, europeus, de classe média, intelectuais, fisicamente aptos, certamente cisgêneros e muito provavelmente heterossexuais.

"Qualquer análise do mundo acadêmico feita por alguém que faz parte dele visa a legitimar a posição que ocupa, acrescentam os autores. Por isso é importante que o pesquisador se situe explicitamente no campo, para que os leitores tenham todas as cartas na mão".[219] É de lamentar que a situação de si que efetuam no início do livro, a descrição da sua carreira intelectual e dos seus engajamentos políticos, sirvam apenas para protegê-los de qualquer acusação de não manterem a neutralidade axiológica. Não aparece aqui nenhum questionamento sobre a forma como sua "condição" de homens brancos europeus pode influenciar aquilo que se empenham em repudiar ao longo de 400 páginas: a raça.

---

215 Stéphane Beaud, Gérard Noiriel, *Race et sciences sociales. Essai sur les usages publics d'une catégorie*, op. cit., p. 10.
216 Ibid., p. 74.
217 Ibid., p. 225. Se trata dos levantamentos consecutivos à morte de Zyad Benna e Bouna Traoré.
218 Ibid., p. 228.
219 Ibid., p. 249.

Essa falta de situação os levou a uma série de mal-entendidos. Assim, elogiam longamente a acolhida na França dos/as afro-estadunidenses que fugiram da segregação estadunidense para uma nação livre de discriminação racial na lei.[220] Essa França idílica, um "espaço de liberdade único no mundo"[221] onde os soldados negros dos Estados Unidos podem frequentar os mesmos cafés, trens e ônibus que os brancos, é, porém, uma fábula reconfortante para aqueles que se recusam a enxergar o racismo histórico e estrutural. Isso é o que revelava a análise de Franz Fanon respondendo a Mannoni, já em 1952:

> Vê-se bem que Monsieur Mannoni não está interessado neste problema, uma vez que afirma: "A França é o país menos racista do mundo."13 Belos pretos, mesmo que seja meio duro, alegrem-se por serem franceses, pois na América seus congêneres são mais infelizes... A França é um país racista, pois o mito do negro-ruim faz parte do inconsciente da coletividade.[222]

Talvez seja preciso ter vivenciado esse racismo em primeira mão para ser capaz de percebê-lo e dar conta dele.

Isso fica claro na leitura a todo custo desracializadora dos crimes racistas por esses autores. De acordo com Gérard Noiriel, o ato fundador do antirracismo, o assassinato de Djilali Ben Ali por seu concierge em 27 de outubro de 1971, só se revela racista porque os parentes da vítima, manipulados por jornalistas, foram induzidos a considerá-lo como tal.[223] Ele conclui: "Hoje, quando ocorre um crime semelhante, os parentes das vítimas usam espontaneamente a palavra 'racismo' para descrever o fato. Mas no início da década de 1970, esse tipo de explicação ainda não havia sido internalizado pelas classes populares".[224] O racismo, pois, seria apenas uma interpretação, *a posteriori*: o termo não designa nenhuma realidade, nenhum discurso, nenhum ato; é puramente nominativo e resulta de uma manipulação pelos profissionais do discurso público. Mais uma vez, isso demonstra um desprezo inigualável pela experiência das vítimas do racismo, que, mesmo se não tivessem as palavras para descrevê-lo na década de 1970, caso sigamos os autores, vivenciam-no igualmente.[225] "Descrever esse crime como 'racista' também significava referir publicamente os Ben Ali apenas à sua identidade árabe, algo que a família Ben Ali não queria"[226], acrescentam os autores. Entretanto, não é a designa-

---

220 Ibid. pp. 89-94.
221 Ibid., p. 94.
222 Frantz Fanon, *Pele negra, máscaras brancas*, op. cit., pp. 89-90.
223 Ibid., p. 149.
224 Ibid.
225 Talvez eles se beneficiassem da leitura do estudo genealógico da negação da violência de raça dos crimes racistas realizado por Rachida Brahim em seu livro *La race tue deux fois: une histoire des crimes racistes en France 1970-2000*. (Paris, Syllepse, 2020).
226 Stéphane Beaud, Gérard Noiriel, *Race et sciences Sociales*, op. cit., p. 150.

ção desse crime como racista que remete a família Ben Ali à sua racização, mas o próprio crime, direcionado precisamente contra essa identidade árabe designada. A mesma confusão surge quando os autores atribuem "uma forma de designação identitária, uma 'violência simbólica'"[227] aos/às pesquisadores/as que reconhecem o racismo e seus efeitos, e não ao próprio funcionamento do sistema racista: como se nomear o racismo equivalesse a praticá-lo, e ignorá-lo a eliminá-lo.

Pois S. Beaud e G. Noiriel concedem muito pouco crédito aos/às autores/as que abordam essas questões na França, culpando a maioria deles/as por transpor de forma inadequada as análises estadunidenses para o contexto francês. Portanto, fazem questão de rastrear as pressuposições dos/as pesquisadores/as que remetem a Europa à sua herança colonial ou, pior ainda, ousam "persuadir os leitores de que o racismo é consequência da colonização".[228] Esse vínculo histórico, de fato, só pode escapar àqueles que optam por considerar o racismo e a raça como meros temas de disputa política verbal entre uma direita francesa obcecada pela identidade nacional e uma esquerda preocupada com as verdadeiras questões sociais: a classe...

Ignorando décadas de pesquisa, os autores reduzem os estudos pós-coloniais e decoloniais a um "business pós-colonial"[229], acusam-nos de identitarismo, e descartam qualquer tentativa de vincular o presente à história colonial considerando que isso é uma iniciativa comercial.

Daí surge essa questão urgente: por que tanto esforço está sendo empregado para negar a raça, excluí-la dos estudos atuais e manter um desprezo evidente pela legitimidade e competência das principais pessoas afetadas pela racização? Qual é o benefício disso para a postura enunciativa desses autores, tão ansiosos de descartar qualquer perspectiva que não seja a sua?

O narcisismo das grandes indiferenças

Essa pergunta se aplica também às várias vozes psicanalíticas na França apressadas em denunciar o identitarismo de toda perspectiva antirracista. "O pensamento 'decolonial' reforça o narcisismo das pequenas diferenças"[230] assevera uma coluna redigida por psicanalistas franceses/as e assinada por muitos/as deles/as. Próprio de ativistas "obcecados pela identidade, reduzidos

---

227 Ibid., p. 213.
228 Ibid., p. 204.
229 Ibid., p. 236.
230 Nome e Sobrenome do autor. Não tem nome: é uma coluna, assinada por 80 psicanalistas: portanto, não tem autor/a. "*La pensée "décoloniale" renforce le narcissisme des petites différences*". Disponível em: <https://www.lemonde.fr/idees/article/2019/09/25/la-pensee-decoloniale-renforce-le-narcissisme-des-petites-differences_6012925_3232.html>. Acesso em: 12 de maio de 2024.

ao identitarismo", esse pensamento perigoso "se infiltra na universidade [e] [...] ameaça as ciências humanas e sociais sem poupar a psicanálise".

Que isso fique bem claro: não se trata simplesmente aqui de perpetuar a indiferença dos/as privilegiados/as pelas situações de discriminação, alterização e subalternização, em nome da "singularidade do indivíduo", ou de uma psicanálise apresentada como "universal" e "humanista". É, nada mais nada menos do que uma verdadeira operação de censura, uma expulsão fora da universidade, do saber e da psicanálise, daqueles/as que uma gramática dominante, surda à sua especificidade discursiva, social e política, condena à subalternização. Os/as autores/as do texto consideram que as minorias políticas francesas, negras, árabes, muçulmanas ou oriundas da imigração não têm voz, não podem pretender desenvolver saberes legítimos sobre sua condição e devem se subordinar à única língua autorizada, aquela da qual os autores do fórum são os representantes. Se "acadêmicos, pesquisadores, intelectuais, psicanalistas se uniram em torno disso", é porque estão enganadas/os, seduzidas/os por essas sereias "sectárias" e "comunitárias".[231] E a coluna pretende trazê-los de volta ao caminho certo, negando a existência do vasto campo acadêmico dos estudos pós-coloniais e decoloniais, e estabelecendo uma clara distinção entre essas minorias, forasteiras, e os/as acadêmicos/as e psicanalistas, que, felizmente, não provêm de lá...

Essa coluna revela claramente os modos de apagamento do lugar de enunciação do saber analítico, do discurso do/a analisando/a e da escuta do/a analista. Ao visar à universalidade das suas ferramentas, a teorização analítica aqui opera a generalização de uma posição hegemônica. Essa perspectiva é típica de muitas produções psicanalíticas que denunciam o comunitarismo partidário e não-objetivo de qualquer discurso inscrito numa epistemologia não--majoritária, suscetível de endereçar ao dispositivo analítico questionamentos sobre gênero, sexualidade, raça ou classe. Além da má-fé, do reacionarismo, e do racismo estrutural inerentes a essas perspectivas, o erro comum consiste em considerar como identitária qualquer luta contra a discriminação e qualquer reivindicação por direitos e prerrogativas econômicas e simbólicas iguais, em nome de um universalismo republicano que finge não ver as singularidades (de gênero, sexualidade, raça, classe etc.).

Além desse angelismo defendendo um humanismo ou universalismo de circunstância, uma abordagem psicanalítica séria da questão da raça implica encarar uma análise da transferência do/a analista. O que acontece no consultório do/a analista quando ele/ela é confrontado/a com essas questões de racização? Se, como disse Lacan, "a linguagem humana constitui (...) uma comunicação na qual o emissor recebe sua própria mensagem do receptor

---

231 Ibid.

sob uma forma invertida"[232], é preciso analisar onde essas reivindicações ditas identitárias de uma singularidade da raça, do gênero, da sexualidade ou da classe, colocam os/as psicanalistas que as recebem. Reconhecer a racização do/a outro/a, sem ocultá-la sob um voto piedoso de universalidade, implica que o/a analista tome conta da sua própria racialização - como pessoa branca ou racizada - e apreenda os seus efeitos na sua percepção cotidiana das relações sociais e nas suas escuta e teorização analíticas.

A psicanálise considera qualquer construção de identidade como uma unificação imaginária que, embora possa ser politicamente real, é ontologicamente fantasmática. Mas ela não pode simplesmente descartar a questão das identificações minoritárias remetendo sua etiologia à fantasia. Essa desconstrução da fantasia de identidade deve ser acompanhada por uma análise do modo como uma identidade implícita funciona na postura enunciativa supostamente neutra da psicanálise. Embora muitos/as analistas descartem as identificações minoritárias como captações imaginárias, essa mesma captação também caracteriza a identidade majoritária implícita a partir da qual falam (ocidental, branca, masculina, heterocêntrica, cis-cêntrica), que é igualmente construída e submetida à mesma crítica.

A escuta da subjetivação em sua dimensão social e política implica, portanto, que a psicanálise reflita sobre a situação do ponto de vista a partir do qual o discurso analítico é emitido. Clinicamente falando, isso significa que o objetivo de neutralidade benevolente do analista não é suficiente para isentá-lo/a da sua situação social (de raça, gênero, sexualidade ou classe), e que a sua abstenção não é magicamente alcançada assim que é proferida. A psicanálise não se endereça a sujeitos identitários ou identificados com um traço unário particular. No entanto, ela só pode evitar maltratar esses sujeitos se for lembrada que a neutralidade e a universalidade dos seus modelos permanecem situadas, em favor dos sujeitos maioritários.

Portanto, é pertinente perguntar que silenciamento é imposto quando se trata de não ouvir nada das experiências de alterização dos/as analisandos/as. Como a escuta da singularidade de sua experiência subjetiva e social fica invalidada aqui? Que violência social, que esses/as analisandos/as vivenciam diariamente, é perpetuada no consultório do/a analista quando as relações sociais de discriminação são ocultadas por trás de um sujeito do inconsciente apolítico e abstrato?

Essa é a questão da subalternização.

---

[232] Jacques Lacan, "Fonction et champ de la parole et du langage en psychanalyse", in *Ecrits*, Paris, Seuil, 1966, p. 298.

Podem os/as analisandos/as falar?

Cunhado por Gramsci[233], o conceito de subalterno/a se refere, além das categorias de oprimido/a ou dominado/a, a uma exclusão radical da esfera de representação. Em *Podem as subalternas tomar a palavra*, Gayatri Spivak[234] analisa a falta de representatividade e a intraduzibilidade da voz das subalternas no discurso ocidental, *a fortiori* quando alguém se empenha em falar em seu nome. Os/as subalternos/as levantam a questão ética, filosófica, política e clínica de quem pode falar, de como este discurso é recebido e do que pode ser ouvido disso na sessão psicanalítica.

Trata-se de perguntar se, em última análise, a questão da subalternização e da escuta de vozes próprias cujo discurso não seja confiscado, não é uma questão eminentemente psicanalítica: a questão da atenção à subjetividade do/a analisando/a em sua hiper-singularidade, intraduzível nas categorias de inteligibilidade do/a analista.

Se a escuta analítica tem como objetivo questionar constantemente a posição a partir da qual ela se desenvolve, o que ela ouve, e com base em que representações, é com o objetivo de fazer ressoar a voz própria do/a analisando/a e, assim, desconstruir as representações do/a analista. Como observa Sarah Ahmed, "o racismo distribui os recursos e capacidades de forma desigual. Essa repatição desigual também afeta a economia da fala: quem pode falar do quê, sobre quem, e onde".[235] Quem pode falar do quê no divã? Quais são as categorias da escuta psicanalítica, da ouvibilidade psíquica e da inteligibilidade? Aquilo que é calado na sessão será também o que foi cultural e historicamente silenciado por uma razão hegemônica, tanto nas modalidades de escuta quanto nos termos de teorização?

Se sempre produzimos uma forma de subalternização ao ouvir o/a outro/a, e ainda mais ao teorizar o inconsciente, não se trata, porém, de uma invariante irredutível que não precise ser constantemente repensada. E mais, desubalternizar clínica e teoricamente em psicanálise implica, primeiro, desubalternizar politicamente: em outras palavras, tomar nota das relações sociais de poder nas quais a clínica está inserida. A desubalternização nunca é total, mas ela gera um movimento, um deslocamento, uma desterritorialização. Uma descentralização da escuta e da teorização.

Parece, pois, apropriado examinar agora a maneira como a raça e a epistemologia do posicionamento podem descentralizar as noções de neutralidade do/a analista e universalidade da psicanálise.

---

233 A. Gramsci, *I quaderni del carcere (1948-1951)*, op. cit.
234 G. Spivak, Can the Subaltern Speak?: Reflections on the History of an Idea, New York, Columbia University Press, 2010.
235 Sarah Ahmed, "Déclaration de blanchité : la non-performativité de l'antiracisme". Disponível em: <Déclarations de blanchité : la non-performativité de l'antiracisme (mouvements.info)>. Acesso em: 20 de fevereiro de 2024.

O/a analista e a República

A neutralidade malevolente

Uma noção central, reivindicada pelos/as paladinos/as da objetividade científica contra os saberes situados, e pelos/as advogados/as de uma psicanálise universalista contra o "identitarismo" antirracista, é a neutralidade.

A questão se revela política: o desmentido da raça em nome da neutralidade da República, na França, pode esclarecer certos aspectos da "neutralidade" do/a analista a este respeito. Aqui, a República se torna uma ideia imaginária, muito distante da realidade efetiva do funcionamento das instituições: o ideal de igualdade, objetivo assintótico da democracia, nunca totalmente alcançado, passa a ser efetivo simplesmente por ser performativamente enunciado ("A República é neutra e não conhece o racismo"). A neutralidade supostamente consubstancial à posição do/a analista e seu distanciamento de toda questão de raça parecem muito próximos desse ideal republicano: em ambos os casos, o recurso a uma categoria de universalidade apodíctica mais do que real, produz exclusões e as oculta.

De fato, afirmar que o/a analista é neutro/a e o inconsciente universal não basta para descartar a inscrição tanto do/a analista quanto do/a analisando/a numa posição racializada, classizada e generificada específica. E o objetivo consciente de abstenção do analista não o/a isenta, por si só, da sua situação social (de gênero, classe ou raça). Essa abstenção não se realiza magicamente assim que for declarada: só procede de uma análise constante da transferência.

Um/a analista vai carregando muitos ideais da psicanálise e da postura do/a analista: portanto, não pode se abster de analisar a carga fantasmática e transferencial desses ideais. As relações sociais de raça lhe lembram que a realidade clínica e social não coincide com esses ideais.

É essa relação com o ideal que aparece na definição da neutralidade por Laplanche e Pontalis[236] como distanciamento dos valores religiosos, morais e sociais passíveis de conferir qualquer tipo de ideal à direção da cura. Cabe, portanto, dar uma olhada crítica na noção de neutralidade em psicanálise. Nas suas recomendações para os médicos, Freud usa o termo *Indifferenz*, que James Strachey traduziu por "neutralidade": não se trata, porém, nem de um não-envolvimento (neutralidade geopolítica) nem de uma distância fria (indiferença desdenhosa), mas de uma in-diferença, objetivo assintótico de tratar indiferentemente todos os significantes. Essa é a característica da "atenção igualmente flutuante", que visa dar a mesma importância àquilo que pode parecer incidental ou essencial no discurso do/a analisando/a. Trata-se, sobretudo, de

---

236 Jean Laplanche, J.-B. Pontalis, *Vocabulaire de la psychanalyse*, Paris, P.U.F., 1967, pp. 266-267.

mostrar respeito pela singularidade da vida psíquica do/a analisando/a, de não submetê-lo/a a nenhum objetivo próprio, e de tentar escutá-lo/a se abstendo das representações e objetivos próprios.

Como Jean Laplanche recorda num outro texto[237], a neutralidade não é uma recusa de ajuda, conselho ou saber, mais um se-recusar interno por parte do/a analista: uma apreensão dos seus próprios mecanismos inconscientes (e, argumentaria, da sua situação nas relações sociais de poder), um respeito pela alteridade inconsciente (e a alteridade da inscrição sociopolítica do/a analisando/a) e um senso dos seus limites (especialmente as limitações de uma fantasmática posição de transcendência social e política, e de distanciamento transferencial).

A esse respeito, no *Vocabulário da psicanálise*, Laplanche e Pontalis enfatizam que essa neutralidade, própria à função do/a analista mais do que à sua pessoa, e que o/a leva a "saber como não intervir como individualidade psicossocial", é "um requisito limite".[238] Escolho reter essa noção de limite, para não confundir um ideal de neutralidade sociopolítica com a realidade da inscrição psicossocial irredutível.

A neutralidade se tornou "benevolente" (*neutralité bienveillante*, em francês) quando, numa curiosa formação reacionária, Edmund Bergler lhe apôs esse epíteto em 1937. Esse psicanalista austríaco-estadunidense, deu, pois, em outras ocasiões, uma amostra da "benevolência" que o carateriza.[239] Essa noção de benevolência, que implica "tolerância" (como se tolera uma dor de dente?), levanta questões sobre a hostilidade que um/a analista pode sentir em relação a um/a analisando, por razões tanto pessoais quanto sociopolíticas, e destaca o contexto belicoso do termo "neutralidade", diretamente oriundo da linguagem diplomática. A neutralidade, ainda mais se pretende ser benevolente, remete ao conflito psíquico e social subjacente, inscrito em relações de poder, e que não pode ser eliminado magicamente.

---

237 Jean Laplanche, "Psychanalyse et psychothérapie", in *Sexual. La sexualité élargie au sens freudien*, P.U.F.
238 Jean Laplanche, J.-B. Pontalis, *Vocabulaire de la psychanalyse*, op. cit., p. 267.
239 Sou muito grato a Laura Gaulard-Quérol por ter chamado minha atenção sobre essa questão de neutralidade "benevolente" em Bergler, que escreveu em 1956: "Não tenho preconceito contra os homossexuais; na minha opinião, eles são pessoas doentes que precisam de assistência médica [...]. No entanto, embora não tenha preconceito, eu diria que os homossexuais são, em geral, pessoas antipáticas, qualquer que seja sua disposição - educada ou desagradável [...]. [Sua] carapaça é uma mistura de superficialidade, arrogância, agressividade fingida e lamentações. Como todos os masoquistas psíquicos, eles são servis quando confrontados por uma pessoa mais forte, impiedosos quando estão no poder, inescrupulosos quando se trata de pisotear uma pessoa mais fraca" (J. Drescher, *Destins de l'homosexualité dans le mouvement psychanalytique*. Insistance, 2006, 12, pp. 29-50. Disponível em: <https://doi.org/10.3917/insi.012.0029>, *apud*. Laura Gaulard-Quérol "Soigner, chercher, savoir et pouvoirs: défaire la neutralité à la croisée des pratiques", in *Dissertação para o Diploma Universitário "Pratiques de genre: éducation, médecine, société"*, Université Paris-Cité, 2021-2022).

A dimensão geoestratégica da neutralidade apareceu, aliás, na história da psicanálise, quando, como recorda Florent Gabarron-García[240], Ernest Jones declarou publicamente uma posição de "neutralidade" da psicanálise em relação à Alemanha nazista, com o objetivo de cair nas suas boas graças. Neutralidade se tornou então sinônimo de desengajamento político, desvinculação de qualquer luta contra um poder ameaçador ou relações de dominação, e essa perspectiva foi acentuada na França através do divórcio republicano entre pesquisa e militância, saber etéreo e atividade política. Essa despolitização histórica da atitude do/a analista teve consequências sobre sua forma de escutar, mas também de limitar a realidade psíquica do/a analisando/a a um quadro estritamente intrapsíquico, individual ou até mesmo individualista, afastado do seu contexto social e político banido da prática.

A noção de "variedade sexual anódina", desenvolvida por Gayle Rubin, poderia servir de modelo para a neutralidade analítica.[241] Com esse conceito, a antropóloga estadunidense pretendeu desfazer a hierarquia sexual social, desvinculando a prática sexual de qualquer excesso de sentido que determinasse uma classificação normativa da sexualidade. Não se trata de negar a existência de múltiplas sexualidades, mas de des-hierarquizá-las, reconhecendo-as como variações que, em si mesmas, não têm mais importância ou legitimidade uma mais do que a outra, fora da sua classificação social. Mas para isso, é preciso primeiro identificar a sua hierarquização social. Da mesma forma, a neutralidade analítica consistiria, para des-hierarquizar as representações de raça, gênero, sexualidade e classe na encruzilhada das quais analista e analisando/a estão inscritos/as, em reconhecer essas hierarquias socialmente estabelecidas.

E mais, além da defesa doutrinária de uma neutralidade ideal e geralmente quimérica, cabe se perguntar para quem ou para que serve a neutralidade em psicanálise, ou, mais radicalmente, para quem e para que serve o dispositivo da psicanálise. Os/as clínicos/as e teóricos/as da análise não podem seguir afetando uma atitude de dignidade ofendida quando se questiona a neutralidade da sua prática e o seu propósito. Se, por esnobismo, em vez de cuidado clínico ou rigor epistemológico, eles/as afirmam não se preocupar com a "utilidade" do trabalho analítico para o/a analisando/a, continuam, no entanto, a derivar uma verdadeira utilidade para si mesmos/as: econômica, através dos honorários que recebem, ou social e mundana, através do prestígio encenado por varios/as analistas em salões e escolas de relevância.

Em vez de buscar uma neutralidade abstrata, parece pertinente se perguntar para quem e para que os/as analistas servem e qual sistema de relações de poder (de raça, classe, gênero e sexualidade) o dispositivo analítico pode

---
240 Florent Gabarron-García, *L'Héritage politique de la psychanalyse. Pour une clinique du réel*, Paris, Éditions La Lenteur, 2018.
241 Gayle Rubin, "Penser le sexe", in Gayle Rubin, Judith Butler, *Marché au sexe*, Paris, EPEL, 2002, pp. 65-139.

perpetuar. De que forma, por exemplo, o elitismo de um certo tipo de psicanálise, seus preços às vezes escandalosos, seu desprezo pelas condições sociais, seu suposto a-politicismo, sua posição transcendente em relação a qualquer produção de saber (que magicamente a protegeria de qualquer objetivo pulsional), servem a uma franja específica da população: mais uma vez, maioritária, branca, eurocêntrica, de classe média e alta, que não vivencia diariamente nenhuma adversidade de raça, classe, gênero ou sexualidade? Embora seja preciso se desvincular dos objetivos utilitários do capitalismo e, em particular, da exigência de que sujeitos "disfuncionais" sejam reintegrados à produtividade econômica, isso não significa que os/as clínicos/as e teóricos/as da análise devam adotar uma pose de neutralidade que despreze a finalidade, a acessibilidade e os efeitos do trabalho analítico.

Essa apreensão crítica da neutralidade, que muitos/as analistas opõem à militância parcial dos/as "identitaristas", exige reconsiderar o binômio universalismo/comunitarismo tão prontamente recordado quando os ditames da psicanálise convencional são contrariados.

O universalismo racista

Questionar a dimensão ocidentalocêntrica do universal como operador teórico[242] leva a considerar que o universalismo e o racismo-sexismo não são antinômicos, mas, como aponta Imannuel Wallerstein, necessários um ao outro.[243] I. Wallerstein destaca a tensão entre a legitimação permanente do universalismo e a realidade material, ideológica e contínua do racismo e do sexismo no mundo moderno. O universalismo também deve ser visto como uma ideologia particular, própria à economia mundial capitalista, que, para garantir a mercadorização de tudo o que existe, exclui qualquer particularismo. Afirmar uma ideologia universalista e convertê-la em realidade passa a ser um elemento essencial para a constante acumulação de capital, e garante a maior eficiência na produção de bens. Mas o racismo também contribui para isso. A fim de maximizar a acumulação do capital, ou seja, minimizar os custos de produção (custos da força de trabalho) e os custos da turbulência política (reivindicações da força de trabalho), a inferiorização das pessoas que trabalham justifica seu posicionamento na base da hierarquia profissional e salarial. A escravidão é simplesmente a radicalização dessa lógica. O racismo, portanto, assume aqui a forma de uma "etnização da força de trabalho".[244] Segundo Wallerstein, ele oferece uma extrema flexibilidade na definição dos

---

[242] A esse respeito, me permito remeter à minha análise do assunto no meu livro *Psicanálise e hibridez. Gênero, colonialidade, subjetivações,* Curitiba, Calligraphie, 2019.
[243] Imannuel Wallerstein, "Universalisme, racisme, sexisme: les tensions idéologiques du capitalisme", in Étienne Balibar, I. Wallenstein, *Race, nation, classe,* op. cit.
[244] Ibid.

limites entre as entidades reificadas como raças ou grupos étnicos, nacionais e religiosos. Isso permite ampliar ou reduzir o número de homens e mulheres disponíveis para os salários mais baixos e as tarefas menos gratificantes, de acordo com as necessidades de cada contexto. Portanto, o capitalismo deve ser universalista, mas "é precisamente por ser doutrinariamente anti-universalista que o racismo ajuda a manter o capitalismo como sistema".[245]

Por sua vez, E. Balibar destaca as implicações do universalismo ressaltando o vínculo interno estabelecido entre as noções de humanidade, progresso cultural, e os preconceitos antropológicos relativos a raças ou às bases naturais da escravidão.[246] E mais, ele argumenta, é a partir da própria noção de raça que o grande florescimento do universalismo toma forma durante o Iluminismo. O universalismo não pode se tórnar um sistema de conceitos explícitos sem incluir seu oposto no seu centro. Embora todo universalismo exija uma certa concepção do humano, nunca foi possível, argumenta E. Balibar, propor uma única definição da espécie humana que não implicasse uma hierarquia antropológica latente. E conclui: "é ridículo pensar em combater o racismo em nome da universalidade em geral; o racismo já está 'na praça'. É, portanto, na praça que a luta deve ser travada: para transformar o que entendemos por universalismo".[247]

Responder a essa injunção, compreender o universalismo de forma diferente, significa analisar seus fundamentos pulsionais: para Monique David-Ménard, o universalismo define um estilo de pensamento e escrita que elimina as fantasias subjacentes aos conceitos.[248] A afirmação de um dispositivo universal sempre visa a apagar as modalidades sexuais da sua construção. David-Ménard analisa como o conceito se vincula à fantasia, enfocando a substituibilidade dos objetos pulsionais e a gestão da perda. Ressalta como a perda de um objeto – a renuncia a uma fantasia – implica ou não que esse imperativo de perda seja instituído como norma incondicional: universal.

Parece importante, pois, que a prática analítica desconstrua constantemente o universal:

- No discurso do/a analisando/a, revelando a contingência de suas representações, sua singularidade, sua determinação por relações sociais de raça que dão primazia a um universal ocidental-branco, mas também sua possível transformação para que outras singularidades surjam, definindo-o/a ainda mais especificamente além do hábito, da crença, e do pertencimento ao grupo;

---

245 Ibid.
246 Étienne Balibar *Étienne,* "Le racisme: encore un universalisme", in *Mots*, n°18, "Racisme et antiracisme. Frontières recouvrements", mars 1989, pp. 7-20
247 Ibid.
248 M. David-Ménard, *Les Constructions de l'universel*, Paris, PUF, 2009.

- No discurso do/a analista, além de qualquer posicionamento supostamente universal, que acaba sendo muito particular em termos de relações sociais de raça (culturalmente occidentalo-centrado, racialmente branco), de gênero (essencialmente androcêntrico, cis-cêntrico e patriarcal), de sexualidade (heteronormativo) e de classe (de situação burguesa);

- No funcionamento da teorização analítica, sujeita a uma interrogação de seu sítio discursivo, de sua enunciação e da maneira como ela é definida por relações sociais de poder.

A raça, as diferenças entre o Norte e o Sul, as desigualdades e discriminações na migração, no acesso ao trabalho, à moradia, à formação, à ascensão social e aos bens simbólicos e econômicos não desaparecerão apenas por serem escotomizados por um pensamento mágico. O suplemento de alma providenciado pelo universalismo autoproclamado da psicanálise ou da República não resolverá a questão.

***

Para instituir mais do que que uma metapsicologia do racismo, uma metapsicologia baseada na raça, proponho agora estudar a maneira como as relações sociais de raça se inscrevem num sistema, convocam opressões cruzadas e impõem um grau zero da situação: a branquitude. Embora a efetividade da raça seja sociopolítica, ela não deixa de ter verdadeiras consequências psíquicas, construídas coletivamente, mas vivenciadas de forma singular e específica para cada sujeito. Daí resultam efeitos reais sobre a prática analítica que recebe esses sujeitos, sobre seu dispositivo clínico e sua teorização. São esses diversos aspectos que serão abordados a seguir.

3
Sistema coletivo, efeitos subjetivos

A raça: um sistema

Várias autoras afrofeministas brasileiras destacam o sistema do racismo e a interseção das opressões de raça, gênero e classe. Essas análises se revelam particularmente úteis para uma psicanálise desejosa de desuniversalizar seu posicionamento e ouvir o que fica geralmente silenciado.

De acordo com Lélia Gonzalez, a raça é irredutivelmente ligada a uma dinâmica de reprodução de classe: as minorias raciais fazem parte da estrutura de classe das sociedades dominadas por relações capitalistas.[249] São submetidas a práticas materiais de discriminação que determinam primordialmente a posição do/as não-branco/as dentro das relações de produção e distribuição. Neste sentido, e esta é uma realidade identificada muito cedo pelo afrofeminismo, mas ainda mal compreendida por uma maioria na França, uma vez que o racismo é parte integrante da estrutura objetiva das relações ideológicas e políticas do capitalismo, "a reprodução de uma divisão racial (ou sexual) do trabalho pode ser explicada sem apelar para preconceito e elementos subjetivos".[250] Essa dimensão não diretamente intencional mas estrutural, e a compreensão política em vez de psicológica do racismo se revelam centrais para uma psicanálise da raça.

O racismo foi reforçado e perpetuado no Brasil após a abolição da escravatura em 1888. Isto é evidenciado em 1979, segundo Lélia Gonzalez, pela oposição de um Brasil subdesenvolvido, onde reunindo a maior parte da população negra, no Nordeste, e um Brasil desenvolvido, no Sudeste e no Sul, onde se concentra a maior parte da população branca, oriunda de uma política de promoção da imigração europeia entre meados do século XIX e os anos 1930.

Nesta divisão racial do trabalho, e nos anos 1980, a maioria quase absoluta da população negra faz parte da crescente massa marginal cuja vida cotidiana está sujeita a um desemprego constante, vive exausta em pequenos trabalhos temporários, e sofre com condições particularmente precárias de moradia, saúde e educação.[251] Esta precariedade os/as expõe à constante violência policial: se um homem negro é preso e não puder apresentar uma carteirinha profissional, documento que comprove que ele está trabalhando, é detido por vagabundagem, geralmente torturado e forçado a confessar crimes que não cometeu.[252]

O futuro que aguarda jovens negros, traz, segundo Lélia Gonzalez, nada mais do que a revolta diante dessa falta de oportunidades, enquanto o futuro

---

249 Lélia Gonzalez, *Por um feminismo afro-latino-americano*, Rio de Janeiro, Zahar, 2020, p. 55.
250 Ibid., p. 56.
251 Lélia Gonzalez, "A juventude negra brasileira e a questão do desemprego", in *Por um feminismo afro-latino-americano*, op. cit., p. 46.
252 Ibid.

para as jovens negras é limitado ao trabalho doméstico em casas de famílias burguesas brancas ou à prostituição.

Uma das dimensões fundamentais deste racismo sistêmico é sua invisibilização por um conjunto de construções e discursividades que promovem o mito da igualdade de oportunidades e o modelo de meritocracia. Isso acontece através da promoção de um suposto processo de miscigenação constante, a expressão mais bem sucedida da "democracia racial" brasileira. Porém, enquanto na colônia portuguesa do Brasil o/as escravo/as constituíam a maioria da população no final do século XVI, as alianças inter-raciais e a miscigenação se deveram principalmente ao estupro de mulheres negras por uma minoria branca dominante (proprietários de plantações, comerciantes de escravos etc.). Ignorando essa realidade histórica, o sociólogo Gilberto Freyre é um dos teóricos dessa noção de democracia racial: para o "ser cordial" que é o/a brasileiro/a, a história só incluiria soluções pacíficas para as tensões e os conflitos. Negando as revoltas e resistências que perpassam a história da escravidão, esse mito sustenta os estereótipos associados aos/às negros/as: passividade, infantilidade, incapacidade intelectual e aceitação tranquila da escravidão.[253] O regime de verdade da "democracia racial" serve então como uma tela de fantasia para o grupo dominante justificar sua indiferença e ignorância para com a minoria negra. Assim se essa não sobe na escada social e não participa mais efetivamente dos processos políticos, sociais, econômicos e culturais, ela só pode se culpar a si mesma.

As análises de Lélia Gonzalez e de outras afrofeministas inspiraram as políticas de cotas raciais no Brasil, que, em vinte anos, mudaram radicalmente o cenário universitário, até então predominantemente branco. Isso foi possível por meio da evidenciação do racismo estrutural. Para esclarecer essa realidade, vou seguir a análise de Silvio Luiz de Almeida.[254] O racismo, processo sistêmico, não é visto por esse autor como um ato isolado ou uma série de atos discriminatórios, mas como um sistema no qual as condições de privilégio ou marginalização atribuídas a um determinado grupo racial estão presentes nos níveis da política, da economia e das relações cotidianas. A longo prazo, essas práticas de discriminação direta ou indireta produzem uma estratificação social intergeracional na qual o curso de vida de todos os membros de um grupo social fica afetado.

O racismo pode ser identificado em três níveis:

1. Considerar o racismo de forma individual significa vinculá-lo à subjetividade e encará-lo como uma patologia, uma irracionalidade a ser combatida por sanções civis e criminais, uma fraseologia moral - "o racismo é errado", "somos todos/as iguais" - e uma resposta essencialmente jurídica.

---

253 Ibid.
254 Silvio Luiz de Almeida, *Racismo estrutural. Feminismos plurais*, São Paulo, Pólen Livros, 2019, edição eletrônica.

2. Além dessa psicologização do racismo, uma concepção mais ampla o considera como o resultado do funcionamento de instituições que distribuem privilégios e desvantagens com base na raça. Como modos de orientação, rotinização e coordenação dos comportamentos, as instituições servem para garantir uma estabilidade social: elas absorvem os conflitos e antagonismos inerentes à vida social, definindo normas e modelos que orientam as ações dos indivíduos. Portanto, os conflitos raciais também fazem parte das instituições: a desigualdade racial não se deve apenas aos atos isolados de indivíduos ou grupos racistas, mas também ao fato de que as instituições permanecem essencialmente controladas por grupos hegemônicos.

O juiz William Macpherson, da Suprema Corte da Inglaterra e do País de Gales, explicitou essa dimensão "institucional" durante uma investigação sobre o racismo na polícia: o tratamento diferenciado das pessoas com base em sua designação racial se deve à organização como um todo, e não aos indivíduos que a representam.[255] O racismo institucional é definido da seguinte forma:

> [É] o processo pelo qual pessoas de minorias étnicas estão sujeitas à discriminação sistêmica por uma série de órgãos públicos e privados. Se o resultado ou a consequência de leis, costumes ou práticas estabelecidas for racialmente discriminatório, se pode afirmar que houve racismo institucional. Embora o racismo esteja enraizado em atitudes, valores e crenças amplamente compartilhados, a discriminação pode ocorrer independentemente da intenção dos indivíduos que atuam na instituição.[256]

Certos grupos da população, devido a suas diferenças étnico-raciais, religiosas ou culturais, estão constantemente sujeitos a disposições que, sem

---

255 Processo Stephen Lawrence, in W. MacPherson, T. Cook, J. Sentamu, "The Stephen Lawrence Inquiry: Report of an inquiry by Sir William Macpherson of Cluny", The Stationery Office/Tso; First Edition (January 1, 1999).
256 Ibid. Infelizmente, tais discriminações institucionais são comuns em todos os países com relações sociais de raça. No dia 23 de novembro de 2023, a Assembleia Plenária do Supremo Tribunal Federal iniciou a análise, ainda em andamento, da Arguição de Descumprimento de Preceito Fundamental (ADPF 973). Sete partidos políticos, apoiados por associações de advogados, representantes da Defensoria Pública Federal e do Conselho Federal da Ordem dos Advogados do Brasil (CFOAB), grupos antirracistas e de direitos humanos, bem como a Procuradoria-Geral da República, pediram a adoção de medidas de reparação e políticas públicas em favor da população negra. As entidades solicitaram que o Estado brasileiro reconhecesse a violação sistêmica dos direitos constitucionais à vida, à saúde, à segurança e à alimentação digna da população negra.
Destacaram os problemas de abandono escolar das crianças negras, a falta de políticas públicas de saúde eficazes e a carga tributária que recai sobre a população negra. Também revelaram o racismo institucional e estrutural resultante da ausência de programa para integrar os/as negros/as na sociedade brasileira após a abolição da escravatura, e do uso da lei para perpetuar a opressão racial no país. Fica claro aqui que as ações e omissões do Estado brasileiro perenizam as gritantes desigualdades sociais e raciais, dando origem a uma verdadeira necropolítica, manifestada na alta e crescente mortalidade de negros em decorrência da violência policial e no hiper-encarceramento de jovens negros. Por isso, os/as autores/as da ação estão exigindo o reconhecimento de um "estado de coisas inconstitucional" e a adoção de políticas e medidas de reparação.

visá-los diretamente, afetam suas vidas, sua formação, emprego e moradia, e suas relações com as instituições públicas ou com as forças da ordem e a justiça.

Várias discriminações afetando os mesmos grupos populacionais podem ser identificadas em diferentes níveis. Em termos de saúde, a Covid-19 causou três vezes mais mortes entre os/as negros/as do que entre os/as brancos/as em alguns estados dos EUA e em Seine-Saint Denis (departamento da França). Pesquisas no Reino Unido e nos Estados Unidos estabeleceram que os grupos negros têm até quatro vezes mais riscos de morrer por causa dessa pandemia devido às discriminações.[257]

No que diz respeito à saúde mental, o racismo institucional se manifesta em desigualdades gritantes entre os grupos raciais em termos de acesso aos cuidados, de experiência com os serviços de saúde mental e de resultados (cura ou cronicização da doença).[258] No Reino Unido, por exemplo, destacam práticas de saúde mais desfavoráveis e mais coercitivas em relação aos grupos negros: tratamento psiquiátrico forçado, internação sem consentimento em hospitais psiquiátricos, presunção de periculosidade, cronicização e medicalização excessiva, assistência médica mais reduzida nos problemas mais comuns (ansiedade ou depressão).

No âmbito da educação, Guilaine Kinouani destaca que os/as alunos/as negros/as têm duas vezes e meia mais probabilidade do que seus/suas colegas brancos/as de serem relegados/as a um grupo inferior em matemática, três vezes mais probabilidade de serem expulsos/as temporariamente, e são frequentemente excluídos/as porque seu cabelo natural é considerado inadequado. Reni Eddo-Lodge também aponta que, em ausência de anonimato, os/as alunos/as negros/as no Reino Unido são sistematicamente mal pontuados/as no *Scholar Aptitude Test* quando são avaliados/as pelos seus professores.[259]

No que tange ao acesso ao emprego, em 2012, 45% dos/as jovens negros/as com idade entre 16 e 24 anos estavam desempregados/as no Reino Unido[260], e as minorias étnicas britânicas sempre tiveram taxas de emprego mais baixas e taxas de desemprego mais altas do que os/as brancos/as.[261]

---

257 University of Southern California,"Racism has a toxic effect: Study may explain how racial discrimination raises the risks of disease among African Americans" (31/05/2019), *ScienceDaily*; S. Barber, "Death by racism", in *The Lancet Infectious Diseases, v.* 20(8), pp. 903-903, 2020; S. R. Liu & S. Modir, "The Outbreak That Was Always Here: Racial Trauma in the Context of Covid-19 and Implications for Mental Health Providers", *Psychological Trauma*, v.12(5), pp. 439-442, 2020, apud. Guilaine Kinouani, *La vie en noir. Comment vivre dans une société blanche*, Paris, Dunod, 2022, edição eletrônica.
258 Guilaine Kinouani, *La Vie en noir. Comment vivre dans une société blanche*, op. cit.
259 Reni Eddo-Lodge, *Why I'm No Longer Talking to White People About Race*, op. cit.
260 "Youth Unemployment and Ethnicity, Trades Union Congress report, 2012, p. 6–7", *apud.* ibid.
261 "'Have Ethnic Inequalities in Employment Persisted Between 1991 and 2011?', Dynamics of Diversity: Evidence From the 2011 Census, ESRC Centre on Dynamics of Ethnicity (CoDE), University of Manchester and Joseph Rowntree Foundation, September 2013, p. 2", *apud.* ibid.

As ações da polícia também revelam um verdadeiro racismo institucional: um relatório britânico de 2013 mostrou que os/as negros/as têm duas vezes mais probabilidades de serem acusados/as de posse de drogas, apesar das taxas mais baixas de uso de drogas, e cinco vezes mais probabilidades de serem processados/as.[262] E mais, os homens negros são quatro vezes mais suscetíveis do que os homens brancos a terem seu perfil de DNA registrado no banco de dados da polícia, o que dá a impressão que a criminalidade é predominantemente negra.[263]

Essas estatísticas alarmantes não resultam de uma falta de excelência, talento, educação, trabalho árduo, respeito pela lei ou equilíbrio mental da população negra: "outras forças mais ameaçadoras estão em ação", conclui Reni Eddo-Lodge.[264]

Uma forma de combater o racismo institucional é promover políticas de ação afirmativa, que visam essencialmente aumentar a representatividade das minorias raciais e alterar a lógica discriminatória dos processos institucionais. Geralmente, a oposição a essas iniciativas alega o mérito, o que leva a acreditar que a sobrerrepresentação de homens brancos nos escalões mais altos da maioria das profissões se deve simplesmente a melhores habilidades. Esse exercício de ignorância intencional nega a forma como uma sociedade é historicamente organizada pela raça, em termos sociais, econômicos e políticos.

O racismo institucional não significa, portanto, a perseguição intencional de pessoas racizadas, vítimas, por pessoas brancas mal-intencionadas: é a maneira impessoal pela qual a raça prejudica a igualdade de oportunidades.

3. Finalmente, num terceiro nível, ao considerar que as instituições são apenas a materialização de uma estrutura social ou de um modo de socialização do qual o racismo é parte integrante, destaca uma concepção estrutural do racismo.

Assim, o racismo decorre da própria estrutura social, da maneira "normal" como operam as relações políticas, econômicas, jurídicas e familiares. Mais do que um fenômeno patológico ou anormal, é um processo que ocorre sem o conhecimento dos indivíduos e permanece inscrito numa tradição histórica e política na qual as condições sociais de discriminação sistêmica contra grupos racialmente identificados são perpetuadas direta e indiretamente.

Ademais, é preciso entender que o racismo é, sobretudo, político: como processo sistêmico de discriminação, ele depende do endosso de um poder

---

[262] "Niamh Eastwood, Michael Shiner e Daniel Bear, *The numbers in black and white: ethnic disparities in the policing and prosecution of drug offences in England and Wales*, Londres, Release & London School of Economics, 2013, pp. 15-16, 31", apud. ibid.
[263] Jason Bennetto, *Police and Racism: What Has Been Achieved 10 Years After the Stephen Lawrence Inquiry Report?*, Londre, Equalities and Human Rights Commission, 2009, pp. 5, 29, 39, apud. ibid., p. 94.
[264] Reni Eddo-Lodge, *Why I'm No Longer Talking to White People About Race*, op. cit.

político, por meio de regulamentações jurídicas e extrajurídicas. Só o Estado pode criar os meios necessários - repressivos, persuasivos ou dissuasivos - para que o racismo e a violência sistêmica sejam incorporados às práticas cotidianas.

Como Judith Butler e Hourya Bentouhami apontam, o Estado continua presente no cenário dos insultos e ataques racistas: por meio das suas políticas que vulnerabilizam as populações não brancas, legitima indiretamente a violência racista.[265] O assédio e a violência policial são tristes exemplos disso. Em 27 de junho de 2023, Nahel Merzouk, um jovem francês de 17 anos ao volante de um carro, arrancou novamente depois que um policial lhe mandou parar: ele foi morto a tiros à queima-roupa. O fato de as mais altas esferas do Estado francês atribuírem as revoltas consecutivas de centenas de jovens da periferia à desistência educativa dos pais, à cultura dos videogames ou ao frenesi das redes sociais constitui um endosso à violência estrutural, justamente pelo desmentido da sua existência. Pois todo racismo sistêmico na polícia é oficialmente desmentido.

Da mesma forma, a reação maioritária da polícia ao ataque de Hedi por quatro policiais em Marselha em 2 de julho de 2023 é representativa desse racismo estrutural. Logo depois de sair do seu trabalho num restaurante, tarde na noite, o jovem foi baleado com um lançador de balas de defesa, que atingiu gravemente seu crânio: ao cair no chão, foi severamente espancado. O ataque resultou na remoção de parte do osso craniano, na fratura da mandíbula e em vários ferimentos no corpo. Depois de passarem pelo IGPN[266] e ao saírem do tribunal, os quatro oficiais da Brigade Anti-Criminalité (*Brigada Anti-Criminalidade*) responsáveis pelo ataque foram aplaudidos de pé por muitos de seus colegas. O representante do sindicato Unité SGP-Police FO se opôs à detenção preventiva para um dos policiais e solicitou "a criação de um tribunal especial para policiais"[267]. Essa reivindicação de uma desigualdade de tratamento perante a lei se baseia numa alegada desigualdade das vidas em questão. O racismo, portanto, não é apenas uma questão de intenção ofensiva ou de hierarquia explícita dos povos: ele se manifesta na diferença estabelecida entre corpos que podem viver e outros que podem ser expostos à morte, alguns cujas vidas devem ser preservadas e outros que podem ser entregues à morte.

Se o racismo sistêmico da polícia vem acompanhando há muito tempo a história da imigração na França, um momento decisivo da violência policial racista foi o período de setembro a novembro de 1961, quando quase 300 pessoas foram executadas pela polícia francesa em sua tentativa de erradicar as redes da FLN[268] - muitas delas foram jogadas no Sena sob as ordens de

---

265 Hourya Bentouhami, Judith Butler. *Race, genre et mélancolie,* Paris, Amsterdam, 2022.
266 *Inspection Général de la Police Nationale,* isso é, uma polícia da polícia.
267 "Mise en examens de quatre policiers, réactions de leurs collègues...", in *L'Obs,* 21 juillet 2023,
268 *Front de Libération Nationale,* partido independista argelino criado em 1954 para lutar contra a colonização.

Maurice Papon.[269] De 1969 até o final da década de 1970, entre uma e quatro pessoas racizadas morreram cada ano vítimas da polícia francesa, mas os números aumentaram nas décadas de 1980, 1990 e 2000, e entre as vítimas estavam Malik Oussekine, Hassan Ben Hamed, Ziad Benna e Bouna Traoré. A partir da década de 2010, esses atos de violência se multiplicaram, de Mostefa Ziani, Youssef Mahdi, Amadou Koumé, Adama Traoré, Selom Tonato e Aboubakar Fofana a Ibrahima Bah, Fatih Karakuss e Mohamed Gabsi. A violência literalmente explodiu a partir da década de 2020, de Ismaël Berrabah, Amza B., Souheil El Khalfaoui, Nordine H., Merter Keskin, Amine Belmiloud, Ziad Bensaïd, Amine Leknoune, a Omar Elkhouli, Nahel Merzouk, Alhoussein Camara e Monzaba Diarra - para citar apenas alguns deles.[270] A grande maioria eram homens racizados, percebidos como norte-africanos, negros ou ciganos: foram executados por balas reais ou armas de choque, em decorrência de técnicas de contenção da polícia, em acidentes rodoviários ou ferroviários ocorridos durante uma perseguição policial, por afogamento ou quedas fatais, em decorrência de disparos de granadas ou por as vítimas "se recusarem a obedecer".[271] O racismo estrutural aqui reside tanto na banalização da violência policial quanto na sua legitimação quando é reivindicado de um regime jurídico especial para a polícia e, portanto, uma impunidade.

Mais do que uma biopolítica, gerenciamento dos fluxos e movimentos populacionais, o que parece prevalecer aqui é uma verdadeira necropolítica, conforme definido por Achille Mbembe:[272] a soberania das forças da lei e da ordem é definida como direito de matar, e se baseia no estado de exceção. Surgida na colônia, a necropolítica permite o exercício do poder fora da lei. Embora o racismo estrutural das forças policiais de hoje não tenha como objetivo destruir o maior número possível de seres humanos, a dimensão necropolítica, porém, reside na imposição a um grupo - homens jovens racizados - de condições de vida que lhes conferem o "estatuto de mortos-vivos".[273]

---

269 "Liste des personnes mortes aux mains des forces de l'ordre". Disponível em: <https://desarmons.net/listes-des-victimes/personnes-tuees-par-les-forces-de-lordre/>. Acesso em 07 de agosto de 2023. Maurice Papon ficou tristemente conhecido por ter organizado, entre 1942 e 1944, a deportação de judeus/judias da região de Bordeaux para o campo de Drancy, a partir do qual foram levados/as para o campo de extermínio de Auschwitz. Ele foi prefeito de polícia em Paris desde março de 1958 e organizou a repressão sangrenta da manifestação de 17 de outubro de 1961, convocada pela FLN, e da manifestação de 8 de fevereiro de 1962, promovida por vários sindicatos e pelo Partido Comunista Francês.
270 "Liste des personnes mortes aux mains des forces de l'ordre". Disponível em: <https://desarmons.net/listes-des-victimes/personnes-tuees-par-les-forces-de-lordre/> Acesso em 07 de agosto de 2023.
271 Ibid. Maurice Papon foi tristemente conhecido por ter organizado, entre 1942 e 1944, a deportação de judeus/judias da região de Bordeaux para o campo de Drancy, de onde foram levados para o campo de extermínio de Auschwitz. Foi prefeito da polícia de Paris a partir de março 1958, e organizou a repressão sangrenta da mnifestação de 17 de outubro de 1961 organisada pelo FLN, e da manifestação de 8 de fevereiro 1962 organizada por vários sindicatos e pelo Partido Comunista Francês.
272 Achille Mbembe, "Nécropolitique", in *Raisons politiques*, n° 21, février 2006, p. 29-60.
273 Ibid.

Além disso, para manter a coesão social em face do racismo, os aparatos ideológicos do Estado precisam produzir discursos que celebrem a unidade social além das divisões de classe, raça e gênero. Portanto, é importante criar um imaginário social unificador, que irradie do Estado para as escolas, universidades, mídia de massa e, hoje em dia, redes sociais. Eis aqui a função dos discursos sobre o universalismo republicano ou a meritocracia.

Mitos, símbolos e efeitos psíquicos da raça

O racismo sistêmico causa efeitos de subjetividade muito mais extensos do que o racismo psicológico ou ideológico. Suas consequências atingem tanto as populações racizadas quanto aquelas consideradas brancas.

O "devir-negro" do mundo: um mito-simbólico

Analisarei os efeitos psíquicos da racização a partir da perspectiva da figura central do "negro", conforme descrito por Achille Mbembe em sua *Crítica da Razão Negra*. O "negro", "o único de todos os seres humanos cuja carne foi transformada em coisa e mente em mercadoria - a cripta viva do capital"[274], é uma construção histórica sinônimo de exclusão, estultificação e degradação. A hereditariedade da escravidão, a privação dos escravos de direitos e privilégios que cabiam aos colonos, a total sujeição de corpos que serviam apenas para a extração, criam essa figura, produto de uma depredação ininterrupta e de uma despossessão de si mesmo/a, do corpo próprio e do tempo próprio. É, em primeiro lugar, uma designação que leva ao desespero: "Um 'negro' é alguém que, preso frente a uma parede sem porta, acha, no entanto, que tudo acabará se abrindo. Então ele bate, implora e bate mais um pouco, esperando que uma porta que não existe seja aberta".[275]

Se o primeiro momento da história do "devir-negro" é o do tráfico atlântico de escravos (séculos XV a XIX), o segundo corresponde, no final do século XVIII, ao nascimento, por meio da escrita, de uma autoconsciência, recuperação lenta e gradual de uma humanidade suspensa e de um desejo de liberdade e de derrubada da opressão. Mas é um terceiro momento do "devir-negro" que caracteriza o mundo de hoje: o da planetarização do mercado, do neoliberalismo e de um sistema pós-imperial financeiro, militar e tecnológico, que estende os riscos sistêmicos sofridos pelos/as escravos/as negros/as a todas as humanidades subalternas. Generalizado para todo o planeta, o "devir-negro

---

274 Achille Mbembe, *Critique de la raison nègre*, op. cit. Minha tradução.
275 Ibid. Minha tradução.

do mundo" se refere a esses corpos-objetos, corpos-ferramentas-de-trabalho perpetuamente descartáveis, de menor valor, travados na circulação por fronteiras militarizadas.

Esse devir afeta tanto o sujeito racizado quanto o sujeito racista, que historicamente deriva sua humanidade daquilo que o distingue dos/as racizados/as, encerrados/as numa total alteridade, "uma gangue de tolices e fantasias que o Ocidente (e outras partes do mundo) teceu".[276] Esse conjunto de representações historicamente construídas e impostas determina um "inconsciente racial", que A. Mbembe descreve assim:

> Se existe um inconsciente racial na política negra do mundo contemporâneo, é nesse falso saber e nessa psicologia primitiva dos povos e das emoções herdados do século XIX que devemos procurá-lo. É aí que encontramos uma África prostrada numa infância do mundo da qual os outros povos da terra teriam saído há muito tempo.[277]

A essas representações soma-se a opressão real vivida durante séculos e os inúmeros discursos sobre a inferioridade dos/as subalternos/as, seu gosto inato pela submissão e sua incapacidade a dispor de si mesmos/as e dos seus pensamentos. De acordo com Achille Mbembe, na colônia, o/a autóctone é dotado/a de um desejo sem limites, uma espécie de "imaginário sem simbólico"[278] que explicaria que se tenha deixado grosseiramente enganar pela mercadoria.

É preciso esclarecer aqui essa noção de "inconsciente racial": como Fanon mostra, não se trata de um "inconsciente coletivo", mas da transmissão de um "conjunto dos preconceitos, mitos, atitudes coletivas de um grupo determinado".[279] É, portanto, uma série de representações majoritárias que produzem efeitos inconscientes cada vez singulares, múltiplos e distintos. Contra a ideia de um "inconsciente coletivo" desconstruída no capítulo anterior, cabe especificar metapsicologicamente como acontece a transmissão dessas representações. Se, de acordo com Mbembe, o/a autóctone é considerado/a ter um "imaginário sem simbólico", gostaria inverter essa fórmula e enfocar a dimensão simbólica infiltrada pelo imaginário que determina a transmissão dessas representações hegemônicas.

Em termos lacanianos, esse inconsciente corresponderia mais ao Simbólico, inscrito tanto na dimensão primordialmente social do ser humano quanto na linguagem. O Simbólico é um dos três registros, Imaginário, Simbólico e Real, distinguidos por Lacan. Remete ao fato de ser logo de saída jogado/a

---

276 Ibid. Minha tradução.
277 Ibid. Minha tradução.
278 Ibid.
279 Frantz Fanon, *Pele negra, máscaras brancas*, op. cit., p. 159. Veja também o subcapítulo da segunda parte sobre o inconsciente coletivo.

na linguagem: é uma estrutura que preexiste "à entrada que cada sujeito faz nele num momento de seu desenvolvimento mental".[280]

A troca simbólica une os seres humanos e atribui um lugar ao sujeito, definido, nessa estrutura como a remissão de um significante para outro.[281] O inconsciente, discurso do Outro, é então "a parte do discurso concreto como transindividual, que falta na posição do sujeito para restabelecer a continuidade de seu discurso consciente".[282] O trabalho analítico visa, portanto, esclarecer esse discurso do Outro e permitir que o sujeito assuma sua história, constituída pela fala dirigida ao outro. Essa fala, uma função simbólica, articula o Imaginário, conjunto de capturas e identificações do eu. Se, então, o Imaginário é um aquém do Simbólico, o Real é um além indizível.

No entanto, acrescentaria aqui que é fundamental não conceber o Simbólico como uma estrutura transcendente de significantes desprovida de toda ancoragem histórica, eterna e imutável, mas sim como uma organização particular das relações de poder e do significante, inscrita na longa herança da raça. Antes de ser o domínio anistórico da Lei, o Simbólico é uma sedimentação de práticas sociais.[283] Analisar a construção histórica do Simbólico de uma forma pós-estrutural é concebê-lo como uma norma contingente, "cuja contingência foi mascarada por uma reificação teórica com consequências potencialmente terríveis para a vida genderada"[284], mas também, eu acrescentaria, para a vida racizada. O Simbólico a que me refiro aqui não reúne regras atemporais e universais, mas normas - as do falo, da diferença entre os sexos, das categorias de pai, mãe, mulher, homem, mas também da diferença racial, da civilização e da primitividade, dos corpos hierarquizados. No que diz respeito à raça, esse é o conjunto de discursos que vem circulando há cinco séculos, estabelecendo humanidades diferenciadas, transformando a diversidade em hierarquia, legitimando uma organização extrativista do trabalho e um acesso particularizado aos bens no contexto do surgimento e desenvolvimento do capitalismo e de seus atuais avatares neoliberais. A imposição de binaridades culturalmente construídas pelo Simbólico é, portanto, historicizada aqui: as binaridades de gênero, raça, classe e sexualidade remetem a oposições históricas entre corpos viáveis e corpos abjetos.

Mais do que como Simbólico estruturalista eterno, preferiria ver essas representações hegemônicas transmitidas de forma transgeracional como um "mito-simbólico", nos termos de Jean Laplanche: uma série de códigos que circulam e garantem modos de subjetivação num contexto de relações sociais

---

[280] Jacques Lacan, "L'instance de la lettre dans l'inconscient, ou la raison depuis Freud", in *Écrits*, Paris, Seuil, 1966, p. 495.
[281] Jacques Lacan, *Le Séminaire, Livre I. Les écrits techniques de Freud. 1953-1954*, Paris, Seuil, 1975, p. 162
[282] Jacques Lacan, "Fonction et champ de la parole et du langage en psychanalyse", in *Écrits*, op. cit., p. 258.
[283] Judith Butler, *Défaire le genre*, Paris, Amsterdam, 2012, p. 61.
[284] Ibid., p. 63.

de poder. De acordo com a teoria da sedução generalizada de Laplanche, o inconsciente de um sujeito só advém da "situação antropológica fundamental"[285] em que um adulto cuida de uma criança. Essa situação reativa as pulsões inconscientes infantis inconscientes do adulto, de modo que qualquer mensagem que ele/a envia à criança é comprometida pela presença dessa interferência inconsciente. Receptora dessas "mensagens enigmáticas", a criança deve traduzi-las para constituir seu eu, construir a parte pré-consciente do seu aparelho psíquico e, assim, se historicizar. A tradução dessas mensagens enigmáticas produz restos não traduzidos, que então formam o inconsciente da criança. Para realizar essa tradução-simbolização, a criança recorre a esquemas providenciados pela cultura, que Laplanche chama de "mito-simbólico". Esses "códigos, esquemas narrativos pré-formados" usados pelo/a *infans* e fornecidos "por seu entorno cultural geral (e não apenas pela família)", incluem "códigos como os (clássicos) do 'complexo de Édipo', o 'assassinato do pai' e o 'complexo de castração', bem como esquemas narrativos mais modernos que são parcialmente relacionados aos anteriores, mas parcialmente inovadores". Essas estruturas narrativas "mais ou menos contingentes"[286] atuam como recalcantes: elas põem em ordem o inconsciente em nome de leis da aliança, da filiação, mas também da hierarquia de populações. São grandes esquemas narrativos, transmitidos por uma hegemonia cultural ocidentalo-cêntrica, que servem como auxílio à tradução. O que Achille Mbembe chama de "inconsciente racial" corresponderia, então, a essas estruturas mito-simbólicas inscritas nas relações sociais de poder de raça e operando de acordo com as dualidades dominante/dominado/a, branco/a/negro/a, colonizador/autóctone, mestre/escravo, ocidental/subalterno/a, norte global/sul global.

Hoje em dia, tanto nas antigas metrópoles quanto nas antigas colônias estruturadas pela raça, uma injunção paradoxal aparece claramente nas exortações à assimilação oriundas de um universalismo ao mesmo tempo messiânico e conquistador. Embora o binarismo do mito-simbólico da raça (dominante/dominado/a, colonizador/autóctone etc.) ainda esteja vigente, prevalece um discurso de assimilação que supostamente nega essas dualidades historicamente fabricadas e suas consequências ainda atuais. Assim, o sujeito racizado se encontra preso numa alternativa da qual ele sempre sai perdedor. Se optar por performar uma assimilação, ele estará negando a história de uma diferença que ele foi induzido a incarnar e que, mesmo na ausência de racismo diretamente psicológico ou ideológico, ele continua a carregar como um legado. Se quiser revelar os efeitos persistentes dessa diferença, as desigualdades e a discriminação às quais o expõe, ele será acusado de identitarismo ou comunitarismo.

---

285 Jean Laplanche, *Sexual. La sexualité élargie au sens freudien*, Paris, P.U.F., 2007.
286 Jean Laplanche, "Trois acceptions du mot 'inconscient' dans le cadre de la théorie de la séduction généralisée", in ibid., pp. 208-209.

A assimilação, portanto, nega uma diferença por tê-la primeiro estabelecido: ela impõe essa recordação de um mundo comum e de uma humanidade universal ao/à cidadão/ã racizado/a ou ao/à migrante, somente porque o/a excluiu deles inicialmente. A assimilação, portanto, parece reativar o desejo paradoxal do colonizador de que o/a colonizado/a se pareça com ele e a sua obstinação em lho proibir. O mito-simbólico do qual os códigos de tradução-simbolização são extraídos é, portanto, altamente contraditório e produz efeitos psíquicos particularmente desestabilizadores para os sujeitos racizados.

Cabe agora examinar mais precisamente alguns desses efeitos psíquicos.

Pequenos e grandes assassinatos psíquicos

Vou seguir a análise de Pap Ndiaye sobre a "condição negra" para pensar a racização na França daqueles/as considerados/as negros/as, um grupo infinitamente diverso social e culturalmente, embora as pessoas que o compõem não se definirem necessariamente como tal.[287] Essa hetero-identificação com base na percepção de traços fenomenais que variam no tempo (pigmentação, aparência corporal, língua, sotaque etc.) define, no mínimo, uma "identidade negra fina" (*thin blackness*), para usar a expressão de Clifford Geertz, não baseada numa cultura, história, língua ou referências compartilhadas, mas numa prescrição, historicamente associada a experiências de dominação. Na França, essa designação caracteriza dois grandes grupos de pessoas, provindos dos departamentos ultramarinos ou da África. Pap Ndiaye argumenta que esses/as franceses/as negros/as experimentam uma identidade francesa contestada e suspeitada.

O racismo anti-negro, primeiro biologizante, depois cultural e diferencialista, justapõe a representação do valoroso atirador senegalese, infantilizado e simples, com a do perigoso selvagem. Embora essa consideração carregue mais desprezo do que ódio e decorra de um registro paternalista dominante, também pode ser acompanhada de uma estigmatização racial violenta, principalmente para os jovens rapazes. Mais do que o insulto ou a violência, o racismo é vivenciado na experiência de discriminação: um insulto racista pode mobilizar recursos psíquicos para a autodefesa, enquanto a discriminação racial (não encontrar um emprego, por exemplo) deixa a vítima completamente impotente.

As pessoas entrevistadas por Pap Ndiaye relatam agressões e insultos verbais, atitudes de desdém, desprezo ou desrespeito, controles policiais frequentes, mas também muitas discriminações que incluem as dificuldades para comprar ou alugar uma casa, o atendimento nos serviços públicos, o acesso a

---

287 Pap Ndiaye, *La Condition noire: Essai sur une minorité française*, Paris, Calmann-Lévy, 2008.

atividades de lazer, as recusas de contratação ou promoção no trabalho, ou a injustiça nos estudos. A demanda que Pap Ndiaye identifica na maioria dos/as negros/as franceses/as consiste em serem reconhecidos/as como franceses/as da mesma forma que os/as outros/as cidadões/ãs. Desejam serem socialmente invisíveis para evitar a discriminação, e ao mesmo tempo visíveis em termos de identidades culturais negras que possam enriquecer a cultura francesa.

Esse racismo direto ou velado tem efeitos psíquicos incontestáveis. Para usar uma leitura laplanchiana, ele determina subjetivações específicas estruturadas por um mito-simbólico herdado da escravidão e da colonização. Representações raciais múltiplas e variadas vêm obscurecer as mensagens transmitidas de pais para filhos/as e combinam legados transgeracionais com novas experiências raciais. Como lembra Guilaine Kinouani, a escravidão deixa rastros duradouros sobre o apego, o vínculo fundamental entre pais e filhos, permitindo que estes últimos tolerem a angústia e depois desenvolvam confiança nos relacionamentos íntimos.[288] A escravidão, definida por Aurélia Michel como "produção de não-parentes"[289], por muito tempo representou uma ameaça constante de separação nas famílias, devido ao trabalho contínuo das mulheres nos campos ou à venda de seus descendentes. Essa normalização do apego interrompido pode ser reproduzida na história da migração de africanos/as e caribenhos/as para longe dos/as seus/suas filhos/as. A memória dessas vicissitudes permanece viva na transmissão transgeracional.

Mas o que torna as mensagens do adulto para a criança enigmáticas também pode decorrer de uma série de experiências de racismo vivenciadas pelo/a adulto/a, que pode ter sido rejeitado/a por sua racização, suspeito/a de trapaça ou de não ser o/a verdadeiro/a autor/a dos seus trabalhos na escola, desencorajado/a a prosseguir com estudos longos e automaticamente orientado/a para uma seção especializada, testemunha de violência policial contra homens racizados negros ou norte-africanos, informado/a do racismo sofrido por seus pais etc. O efeito cumulativo dessas experiências muitas frequentemente despertar nos adultos os resquícios não traduzidos de aberrações e violências extremas da raça transmitidas por várias gerações.

Uma forma de racismo internalizado também pode acompanhar, num nível inconsciente, as mensagens do adulto/a para a criança, através de um objetivo de branqueamento, do estabelecimento de uma hierarquia assimilada de cor, e de uma alta estima por valores e concepções brancos e ocidentalo-cêntricos. Isso é o que Alessandra Devulsky destaca, apresentando o colorismo como um avatar do racismo.[290] Mas o racismo internalizado também pode assumir a forma de um sadismo específico por parte de pais racizados em relação a seus filhos/as, quase que para afastá-los/as do duro destino que a sociedade

---
288 Guilaine Kinouani, *La Vie en noir. Comment vivre dans une société blanche*, op. cit.
289 Aurélia Michel, *Un Monde en nègre et blanc. Enquête historique sur l'ordre racial*, op. cit., p. 244.
290 Alexandra Devulsky, *Colorismo*, op. cit.

pode lhes reservar, ou para prepará-los/as para isso. Assim escreve Djamila Ribeiro: "Em casa, crescemos ouvindo que cometer erros era um privilégio de brancos. 'Melhor eu bater em você do que a polícia', repetia minha mãe."[291] Se uma criança racizada recebe a mensagem consciente de que deve ter um desempenho duas vezes melhor do que uma criança branca para ser reconhecida ou bem-sucedida, isso pode ser acompanhado pela interferência inconsciente de uma inferioridade irremediável e irrecuperável.

A partir dos quatro anos de idade, ressalta Guilaine Kinouani, as crianças podem reconhecer a diversidade racial e o que isso implica para elas: tratamento diferenciado de acordo com sua racização, vivência do racismo pelos pais e estratégias de adaptação ou sobrevivência. Essas experiências diretas do racismo, mas também seus efeitos psíquicos e inconscientes, ficam silenciadas às vezes pelos pais ou pelos/as filhos e filhas. Os primeiros podem negar o racismo para não condicionar a experiência dos/as filhos/as com o mundo branco. Os segundos podem se calar para preservar os pais do sentimento de impotência em protegê-los.

Entretanto, essas negações cruzadas deliberadas ou inconscientes não fazem desaparecer as microagressões nem os ataques raciais claros que afetam a vida mental. Quando aqueles/as que diariamente sofrem esses ataques tentam apontá-los e não são ouvidos/as, isso provoca uma sensação de "perder a cabeça", uma mistura de dor, angústia, raiva, impotência, fadiga, vergonha e um sentimento de assédio psicológico.[292] Os efeitos psíquicos do racismo sistêmico e da sua invisibilização podem, portanto, ser associados à noção de trauma.

O trauma da raça

Como Frantz Fanon ressaltou em *Pele negra, máscaras brancas*, o trauma racial tem uma dimensão cultural e social, e não apenas familiar. Enquanto, para uma criança branca, "não há desproporção entre a vida familiar e a vida nacional"[293], "uma criança negra normal, tendo crescido em uma família normal, ficará anormal ao menor contato com o mundo branco".[294] Toda uma gama de representações coletivas fundamentalmente negativas dos/as negros/as, desde semanários infantis ilustrados, livros escolares e jornais até pôsteres, cinema e rádio, proporcionam uma catarse coletiva na qual "o Lobo, o Diabo, o Gênio do Mal, o Mal e o Selvagem são sempre representados por um preto

---

291 Djamila Ribeiro, *Cartas para minha vó*, São Paulo, Companhia das Letras, 2021, edição eletrônica.
292 Guilaine Kinouani, *La Vie en noir. Comment vivre dans une société blanche*, op. cit.
293 Frantz Fanon, *Pele negra, máscaras brancas*, op. cit., p. 128.
294 Ibid., p. 129.

ou um índio".[295] Identificado com uma atitude branca, o jovem negro precisa escolher entre a sua família e a sociedade europeia.

Embora as representações coletivas de hoje sejam menos grosseiramente racistas, elas ainda carregam esta herança cultural. Essa reatualização constante, no racismo, de uma história não superada é analisada por Grada Kilomba. A alterização padecida pelo sujeito negro, forma primária a partir da qual a branquitude é construída, é o resultado não de um trauma familiar, mas do contato sucessivo com a barbárie violenta do mundo branco. Desse trauma que consiste na reativação da escravidão e do colonialismo por meio do racismo cotidiano, não há elaboração simbólica na cultura:

> Os psicanalistas tradicionais não reconheceram a influência das forças sociais e históricas na formação do trauma (Bouson, 2000; Fanon, 1967). Contudo, os dolorosos efeitos do trauma mostram que as/os africanas/os do continente e da diáspora foram forçada/os a lidar não apenas com traumas individuais e familiares dentro da cultura *branca* dominante, mas também com o trauma histórico coletivo da escravização e do colonialismo reencenado e reestabelecido no racismo cotidiano, através do qual nos tornamos, novamente, a/o *'Outra/o'* subordinado e exótico da branquitude.[296]

Por meio de choques violentos ou microagressões, por um acúmulo de episódios que privam o sujeito de seu apoio social ao romper seu vínculo com uma sociedade inconscientemente considerada branca, o trauma se instala no cotidiano. A história colonial invade o presente, dando origem a um sentimento de atemporalidade: o sujeito é remetido a cenas alucinatórias que tornam impossível o esquecimento do passado. A função do racismo cotidiano, sustenta Grada Kilomba, é restabelecer uma ordem colonial perdida, pronta a ser revivida quando o sujeito negro é instituído de novo como outro.

É essa confusão de temporalidade que Guilaine Kinouani coloca na base da transmissão do trauma racial. Seja na forma da segregação direta, do abuso contra populações racizadas ou da banalização da sua desumanização, essas humilhações, menosprezos e opressões são frequentemente transmitidos de uma geração para outra, sem limitação de tempo. Portanto, um desamparo atual pode ser o resultado de "maus-tratos sofridos pelas gerações passadas, atrocidades históricas, discriminação, opressão cultural e feridas associadas que nunca foram tratadas".[297] A revivência de eventos traumáticos, a hipervigilância, o estado de alerta permanente ou a evitação do que está ligado ao trauma inicial podem surgir na ausência de uma ameaça vital, no decorrer de

---
295 Ibid., p. 131.
296 Grada Kilomba, *Memorias da plantação*, op. cit., p. 215.
297 Guilaine Kinouani, *La Vie en noir. Comment vivre dans une société blanche*, op. cit.

experiências menos extremas do que as da escravidão ou da colonização, mas nas quais a discriminação e a alterização se repetem. Mais ainda, a violência policial contra pessoas racizadas pode, às vezes, perpetuar com a mesma intensidade a brutalidade dessas experiências passadas.

O trauma racial consiste, portanto, numa série de respostas fisiológicas e psicológicas sucessivas à exposição ao racismo sistêmico. Essas situações podem assumir muitas formas e incluir, como Guilaine Kinouani destaca após Shelly Harrell, eventos diretos ou conclusivos (agressões, insultos, discriminações), o fato de ser ciente ou testemunha de um ato racista (racismo vicário), a consciência das desigualdades raciais estruturais ou a transmissão transgeracional de um drama de grupo.[298] O trauma se manifesta então como angústia, raiva, fúria, depressão, baixa autoestima, vergonha ou culpa. A vergonha, por exemplo, pode decorrer do tratamento infligido aos/às ancestrais racizados/as, de um histórico de violência e humilhação ou da identificação com um olhar degradante, que leva à internalização de construções racistas. Como Guilaine Kinouani aponta, essa vergonha é o resultado de uma série de preconceitos vivenciados de forma sistêmica e fomenta a crença de que os maus-tratos são merecidos, alimentando um verdadeiro ódio de si mesmo. Ela passa a ser crônica no contexto da meritocracia, quando, com oportunidades desiguais, as pessoas racizadas se envergonham de suas realizações menores e desistem de resistir e lutar contra a injustiça.

Em psicanálise, o trauma se refere mais à "recepção subjetiva" de um evento do que à sua intensidade. O trauma, um choque violento que invade o sistema psíquico e tem consequências para toda a organização, indica um influxo excessivo de excitações impossíveis de controlar ou elaborar e a incapacidade de um sujeito de responder adequadamente a um elemento da realidade externa. O conceito freudiano de trauma se baseia na noção de difase. No *Esboço de uma Psicologia Científica*, Freud aponta que o trauma ocorre quando uma segunda cena, muitas vezes aparentemente inócua, desperta uma primeira cena, dita cena de sedução, que só se torna traumática posteriormente, no *après-coup*. À medida que o trauma é progressivamente desrealizado por Freud, a primeira cena é considerada fantasmática: é o sexual--infantil que constitui o trauma específico da vida psíquica e opera por meio da fantasia. Posteriormente, as neuroses de acidente ou de guerra acrescentaram a compulsão à repetição e a pulsão de morte à teoria do trauma: o trauma é mais do que um simples distúrbio da economia libidinal; ele prejudica todo o funcionamento do princípio do prazer. Nesse sentido, o trauma não tem a ver com a intensidade de um evento externo, mas com a maneira como ele é recebido e conectado à realidade psíquica.

---

298 Shelley P. Harrell, "A Multidimensional Conceptualization of Racism- Related Stress: Implications for the Wellbeing of People of Color", in *American Journal of Orthopsychiatry*, v.70 (1), pp. 42-57, 2000, *apud*. G. Kinouani, ibid.

No caso do racismo, o trauma deve ser visto exatamente como ressonância entre eventos reais atuais, e um material inconsciente oriundo da transmissão transgeracional. Se retomarmos a leitura laplanchiana do racismo, a mensagem do adulto para a criança é obscurecida por uma longa história de violência, maus-tratos, inferiorização e humilhação, transmitida e permeada por uma constante insegurança passada e presente. A designação racial é, portanto, traumática quando o evento racista direta ou indiretamente discriminatório reativa os vestígios intraduzíveis inconscientes transmitidos do/a adulto/a para a criança. Os atos racistas também resultam traumáticos porque a agressão, o insulto, o ostracismo, as ameaças, os espancamentos e as inúmeras formas de discriminação explícita ou implícita significam um colapso do apoio do grupo, o que ressoa com muitas fantasias de abjeção historicamente constituídas.

Uma outra forma de racismo sistêmico, a imposição hegemônica da branquitude, também produz efeitos psíquicos inegáveis e que o processo analítico não pode ignorar. Gostaria de estudar isso agora.

Branco é uma cor?

"Branquear ou desaparecer"

Um efeito psíquico fundamental do racismo estrutural é a ideologia do embranquecimento, seja imposta ou internalizada. Frantz Fanon a resumiu nesta declaração clara: "Por mais dolorosa que seja esta observação, somos obrigados a fazê-la: para o negro, há apenas um destino. E ele é branco."[299] Isso é o resultado de uma alienação não individual, mas coletiva, denominada por Fanon de "ontogenia", e inscrita na história da escravidão e da colonização. Essa "lactificação", branqueamento almejado pelo sujeito racizado, não recebe nenhum reconhecimento do mundo branco. O sujeito negro permanece reduzido ao seu aparecimento, um puro ser de superfície, um eu-pele exclusivo, e essa epidermização, ameaçada de ser esfolada, vem da internalização do olhar branco:

> Eu era ao mesmo tempo responsável pelo meu corpo, responsável pela minha raça, pelos meu ancestrais. Lancei sobre mim um olhar objetivo, descobri minha negridão, minhas características étnicas, – e então detonaram meu tímpano com a antropofagia, com o atraso mental, o fetichismo, as taras raciais, os negreiros, e sobretudo com 'y'a bon banania'.[300]

---

[299] Frantz Fanon, *Pele negra, máscaras brancas*, op. cit., p. 28.
[300] Ibid., pp. 105-106.

Mais ainda, como Frantz Fanon salienta, o/a negro/a nativo das Índias Ocidentais não se compara ao Branco, "o pai, o líder, Deus, mas (...) ao seu semelhante sob o patrocínio do homem branco". O Simbólico que articula o Imaginário da relação entre dois/duas negros/as é branco: "a ficção dirigente, no caso, não é pessoal, é social."[301]

O branqueamento é, então, uma busca paradoxal pela descorporização, porque o sujeito negro é reduzido ao corpo no qual está encerrado, e o sujeito branco, adotando uma ilusória posição não situada, universal e neutra, pretende não ter corpo. Desconstruir hoje essa captura imaginária do branqueamento e a opressão psíquica que ela produz significa acompanhar uma recorporalização dos sujeitos, e inscrever a redução do sujeito racizado ao seu corpo na instituição simbólica do racismo.

Descrito por Lélia Gonzalez, esse fenômeno de branqueamento é visto como a contrapartida irredutível da democracia racial. No Brasil, o homem branco, europeu, é colocado no ápice da humanidade, seu modelo estético é o ideal a ser alcançado, e as características negras, em contrapartida, seriam traços grossos e toscos.[302] O Brasil recusou toda imigração não-branca, argumenta Lélia Gonzalez, associando, numa repetição da história colonial, branquitude e "civilização" da população. Esta ideologia produziu a figura do "jaboticaba" (fruta negra por fora, branca por dentro), cuja psicologia é detalhada por Lélia Gonzalez. Se trata de um sujeito negro socialmente promovido que interioriza e reproduz valores ideológicos racistas brancos, o que o leva a ter vergonha da sua comunidade de origem e a considerá-la inferior e desprezá-la. Introjetando as relações sociais de poder de raça que o minorizam, se esforça para se tornar mais branco do que o/as branco/as, se aliena, e acaba negando a existência do racismo e da discriminação racial, que supostamente não o afetam de forma alguma. Ele é a "esperança branca" à brasileira, que considera o Brasil como modelo de "harmonia racial".[303]

A psicanalista Neusa Santos Souza examina em detalhes este dilema para muitos sujeitos negros realizando uma ascensão social.[304] Procura analisar os efeitos psíquicos da experiência de ser negro/a numa sociedade branca, com ideologia, estética, comportamento, exigências e expectativas brancos. A desvalorização da identidade negra é tal que uma grande proporção de negros/as conquistando uma ascensão social escolhem um modelo de identificação branco como a única maneira de "se tornar alguém". Para escapar da marginalidade social à qual estão condenado/as, os/as negro/as, para os/as quais a ascensão social se torna sinônimo de redenção econômica, social e política suscetível de transformá-los/as em cidadão/ãs respeitáveis, devem

---

[301] Ibid., p. 179.
[302] Lélia Gonzalez, "Para as minorias, tudo como dantes....", in *Por um feminismo afro-latino-americano*, op. cit.
[303] Lélia Gonzalez, "A esperança branca", in *Por um feminismo afro-latino-americano*, op. cit.
[304] Neusa Santos Souza, *Tornar-se negro*, São Paulo, Raízes, (1983), 2020, edição eletrônica.

deixar de ser negro/as, se dissociar de seu grupo de origem e ser a exceção que confirma a regra - um sucesso individual que não muda nada das condições sócio-econômicas da comunidade negra.

Mas isso é conseguido a custo de uma luta feroz para eles se construírem um ideal do eu branco, expurgando a mancha negra. Diante da dramática constatação de que é impossível alcançar este ideal, grave ferida narcisista, o sujeito negro se depara com uma alternativa: sucumbir à punição do superego e à melancolia, ou lutar ainda mais para encontrar novas soluções para o conflito psíquico - através de um objeto de amor branco, ou do ativismo político. Ser negro, porém, significa tomar consciência do processo ideológico que, através de um discurso mítico sobre si, produz uma estrutura de desconhecimento e alienação: o sujeito negro é aprisionado numa imagem alienada de si mesmo. Trata-se, então, de reafirmar uma dignidade que escapa a toda exploração.

> Assim, ser negro não é uma condição dada, a priori. É um vir a ser. Ser negro é tornar-se negro. Tornar-se negro, portanto, ou consumir-se em esforços por cumprir o veredito impossível — desejo do Outro — de vir a ser branco, são as alternativas genéricas que se colocam ao negro brasileiro que responde positivamente ao apelo da ascensão social.[305]

Embora a perspectiva de Neuza Santos Souza permita esclarecer esses conflitos psíquicos, ela pode suscitar uma generalização indevida, ao criar um tipo, um perfil. No entanto, essa descrição não pretende se aplicar a todas as pessoas negras em ascensão social na década de 1980, mas sim apresentar o contexto social no qual certos conflitos psíquicos costumam surgir, lançando luz sobre o imaginário compartilhado (por meio da identificação) e o Simbólico que o articula.

O branqueamento pode ser aplicado literalmente, como Pap Ndiaye aponta em sua análise do colorismo na população negra da França. Aqui, o grau de pigmentação nas relações sociais intra-raciais, e no acesso a bens raros é de particular importância. Além de manter a hierarquia social herdada da escravidão apesar dos recentes movimentos de valorização da pele negra, a taxonomia escravocrata produziu uma alienação melânica muito persistente ao longo do tempo.[306] Para quem é negro/a, ainda é vantajoso exibir uma cor de pele que demonstre uma relação mais ou menos próxima com o mundo branco. Muitas pessoas recorrem assim a produtos despigmentantes, que têm graves consequências para sua saúde.

---

305 Ibid., p. 83.
306 Pap Ndiaye, *La Condition noire: Essai sur une minorité française*, op. cit.

Uma página em branco da história

Das colônias às metrópoles: a invenção do branco

A prevalência da branquitude faz parte de uma história colonial que não pode ser relegada ao passado: ela é regularmente reativada pelo racismo, numa constante negação dos efeitos sociais e psíquicos que ela ainda produz hoje.

Me proponho recordar aqui algumas etapas dessa história no caso francês. É nas colônias que o termo "branco", no seu sentido racial, foi gradualmente construído. Como Frédéric Régent observa, no início da colonização francesa das Índias Ocidentais em 1625, e da Ilha da Reunião, em 1663, europeus/eias, "índios/as" e africanos/as se misturavam, embora fossem distinguidos/as pelos termos "*françois*" (francês), de um lado, e "negros/as" ou "selvagens", do outro.[307] O termo "branco" foi gradualmente introduzido para construir uma ordem social e jurídica colonial: o primeiro uso da palavra parece datar de 1673, quando o agente da Companhia das Índias Ocidentais, Du Ruau Palu, pretendeu regular "a condição dos mulatos", considerados "bastardos de brancos e negros", e impedir tais uniões. O termo foi usado com a mesma finalidade na Ilha da Reunião em 1674, numa ordenança decretando que "os franceses estão proibidos de se casar com negras (...) e os negros estão proibidos de se casar com brancas".[308] Da mesma forma, apareceu no Código Negro da Louisiana de 1724 para significar a proibição dos casamentos entre brancos/as e negros/as e das doações de brancos/as a libertos/as ou negros/as livres. Como Françoise Vergès aponta, essas medidas rapidamente se espalharam pela França, onde a chegada dos/as negros/as foi regulamentada em 1694, sua liberdade, anteriormente associada ao solo francês, foi contestada por um decreto de 1716, e os casamentos entre negros/as e brancos/as foram proibidos em 1738.[309]

O termo "branco", portanto, surgiu num contexto de segregação social, legal e econômica: as isenções de impostos que se aplicavam a todos os homens livres nas Índias Ocidentais passaram a valer, em 1694, só para os crioulos brancos, excluindo, a partir de então, os homens livres de ascendência africana. Desde o início do século XVIII, os/as mestiços/as foram incluídos/as na categoria de homens livres de cor. Mais tarde, a exigência de ser branco para ocupar certos cargos jurídicos ou médicos deu origem a uma vigilância racial, na forma da denúncia daqueles suspeitos de serem mestiços. Os *Estatutos de limpieza de sangre* nas colônias foram assim reativados. A invenção da

---

[307] Frédéric Régent, "La fabrication des Blancs dans les colonies françaises", in Sylvie Laurent et Thierry Leclère, *De quelle couleur sont les blancs?...*, op. cit.
[308] ANOM (Archives nationales d'outre-mer) FM.3 208, Code de l'Isle Bourbon ou de la Réunion *apud*. Frédéric Régent, "La fabrication des Blancs dans les colonies françaises", op. cit.
[309] Françoise Vergès, "La 'ligne de couleur'. Esclavage et racisme colonial et postcolonial", in Sylvie Laurent et Thierry Leclère, *De quelle couleur sont les blancs?...*, op. cit.

categoria de "branco/a" tinha o objetivo de garantir a dominação de uma classe sóciojurídica sobre as outras. Foi apenas em 1835 que os termos "branco" e "raça" foram combinados pela primeira vez no dicionário da Académie française: "O termo BRANCO, A é dito em geral, substantivamente, das raças de homens que têm uma tez branca, ou mesmo olivácea, em contraste com as raças que têm a cor preta."[310]

Como observa Aurélia Michel, a branquitude se tornou uma luta política, com o objetivo de "criar espaços de separação entre o branco e o negro, algo que o estatuto de escravo já não era suficiente para conseguir".[311] Devido aos vínculos econômicos inquebráveis entre as colônias e as metrópoles, essa resolução epidérmica também afetou o contexto europeu: "lá onde a instituição da escravidão falhou, a raça forneceu a solução."[312] A possibilidade legal de negros/as libertos/as se tornarem cidadãos, proprietários ou ocuparem determinados cargos foi comprometida pela "ficção do branco", uma branquitude que só pode ser adquirida por filiação pelo nome do pai, conforme estabelecido no Código Civil francês.[313]

Em termos estritamente jurídicos, raça e branquitude só passaram a ser consideradas no final do século XIX, com o mesmo objetivo de evitar uma hibridez prejudicial à branquitude. Durante o Segundo Império, a legislação colonial da nacionalidade previa três categorias: franceses/as, estrangeiros/as e autóctones/as (*indigènes*). Estes últimos podiam ser súditos/as franceses/as nas colônias, protegidos/as franceses/as nos protetorados ou administrados/as franceses/as em países sob mandato B da Sociedade das Nações, mas nunca cidadãos/as franceses/as.

Como Yerri Urban aponta[314], três lógicas hierárquicas prevaleciam: a superioridade dos povos considerados "civilizados" pelo direito público internacional e pelo direito colonial (europeus, estadunidenses e japoneses), a superioridade do homem sobre a mulher (e, portanto, do marido sobre a esposa) e a superioridade do/a francês-a sobre o/a estrangeiro/a e o/a autóctone. A combinação desses três critérios variava. A hierarquia das sociedades tinha precedência sobre a superioridade do homem sobre a mulher quando, na Indochina ou nos protetorados da África do Norte, a mulher autóctone adquiria a nacionalidade francesa do marido, e a mulher francesa casada com um homem autóctone mantinha sua nacionalidade. Embora a criança legítima sempre adquirisse a nacionalidade do pai francês, o princípio de superioridade dos/as franceses/as sobre os/as autóctones tinha precedência sobre o princípio de superioridade

---

310 *Apud.* Frédéric Régent, "La fabrication des Blancs dans les colonies françaises", op. cit. Minha tradução.
311 Aurélia Michel, *Un Monde en nègre et blanc. Enquête historique sur l'ordre racial*, op. cit., p. 181.
312 Ibid., p. 196.
313 Ibid., p. 245.
314 Yerri Urban, "Les « métis franco-indigènes » dans le second Empire colonial", in Sylvie Laurent et Thierry Leclère, *De quelle couleur sont les blancs?...*, op. cit.

do homem sobre a mulher, quando a criança de mãe francesa e pai autóctone francês era considerada francesa, mas passava a ser autóctone protegida se o pai era autóctone protegido.

No entanto, a legislação sobre nacionalidade revelava as hierarquias raciais do mundo: as populações assimiláveis - os/as europeus/as - precisavam ser francizadas, e os/as autóctones permaneciam à margem dos valores republicanos.[315] Assim, o status de estrangeiro concedido aos europeus tornava automaticamente seus descendentes nascidos e residentes no Império Francês cidadãos quando alcançavam a maioridade. De acordo com a mesma lei de 1889, o duplo direito do solo concedia a cidadania francesa às crianças nascidas na França de pais estrangeiros nascidos na França. Os autóctones das colônias da África, Ásia e Oceania eram excluídos/as do direito do solo e ganhavam a cidadania francesa somente após um trâmite longo e restritivo.[316]

De 1897 em diante, qualquer pessoa nascida de pais desconhecidos era considerada francesa; no entanto, essa legislação não se aplicava aos/às autóctones: a aparência física passou a ser um critério de discriminação. Essa lógica racial se tornou mais explícita com o decreto de 1930 sobre mestiços/as na África Ocidental Francesa: as crianças mestiças tinham de cumprir critérios "biológicos" para se tornarem francesas, consagrando assim a categoria de branco como equivalente a francês ou europeu.

Essa "linha de cor" não se limitava às colônias, mas se estendeu à França continental. Embora a nação francesa estivesse unificada em torno de princípios universalistas, eles não excluíam uma verdadeira racialização: Françoise Vergès argumenta que um dos principais elementos da política de assimilação era associar o estatuto francês à cor de pele branca.[317] Mas essa promoção da branquitude, tanto nas colônias quanto na França metropolitana, também procedia de um sentimento de obsidionalidade, uma fobia do assédio, aparecida no início do século XX. Como Laurent Dornel aponta, o pensamento racial das colônias foi importado para a França metropolitana após a Primeira Guerra Mundial, com a chegada de uma força de trabalho estrangeira.[318] A discriminação afetou primeiro os imigrantes italianos ou poloneses que ameaçavam a nação e, ulteriormente, atingiu a imigração maciça dos "Trinta Gloriosos", considerada como perigo para a raça. Assim, uma racização das identidades coloniais se estabeleceu na França, embora fosse acompanhada por uma eufemização da cor ou da raça: "norte-africano/a", "subsaariano/a" ou até

---

315 Yerri Urban, "Les 'métis franco-indigènes' dans le second Empire colonial", in Sylvie Laurent et Thierry Leclère, *De quelle couleur sont les blancs?...*, op. cit.
316 Ibid.
317 Françoise Vergès, "La 'ligne de couleur'. Esclavage et racisme colonial et postcolonial", in Sylvie Laurent et Thierry Leclère, *De quelle couleur sont les blancs?...*, op. cit.
318 Laurent Dornel, "Xénophobie et 'blanchité' en France dans les années 1880-1910", in Sylvie Laurent, Thierry Leclère, *De quelle couleur sont les blancs?...*, op. cit.

mesmo "imigrante" substituíram os termos "autóctone" ou "de cor".[319] Isso foi o que levou à criação, em 1964, da *Association pour le développement de la blanchité* (Associação para o desenvolvimento da branquitude), cujo objetivo, conforme descrito na revista *Esprit public*, era "a promoção da raça branca, injustamente depreciada e oprimida por todas partes".[320] Ao mesmo tempo, como Alain Ruscio aponta, a criação de um espaço político europeu que deu origem à cidadania europeia confirmou a oposição entre a imigração branca europeia, livre para circular, e a imigração pós-colonial "extraeuropeia", um eufemismo para significar "não-branca".[321]

O sentimento de obsidionalidade é, portanto, acompanhado pela fantasia, na França, da promoção de um grupo de origem cuja uniformidade nunca existiu, embora as diferenças regionais fossem eliminadas. Esse grupo é branco e cristão, como afirma o retrato da França feito por Charles de Gaulle:

> *É muito bom que existam franceses amarelos, franceses negros, franceses morenos. Eles mostram que a França está aberta a todas as raças e tem uma vocação universal. Mas com a condição de que eles continuem sendo uma pequena minoria. Caso contrário, a França deixaria de ser a França. Afinal das contas, somos, antes de tudo, um povo europeu branco com cultura grega e latina e religião cristã. Não vamos nos enganar.*[322]

A imagem de hordas bárbaras dominando um Ocidente demograficamente excedido, tão presentes nos escritos da era colonial[323], ainda prevalece hoje - na forma de teorias da "Grande Substituição".[324]

Estudando a branquitude

Para além da história colonial só, as análises do funcionamento atual da branquitude foram cunhadas pelos *Critical White Studies*. O termo "branquitude", que surgiu no final da década de 1980, se refere à prevalência de normas sociais, culturais e políticas brancas enfrentadas por minorias etno-raciais.

---

319 Alain Ruscio, "Blanc, couleur de l'empire", in Sylvie Laurent, Thierry Leclère, *De quelle couleur sont les blancs?...*, op. cit.
320 Ibid.
321 Ibid.
322 Alain Peyrfitte, *C'était De Gaulle, t. 1*, Paris, Éditions de Fallois/Fayard, 1994, p. 52, apud. Sylvie Laurent, Thierry Leclère, "Introduction", in Sylvie Laurent, Thierry Leclère, *De quelle couleur sont les blancs?...*, op. cit.
323 Alain Ruscio, "Blanc, couleur de l'empire", in Sylvie Laurent, Thierry Leclère, *De quelle couleur sont les blancs?...*, op. cit.
324 A teoria da "Grande substituição" (*Grand Remplacement*), é uma teoria de extrema direita, fascista e supremacista branca, cunhada pelo autor francês Renaud Camus. Afirma que a população francesa branca, assim como as populações europeias brancas, está sendo substituída demografica e culturalmente por povos não europeus – negros subsaarianos, árabes, bereberés, turcos – através da imigração de massa e da queda da taxa de natalidade europeia.

Como Maxime Cervulle aponta, os estudos críticos da branquitude fazem parte de uma tradição de escrita e pensamento afrodescendente nos Estados Unidos, de Frederick Douglas e W.E.B. Du Bois a Toni Morrison, passando por James Baldwin, Langston Hughes, Alice Walker, Richard Wright, Ralph Ellison e Amiri Baraka.[325] Esse campo diversificado e multifacetado, que surgiu na Grã-Bretanha e nos Estados Unidos na esteira dos *Black Studies* (Estudos Negros), do *Black Feminism* (Feminismo Negro), da *Critical Race Theory* (Teoria Crítica da Raça) e dos *Cultural Studies* (Estudos Culturais), inverte a perspectiva usual que questiona a alteridade das minorias: enfoca a hegemonia branca nos níveis social, político, jurídico, econômico e cultural. Os estudos críticos da branquitude, portanto, analisam a maneira pela qual o outro racizado é definido por uma diferença, uma alteridade em relação a um ponto zero branco que não teria nenhuma particularidade. Como corolário, a branquitude constitui os/as não brancos/as como diferentes, marcados/as por uma característica que os/as diferencia e os/as exclui das gratificações socioeconômicas e culturais associadas à branquitude.

No contexto francês, onde prevalece o repúdio a esse estudo das relações sociais de raça, os estudos críticos da branquitude podem destacar a maneira pela qual as sucessivas ondas de imigração para a França nos séculos XIX e XX (italianos/as, espanhóis e portugueses/as, por exemplo) gradualmente integraram a branquitude. Esse embranquecimento foi menos óbvio para os indivíduos provenientes de antigas colônias, cujos descendentes hoje podem ser denominados pela designação magmática, imprecisa e alterizadora de "muçulmanos".

Os estudos críticos da branquitude, portanto, analisam a maneira como o racismo estrutural e sistêmico é o correlato da constituição de uma identidade branca invisibilizada como tal, por ser definida como universal, e que se beneficia de um capital econômico e simbólico mais estendido. Em contrapartida, a racização é frequentemente vivenciada pelos sujeitos maioritários brancos como uma ameaça à sua branquitude.

Lei privada, lei privadora

Uma das realidades fundamentais destacadas pelos estudos da branquitude é o "privilégio branco", um conceito que se originou nas ciências sociais estadunidenses. O termo se refere à vantagem transgeracional de ser percebido/a e categorizado/a como branco/a em sociedades atravessadas por relações sociais de raça. Como recorda Reni Eddo Lodge[326], o termo white-skin privilege (*privilégio de pele branca*) vem de Theodore W. Allen, que definiu o privilégio do/a trabalhador/a branco/a como a contrapartida da violência material e sim-

---
325 Maxime Cervulle, *Dans le blanc des yeux. Diversité, racisme et médias*, Paris, Amsterdam, 2014.
326 Reni Eddo-Lodge, *Why I'm No Longer Talking to White People About Race*, op. cit.

bólica sofrida pelo/a trabalhador/a negro/a: "Esperar que o operário branco se oponha ao ataque contra o negro é pedir que ele aja contra seus próprios interesses."[327] Assim, o privilégio branco aponta para os benefícios indireta e às vezes não deliberadamente recebidos por aqueles/as considerados/as brancos/as, em troca da discriminação, dos direitos reduzidos, das violações e das injustiças sofridas pelas pessoas racizadas. Portanto, enquanto a etimologia de "privilégio" é *privus* e *lex*, lei privada, própria a um indivíduo em particular, eu sugeriria aqui entendê-lo como *lex privandi*, lei privadora: um posicionamento que, concedendo a um sujeito ou grupo o benefício de direitos específicos, geralmente de forma não intencional, priva outros/as desses direitos.

No final da década de 1980, Peggy Mac Intosh definiu a branquitude como um conjunto invisível de vantagens imerecidas, um recurso que promove a mobilidade social.[328] Ela argumentava que as pessoas brancas são cuidadosamente ensinadas a não identificarem esse privilégio branco, assim como os homens são ensinados a ignorarem o privilégio masculino. Contra a tendência inculcada nos indivíduos brancos de conceberem suas vidas como moralmente neutras, normativas, médias e ideais ao mesmo tempo, Peggy Mac Intosh elaborou uma lista de circunstâncias e condições particulares imerecidas, mas consideradas normais.[329] Essas condições incluem o acesso facilitado à moradia, ao emprego e ao mercado do trabalho, à proteção social e à escolaridade, bem como a oportunidade de se beneficiar do reconhecimento emocional, simbólico e material do seu estilo de vida e da sua cultura nas mídias culturais.

Mais do que privilégio, algumas das circunstâncias e condições descritas aqui têm o efeito de aumentar sistematicamente o poder de determinados grupos: elas agem como uma licença para dominação e controle inconscientes ou deliberados. Elas alteram a humanidade de seus/suas detentores/as tanto quanto a daqueles/as que padecem delas, convertendo o "privilégio" em licença para causar danos. A concepção de racismo envolvida aqui é, sem dúvida, sistêmica: mais do que a soma de atos individuais, é um sistema invisível que confere dominação racial a um determinado grupo, oferecendo inúmeras oportunidades aos sujeitos considerados brancos, quer aprovem ou não a posição dominante que têm em comum.

---

327 Theodore W. Allen, *Can White Workers Radicals Be Radicalized?*, Independent Pamphlet, Brooklyn New York, 1967, *apud*. Reni Eddo-Lodge, *Why I'm No Longer Talking to White People About Race*, op. cit.

328 Peggy McIntosh, "White Privilege and Male Privilege: A Personal Account of Coming to See Correspondences through Work in Women's Studies", Wellesley, MA: Wellesley College Center for Research on Women, working paper no. 189, 1988; Peggy McIntosh, "White Privilege: Unpacking the Invisible Knapsack", in *Peace and Freedom* v. 49(4) 1989, pp. 10-12.

329 Essa lista de 46 itens, que é contingente por ser a dessa autora, inclui: a possibilidade de comprar ou alugar, se puder pagar, uma casa em qualquer bairro; a possibilidade de estar cercado/a por vizinhos/as que sejam pelo menos neutros/as, se não amigáveis; a possibilidade de fazer com que a voz própria seja ouvida num grupo no qual se é o/a único/a representante de sua designação racial; a possibilidade de não ter que conscientizar seus filhos sobre o racismo sistêmico para sua proteção física diária; a possibilidade de não ser preso/a por um funcionário público por causa de sua designação racial, etc.

A gratificação racial inerente à branquitude inclui a legitimidade, *a priori*, de ocupar o espaço público: uma possibilidade que os corpos racizados, por causa da sua perfilagem, raramente desfrutam. Esse direito de ir e vir à vontade não é específico apenas de situações nacionais, mas também diz respeito à circulação internacional. Um dos efeitos históricos da criação da raça na modernidade é o direito diferenciado de se mover a partir do Norte ou do Sul global. O privilégio branco aqui não é privilégio epidérmico da cor da pele, mas de um passaporte e dos direitos mais amplos concedidos aos/às cidadões/ãs do Norte global: a branquitude é sempre bem-vinda na maioria dos destinos, onde se faz questão de acolher seu turismo, seu estatuto de expatriado/a e seus sonhos de exotismo.

Para Cida Bento[330], descrever e definir a ausência de discriminação estrutural específica da branquitude equivale a anular sua centralidade e lembrar aos sujeitos brancos que sua experiência não é a norma. Pois segundo Pierre Tevanian, "ser branco significa não ter que fazer a pergunta 'o que significa ser branco', não ter, ao contrário dos negros, árabes e outros não brancos, que se questionar sobre si mesmo, sua identidade e seu lugar na sociedade, porque esse lugar é, por assim dizer, evidente".[331] Pertencer ao grupo majoritário na França significa não ter que se definir ou responder à pergunta "Qual é sua origem?". Isso geralmente significa ignorar sua posição nas relações sociais de raça. Como Pierre Tevanian aponta, disso decorre uma sensação de desconforto para aqueles/as que não suportam ser chamados/as de brancos/as, singularizados/as dentro das relações sociais de raça, já que foram criados/as com a ideia de representar o universal. Ser branco/a significa então "ser criado nessa dupla impostura: um privilégio exorbitante e a negação desse privilégio".[332]

Essa posição dominante é acompanhada pela ilusão de que o sucesso pessoal se deve exclusivamente ao mérito, e pela garantia de ficar legítimo/a ao tomar a palavra. Porque, como ressalta Sara Mazouz, o benefício desse estatuto se auto-dissimula: ele é reforçado pela possibilidade de nunca ter que pensar no que um/a pode desfrutar e do qual outros/as estão privados/as.[333] É justamente dessa despreocupação com a cor (dando aos/às brancos/as a falsa impressão que racismo e questões raciais não existem) que as pessoas racizadas não dispõem.

De acordo com Pierre Tevanian, é possível responder ao privilégio branco com "adesão", uma atitude que consiste em aderir ao seu papel de branco/a, com "negação", particularmente ao afirmar uma "indiferença" à racialização, ou com "conscientização", uma forma de assumir esse privilégio sem desfrutá-lo:

---

330 Cida Bento, *O pacto da branquitude*, São Paulo, Companhia das letras, 2021, edição eletrônica.
331 Pierre Tevanian, "Réflexions sur le privilège blanc", in **Sylvie Laurent et Thierry Leclère (dir), De quelle couleur sont les blancs?...**, op. cit.
332 Pierre Tevanian, *La mécanique raciste*, Paris, Dilecta, 2008, edição eletrônica.
333 S. Mazouz, *Race*, Paris, Anamosa, 2020, p. 44.

reconhecê-lo sem incorporá-lo e tentar colocá-lo em crise. Essa posição de "traidor branco", embora acompanhada de uma certa estigmatização daqueles/as que revelam e denunciam o privilégio branco, se torna respeitável quando o sujeito sai da arena política: os/as traidores/as, quando não se expressam, continuam a ser favoravelmente percebidos/as como brancos/as, uma saída que não existe para os sujeitos racizados.[334]

"Privilégio" aqui não significa que pessoas brancas não estejam expostas a várias adversidades - econômicas, sociais, profissionais etc. -, mas aponta a vantagem de desfrutar do estatuto de branco/a em sociedades onde os/as não-brancos/as têm um histórico de inferiorização. Uma característica central do privilégio branco é, portanto, a "leveza cognitiva"[335], a capacidade de se livrar do peso das relações sociais de raça, da carga mental da designação racial, e da restrição social decorrente dela. A branquitude implica, portanto, uma paradoxal invisibilidade precisamente por causa da sua hipervisibilidade social, política, cultural ou midiática.

Relembrando a análise de Gwedolyn Audrey Foster, Maxime Cervulle enfatiza que a branquitude é performativa nas políticas culturais e midiáticas de representação e reconhecimento. Por meio dessa noção de performatividade, Gwendolyn Audrey Foster aplica à raça a análise que Judith Butler efetuou sobre o gênero. Para essa filósofa, o gênero e o sexo que ele produz são performativos no sentido dado pelo linguista J.-L. Austin: os discursos, atos, gestos, prerrogativas, desejos expressos e realizados daqueles/as designados/as como mulheres e homens criam a ilusão de um núcleo interno de "feminilidade" ou "masculinidade", mantida precisamente por uma constante repetição da norma. Essa reiteração singular cria a ideia de um modelo original de mulher ou homem, que só existe por meio dessa imitação repetida e decorre da performatividade.[336]

Da mesma forma, para Gwendolyn Audrey Foster, a branquitude consiste numa imitação sem original cuja constante repetição estabelece a ideia racista de um fundamento natural para as identidades brancas.[337] A branquitude define então a norma de produção e recepção da representação cultural, social, política e econômica, numa evidência performativa que paradoxalmente invisibiliza sua hipervisibilidade.

---

334 Pierre Tevanian, *La mécanique raciste*, op. cit.
335 Maxime Cervulle, op. cit., p. 86.
336 Judith Butler, *Troubles dans le genre. Le féminisme et la subversion de l'identité,* Paris, La Découverte, 2005, p. 69.
337 Gwedolyn Audrey Foster, *Performing Whiteness: Postmodern Re/constructions in the Cinema*, New York, State University of New York Press, 2003, *apud.* Maxime Cervulle, op. cit, p. 142.

O pacto narcísico da branquitude

A psicanalista brasileira Cida da Silva Bento baseia essa normatividade branca no que ela chama de "pacto narcísico da branquitude".[338] Destaca a maneira como as relações de dominação baseadas em gênero, raça, classe e origem são perpetuadas através de acordos silenciosos. O pacto da branquitude não se refere, é claro, a transações explícitas e secretas entre homens brancos, mas à invisibilização da sua contínua preponderância e das formas sistêmicas de exclusão dos/as não brancos/as das mais diversas instituições. Na esteira da psicanálise de grupos definida por René Kaës e Eugène Enriquez, Cida Bento destaca o componente narcísico de autopreservação inerente a esse pacto: o "diferente" é percebido como uma ameaça ao "normal" considerado "universal".

Esse pacto faz parte de um legado histórico: a colonização e a escravidão no Brasil, cujos efeitos atuais sobre aqueles/as considerados/as brancos/as raramente são avaliados. Segredos, crimes e atos vergonhosos (assassinato, estupro, exploração) são passados de geração em geração como uma cripta efetiva, mas encoberta. Assim, a hegemonia branca nas instituições públicas e privadas da sociedade brasileira aparece para as novas gerações como um mérito específico desse grupo, desvinculado do legado histórico da escravidão. Esse contrato não escrito implica que as novas gerações possam se beneficiar de tudo o que foi acumulado, mas que tacitamente se comprometam a aumentar o legado, salvaguardando o privilégio do qual desfrutam, a fim de transmiti-lo às gerações seguintes. Dessa forma, "o pacto é uma aliança que expulsa, reprime e esconde o que é intolerável para ser suportado e recordado pelo coletivo":[339] envolve a cumplicidade silenciosa de todos os membros de um grupo, a ocultação ou o apagamento de violências e abusos passados e uma reconstrução amnésica e positiva da história.

Essa estruturação racial da população não se limita às antigas colônias, como o Brasil, mas abrange também as antigas metrópoles, que extraem sua riqueza dessa história. As segregações raciais podiam parecer menos visíveis no mundo pós-imperial, mas foram ainda mais reforçadas pela imigração de cidadãos/ãs das antigas colônias, cuja discriminação é obscurecida pelo mito da meritocracia. Revelar esse contrato tácito significa desconstruir a ideia de que uma maioria de homens brancos ocupa os cargos mais qualificados apenas por causa de sua excelência individual, e revelar os efeitos atuais de uma história de exclusão sobre a qualidade das escolas frequentadas, a disponibilidade dos equipamentos, o sistema de saúde, a higiene básica nos alojamentos etc.

---

338 Cida Bento, *O pacto da branquitude*, op. cit.
339 Ibid.

Quando é exposto esse contrato, aparecem frequentemente respostas defensivas por parte das pessoas consideradas brancas: são reações de raiva, medo ou culpa a serem designadas como tal e, portanto, ficarem racializadas. Por conseguinte, a destruição de um pacto narcisista não acontece individualmente, mas requer uma ação estrutural coletiva e a responsabilidade das instituições em reconhecer a herança material e simbólica do grupo dominante.

Mitos "antibrancos"

Essa designação da branquitude e a consequente visibilização de vantagens invisibilizadas costumam ser muito mal-recebidas, principalmente na França. Assim como o simples uso da palavra raça é considerado racista, o emprego da palavra "branco/a" é julgado ofensivo. A denúncia do racismo sistêmico ou a revelação do privilégio branco despertam reações indignadas que prontamente delatam um "racismo antibranco".

Esse termo, que apareceu pela primeira vez na França na década de 1980 num texto de Pascal Bruckner[340], foi adotado pela extrema direita e usado de várias maneiras: em 1985, Jean-Marie Le Pen, antigo líder do partido fascista "Le Front National", condenou o "racismo antifrancês"; sua filha, presidente do partido de extrema direita "Le Rassemblement National" usou o termo "racismo anti-francês" no debate público durante a eleição presidencial francesa de 2012, e ela foi superada na defesa da branquitude pelo candidata de direita Jean-François Copé, que, em seu Manifesto, pretendia "quebrar o tabu do racismo antibranco".

Mas outro avatar dessa noção aparece no "*Appel contre les ratonnades anti-Blancs*" (chamado contra os massacres anti-brancos/as) de 25 de março de 2005. O objetivo era nomear e denunciar os ataques a jovens alunos/as do ensino médio brancos/as, alguns dos quais eram judeus. O apelo veio de um movimento juvenil sionista de esquerda, o Hachomer Hatzaïr (ריעצה רמושה, a Jovem Guarda) e de Radio Shalom; os primeiros signatários foram Jacques Julliard, Bernard Kouchner, Alain Finkielkraut e Pierre-André Taguieff.

Damien Charrieras caraterizou essa noção de "racismo antibranco" como ideógrafo: palavra de ordem com forte valor emocional, capaz de afetar diversos públicos, às vezes com opiniões políticas opostas, dependendo do contexto e da época.[341] Relacionado, no "Appel contre les ratonnades..." aos "linchamentos" (um termo fortemente associado à opressão dos negros nos Estados Unidos) e às "*ratonnades*" (um termo habitualmente usado para se referir à matança de autóctones pela polícia e pelo exército francês durante a

---

340 Pascal Bruckner, *Le Sanglot de l'homme blanc. Tiers-monde, culpabilité et haine de soi*, Paris, Seuil, 1983.
341 Damien Charrieras, "Racisme (s) ? Retour sur la polémique du 'racisme anti-Blancs' en France", in Sylvie Laurent, Thierry Leclerc, *De quelle couleur sont les blancs ?...*, op. cit.

guerra da Argélia), o ideógrafo "racismo antibranco" desarticula o processo do racismo das suas bases históricas (escravidão e colonização) e o transforma numa nova realidade, unindo branco/as não judeus/judias e judeus/judias na mesma comunidade reificada e ameaçada.

A retórica desenvolvida por Alain Finkielkraut sobre esse assunto num artigo publicado no *Le Monde* em 26 de março de 2005 consiste em salientar o desmentido dos "massacres anti-brancos" como resultado de um "complexo de colonizador" vivenciado após as exações do exército francês durante a guerra da Argélia.[342] Neste argumento, as vítimas do racismo são transformadas em perpetradores de um "racismo reverso", por meio de uma culpa que elas instrumentalizariam a seu favor. Contra isso, A. Finkielkraut exorta a não ter medo de "afirmar a própria nacionalidade francesa"[343], excluindo assim, de fato, os/as franceses/as não-brancos/as da comunidade nacional.

Parece muito claro, como aponta Françoise Vergès, que o discurso do racismo antibranco permite, numa verdadeira "espoliação ideológica", desarticular o racismo da história do colonialismo, da escravidão e das teorias que o constituem. Assim, em resposta às demandas de igualdade das minorias, a maioria é transformada em etnia sob cerco, e se mobiliza uma identidade francesa espontaneamente naturalizada, valendo-se de séculos de história colonial.[344] Como observa Saïd Bouamama, a tese do racismo antibranco, fruto de uma longa construção social, política e midiática dos muçulmanos como população perigosa para os valores da República, possibilita "calar de novo, por medo e por injunções, aqueles/as que tomaram a palavra".[345] Eis aqui, aliás, uma própria a muitos países: quando se pretende destacar a especificidade, as vicissitudes, mas também as resistências dos sujeitos racizado, surge a acusação de "racismo anti-branco".[346]

Entretanto, permanece surpreendente, para não dizer revoltante, a tese de que o "racismo antibranco" esteja enraizado numa "judeofobia" manifestada pelas pessoas racizadas na França. Essa posição parece encobrir séculos de antissemitismo e retórica reacionária francesa, que culminaram com as leis escabrosas do governo de Vichy e a atrocidade do Holocausto, do qual aquele

---

342 Laetitia Van Eeckhout, "Un appel est lancé contre les "ratonnades anti-Blancs"", *Le Monde*, 26 mars, 2005, *apud*. Damien Charrieras, "Racisme (s) ? Retour sur la polémique du 'racisme anti-Blancs' en France", op. cit.
343 Ibid.
344 Françoise Vergès, "La 'ligne de couleur'. Esclavage et racisme colonial et postcolonial", in *De quelle couleur sont les blancs ?...*, et Thierry Leclère, op. cit.
345 Said Bouamama, "Racisme anti-blanc et gestion sociale: entre diversion et intimidation", in *Les Masques du racisme anti-Blancs*, dossier d'articles parus sur Internet, 2012, *apud* Françoise Vergès, "La 'ligne de couleur'. Esclavage et racisme colonial et postcolonial", op. cit.
346 Esse discurso é muito comum no Brasil, por exemplo, onde a acusação de racismo "reverso" (racismo ao avesso) vem frequentemente dirigida contra discursos sobre a identidade negra. Isso é o que Kabele Munanga enfatiza no texto da sua palestra de abertura do congresso "Pensando Áfricas e Suas Diásporas - Encontro de Antropologia e Educação - I Seminário Municipal de Formação de Professores Para Relações Étnico-Raciais - Organizado pelo Núcleo de Estudos Afro-Brasileiros da Universidade Federalde Ouro Preto - de 26 a 28 de setembro de 2012".

regime foi cúmplice. Cabe recordar que, após uma esmagadora e duradoura racização dos/as judeus/judias na França, o antissemitismo aumentou logo depois da *Haskala*: a assimilação tornou os/as judeus/judias mais perigosos/as porque não eram direta e fisicamente reconhecíveis. Como Enzo Traverso aponta, eles/as ficaram passíveis de "corroer" a "raça nobre" por dentro, por encarnarem "um poderoso e perigoso fator de degeneração".[347] Essa suspeita racista em relação aos/às judeus/judias emancipados/as cristaliza o terror de que a linha de cor seja cruzada, pois eles/as poderiam ser assimilados/as a brancos/as - que, aliás, continuam sendo numerosos/as hoje em dia em excluí-los/as em muitos aspectos.

Uma coisa é certa: o antissemitismo está longe de ter desaparecido da França e tem aumentado novamente desde os anos 2000, nomeadamente com a profanação de cemitérios judaicos, o assassinato de crianças judias por Mohamed Merah em 2012, o ataque ao Hyper Kosher em 2015 e o homicídio de Ilan Halimi em 2016. Embora o preconceito antissemita seja mais frequentemente encontrado entre o eleitorado do *Front National* (hoje *Rassemblement National*), os clichês racistas tradicionais sobre o suposto poder dos/as judeus/judias, sua riqueza ou seu controle da mídia são, infelizmente, amplamente compartilhados.

Contudo, de acordo com o raciocínio de Finkelkraut, os racizados/as muçulmanos/as seriam opressores/as disfarçados/as de vítimas, "dos quais o judeu é o principal alvo na sua capacidade de representar de forma igualmente emblemática um Ocidente 'branco'".[348] O filósofo argumenta que a defesa dos/as brancos/as, demonizados/as, envolve a defesa dos/as judeus/judias e da política israelense.

Diante disso, é preciso fazer uma distinção clara e franca entre a oposição à política israelense, por um lado - e que posição em prol de justiça e humanidade poderia não se opor a essa política, diante do genocídio perpetrado em Gaza e depois em Rafa desde novembro de 2023? - e o antissemitismo, que faz parte de uma longa e irredutível tradição histórica francesa. Os dois permanecem perfeitamente distintos, embora algumas pessoas infelizmente os associem quando se opõem a um Estado colonial, Israel, mas paradoxalmente retomam um dos produtos da colonialidade: o ódio racial, nesse caso antissemita. A defesa do povo palestino contra uma necropolítica colonial e racista não pode, nos seus objetivos antirracistas e humanistas, autorizar qualquer forma de antissemitismo. Portanto, é lamentável que a instrumentalização da luta contra o antissemitismo, particularmente na França, seja a fonte das

---

[347] Enzo Traverso, "Les juifs et la 'ligne de couleur'", in Sylvie Laurent, Thierry Leclerc, *De quelle couleur sont les blancs?...*, op. cit.
[348] Guillaume Weill-Raynal, "La 'communauté juive' française, la gauche et le 'racisme anti-Blancs'", in Sylvie Laurent et Thierry Leclère, *De quelle couleur sont les blancs ?...*, op. cit.

mais deploráveis confusões: as pessoas racizadas e antirracistas são assim desqualificadas ao serem apresentadas como antissemitas.

E mais, contra a retórica que opõe os/as judeus/judias, considerados/as brancos, e as pessoas racizadas, é preciso relembrar esta eloquente passagem de Pele negra, máscaras brancas:

> O francês não gosta do judeu que não gosta do árabe, que não gosta do preto... Ao árabe se diz: "Se vocês estão pobres é porque o judeu vos enrolou, tomou tudo de vocês". Ao judeu se diz: "Vocês não estão em pé de igualdade com os árabes porque na verdade vocês são brancos e têm Bergson e Einstein". Ao preto se diz: "Vocês são os melhores soldados do Império Francês, os árabes se consideram superiores a vocês, mas eles estão enganados". Aliás, não é verdade, não se diz nada ao preto, não se tem nada a lhe dizer, o soldado senegalês é um infante, o bom-infante-do-seu-capitão, o valente que só-sabe-receber-ordens.
>
> (...)
>
> O branco, incapaz de enfrentar todas as reivindicações, se livra das responsabilidades. Eu denomino este processo de repartição racial da culpa.[349]

"Um antissemita é seguramente um negrófobo"[350], conclui Fanon, remetendo ambos ao mesmo processo de estigmatização projetiva perpetrada por uma posição hegemônica. "Foi meu professor de filosofia, de origem antilhana, quem um dia me chamou a atenção: 'Quando você ouvir falar mal dos judeus, preste bem atenção, estão falando de você'."[351]

Como escreveu James Baldwin, é aterrador pensar que o racismo pode ser combatido atacando os/as brancos/as ou os/as judeus/judias:

> A glorificação de uma categoria racial e a consequente degradação de outra - ou outras - sempre foi e sempre será uma fórmula para o assassinato.
>
> (...) Estou profundamente comprometido com a ideia de que os/as negros/as americanos/as consigam sua liberdade aqui nos Estados Unidos. Mas também me preocupo com sua dignidade, com a saúde das suas almas, e devo

---

349 Frantz Fanon, *Pele negra, máscaras brancas*, op. cit., p. 98.
350 Ibid., p. 112.
351 Ibid.

> me opor a qualquer intenção por parte dos/as negros/as de fazer aos/às outros/as o que foi feito a eles/as. Creio conhecer - vemos isso ao nosso redor todo dia - o deserto espiritual ao qual essa estrada leva. É um fato simples, mas aparentemente tão difícil de entender: quem avilta os outros se avilta a si mesmo.[352]

E não dá para combater um ódio racial por meio de outro.

O fato de o antissemitismo ser desenfreado na França atualmente é uma infâmia infelizmente ainda muito real. Que alguns sujeitos muçulmanos sejam antissemitas é, lamentavelmente, igualmente verdadeiro, mas de forma alguma generalizável. Que se pretenda combater isso por uma discriminação odiosa contra outras comunidades, negras, árabes ou muçulmanas, que sofrem tanto com o racismo, é altamente problemático. Essa é simplesmente uma forma de erguer uma comunidade, racizada num um passado ainda próximo, contra outra, que vem ocupar o lugar de bode expiatório da primeira. Em ambos os casos, os mesmos processos de alterização tiveram lugar para definir, em contrapartida, uma identidade branca - e cristã - ameaçada.

A questão da convergência do racismo e do antissemitismo continua vigente na França, especialmente quando o Marechal Pétain foi elogiado nas esferas mais oficiais. Isso fica claro na publicação de livros sobre "separatismo islâmico", nos quais o objetivo é aplicar aos/às muçulmanos/as de hoje as medidas de organização do culto que Napoleão estabeleceu outrora contra os judeus - descritos como "usurários" que davam origem a "distúrbios e reclamações".[353] Em suma, embora os/as judeus/judias na França tenham assumido, após a Segunda Guerra Mundial, um lugar mais alto na hierarquia racial e tenham sido aparentemente "embranquecidos", continuam sendo corpos estrangeiros para a branquitude antissemita encarnada sobre tudo numa longa tradição de extrema direita, cujos refluxos identitários são bem presentes hoje em dia.

A população judia de ascendência europeia e as descendentes de colonizados/as, judeus/judias e não judeus/judias, revelam o pacto narcisista da branquitude de maneiras distintas: elas podem cruzar a linha de cor, mas de forma sempre temporária, sempre ameaçada pelo retorno de um ódio segregador que as afeta conjuntamente.

Portanto, em vez de colocar duas comunidades que sofreram e estão sofrendo de racismo uma contra a outra, cabe procurar analisar como desfazê-lo conjuntamente para ambas, além das lógicas separadoras que só beneficiam uma posição dominante racista. Essa artimanha é bem conhecida e já foi usada. Foi assim, pois, que a população colonizada da Argélia foi dividida. O decreto

---

[352] James Baldwin, *The Fire Next Time*, Londres, Penguin, 1964, edição eletrônica. Minha tradução.
[353] Gérald Darmanin, *Le séparatisme islamiste. Manifeste pour la laïcité*, Paris, Éditions de l'Observatoire, 2021, p. 27.

Crémieux concedeu a cidadania francesa só aos/às judeus/judias argelinos/as - os muçulmanos sendo apenas súditos do Império Francês.

O "racismo antibranco" é, portanto, uma contradição nos termos. O racismo, que se inscreve numa longa história da raça e das modalidades de dominação, e acontece numa escala sistêmica, não tem objetos e sujeitos intercambiáveis. Ele só existe dentro de um dispositivo de poder. Nesse sentido, Grada Kilomba remete o racismo à história da supremacia branca, que perpetua essa estrutura de poder:

> Outros grupos raciais não podem ser racistas nem performa o racismo, pois não possuem esse poder. Os conflitos entre eles ou entre eles e o grupo dominante *branco têm de ser organizados sob outras definiçnoes, tais como preconceito. O racismo, por sua vez, inclui a dimensão do poder, e é revelado através de diferenças globais na partilha e no acesso a recursos valorizados, tais como representação política, ações políticas, mídia, emprego, educação, habitação, saúde etc.*[354]

Reni Eddo-Lodge também faz uma clara distinção entre racismo e preconceito:

> Todo mundo tem a capacidade de ser odioso/as outras pessoas, de julgá-las antes de conhecê-las. Mas simplesmente não há suficientes negros/as em posições de poder para que o racismo contra brancos/as seja praticado numa escala tão grande quanto a que existe atualmente contra negros/as.[355]

Vale ressaltar, aliás, que o termo "racismo reverso", usado para designar o "racismo antibranco", pressupõe logicamente um "racismo direito" aceitável e legítimo, como apontou Lélia Gonzalez...[356]

Essa lógica de distorção discursiva, que transforma pessoas oprimidas em opressoras e pessoas racizadas em racistas, pode ser encontrada claramente na retórica populista de muitos partidos europeus de extrema direita, como aponta Ariane Chebel, da Appolonia.[357] Numa escandalosa inversão da realidade, a defesa da identidade nacional se torna uma luta "antirracista" contra racismos antinacionais (antifrancês, antiholandês ou antiaustríaco). Esse é o significado

---

[354] Grada Kilomba, *Memorias da plantação*, op. cit., p. 76.
[355] Reni Eddo-Lodge, *Why I'm No Longer Talking to White People About Race*, op. cit.
[356] Lélia Gonzalez, "Pour un féminisme afro-latino-américain", in *Pensée féministe décoloniale*, Paris, Anacaona, 2022, p. 36.
[357] Ariane Chebel d'Appollonia, "Plus blanc que blanc: réflexion sur le monochrome populiste en Europe", in Sylvie Laurent et Thierry Leclère, *De quelle couleur sont les blancs?...*, op. cit.

do "genocídio antifrancês" evocado por Jean-Marie Le Pen afirmando em 1984 que os/as franceses/as eram tratados/as como "os judeus na Alemanha"[358], ou a luta contra o "racismo mundialista" lançada por Filip Dewinter, líder do Vlaams Blok, ou Jörg Haider, líder do FPÖ. Desde a década de 1980, a Europa tem testemunhado uma onda populista de extrema direita, claramente confirmada nas eleições europeias de junho de 2024.[359] Esse populismo, que destaca a ameaça à identidade branca, pode ser analisado em termos da branquitude. O antissemitismo racialista de Barrès, Mussolini, Hitler e outros está dissimulado, nesses partidos contemporâneos, por trás da denuncia de um "novo Outro" da Europa, "inimigo interno", "antibranco por excelência":[360] o/a muçulmano/a. A "colonização da Europa pelo Islã" e o "racismo antibranco", portanto, andam de mãos dadas e são frequentemente, embora não exclusivamente, encontrados entre os residentes brancos marginalizados de bairros desfavorecidos da classe trabalhadora, como um "salário da branquitude", porque "quando o estatuto social desmorona, tudo o que resta é o privilégio de ser branco".[361]

Essa estruturação das relações de poder de raça na Europa pós-imperial, mas também, embora de forma diferente, no mundo pós-colonial, tem efeitos inegáveis sobre as subjetivações, mas também sobre o contexto da cura analítica.

Consequências analíticas

Será branco o divã?

Os estudos críticos da branquitude parecem fundamentais para uma psicanálise suscetível de enfocar os efeitos psíquicos das relações sociais de poder de raça. A questão principal colocada aqui pela abordagem psicanalítica diz respeito às modalidades de apagamento do lugar de enunciação do saber analítico, do discurso do/a analisando/a e da escuta do/a analista. Ao pretender desenvolver ferramentas universais, a teorização analítica não estará impondo uma branquitude hegemônica? E mais, se, na cura, o trabalho de elaboração revela a contingência das normas às quais um sujeito se sujeita para se subjetivar, estudar em que medida essas normas se inscrevem na branquitude não revelará ainda mais a sua construtividade? Como, por outro

---

[358] J.-M. Le Pen, *Les Français d'abord*, Carrère-Michel Lafon, Paris, 1984, *apud.* Ariane Chebel d'Appollonia, "Plus blanc que blanc: réflexion sur le monochrome populiste en Europe", op. cit.
[359] *Front National e Rassemblement National* na França, *Freiheitliche Partei Österreichs* na Áustria, *Republikaner* na Alemanha, *Lega Nord* e *Forza Italia* na Itália, *Vlaams Blok* na Bélgica, *Union démocratique du centre* na Suíça, *Progress Party* na Noruega, Partido da grande Romênia, Partido Hungarés para a Justiça e a Vida, *Leefbaar Nederland* e *Freedom Party* na Holanda, ou Partido Libera Democrata na Rússia. A Europa está passando atualmente por um claro processo de fascização.
[360] Ariane Chebel d'Appollonia, op. cit.
[361] Ibid.

lado, a branquitude se manifesta na escuta do/a analista, e como ela decorre de uma normatividade invisibilizada por ser apresentada como neutra?

De acordo com Maxime Cervulle, a inação ou o silêncio diante do racismo são fundamentais para constituir o modelo ideal da branquitude: o imobilismo e o mutismo são produtivos nesse caso, pois permitem que as pessoas se beneficiem de gratificações sociais, legitimadas por certos discursos, principalmente o do universalismo, que produzem performativamente uma identidade branca. A recusa atual da categoria de raça na base das discriminações e a continuação da preponderância da branquitude como posição universal são, portanto, formas comuns de perpetuação silenciosa do racismo. Reexaminar as relações de raça a partir do ponto de vista da branquitude significa estabelecer uma sociologia do silêncio e da invisibilização e uma apreensão psicanalítica dos seus efeitos psíquicos. Como corolário do racismo sistêmico, a branquitude produz sujeitos brancos, que ela passa a representar: as vantagens sistêmicas que ela esconde não são apenas privilégios e prerrogativas individuais, mas um dos modos de formação das subjetivações brancas. Esses modos de subjetivação são acompanhados pela crença de que qualquer coisa que contrarie o universalismo é um desvio comunitarista. Isso resulta numa desqualificação das percepções das relações sociais de raça pelos sujeitos racizados. A esse respeito, é notável ver a violenta oposição, se não o desconforto, dos/as ocidentais de ascendência essencialmente europeia ao serem chamados de brancos/as, vendo nessa designação um "racismo reverso". De fato, essa designação produz uma definição: ela posiciona na história das relações raciais e destaca uma vantagem longamente experimentada e invisibilizada. Portanto, ela compromete a possibilidade do sujeito branco encarnar o universal presumindo uma não-situação. Ser designado/a como branco/a é ser despojado da sua singularidade, nomeado/a, classificado/a, interpelado/a no sentido de Althusser[362], convocado/a a dizer quem se é, a dar conta do que se é, à luz de uma história que foi herdada. Isso significa ter, de forma ínfima, a experiência do ser racizado/a e, enquanto se é racializado/a de forma vantajosa. A profunda desigualdade simbólica e política da história da modernidade abala o universal que as sociedades ocidentais afirmam garantir.

Hoje, numa afirmação autoritária e tautológica, o discurso político antirracista é julgado errôneo e implausível, à luz de uma experiência majoritária que não tem nem reivindica nenhum acesso às vivências dos sujeitos racizados, descartadas porque escapam ao universalismo. Essa substituição das realidades da discriminação por um angelismo político e uma doutrina idealizada impede que se leve em consideração o discurso das minorias. Assim, a branquitude poderia ser definida como operação discursiva que procede à eliminação de

---

362 Em *Idéologie et appareils idéologiques d'État, Positions* (Paris, Éditions sociales, 1976), Althusser descreve a cena da interpelação como o momento de constituição da identidade: um policial chama um transeunte na rua – "Seus documentos!" - e o transeunte ao se virar se reconhece, identificando-se assim, designado pelo representante da ordem pública.

qualquer outra discursividade que não obedeça ao seu ideal de universalismo, posicionamento no qual o sujeito se declara o garantidor moral de uma ordem universalista, obscurecendo, portanto, todas as adversidades enfrentadas pelos sujeitos racizados.

Para a escuta analítica, esse monopólio da enunciação levanta a questão da subalternização: como evitar que as modalidades de fala do/a analisando/a e as modalidades de escuta do/a analista sejam reduzidas por uma gramática hegemônica que trai a singularidade do/a analisando/a? O que pensar da incorporação desse ideal de universalismo tanto no nível dos sujeitos percebidos como brancos, cuja multiplicidade discursiva é reduzida, quanto no nível dos sujeitos racizados, cuja singularidade experiencial é descartada? Que silenciamento social, imposto às representações conscientes e inconscientes dos/as analisandos/as racizados/as, é reproduzido pelo/a analista que escuta a partir dessa branquitude invisibilizada, indiferente à especificidade da vivência de raça do/as analisando/as?

Talvez haja um traço indireto disso na maneira como Lacan analisa a prevalência de um discurso do mestre na constituição do inconsciente de sujeitos racizados, no Seminário *O avesso da psicanálise*. Após ter definido o discurso analítico como oposto ao saber do mestre, Lacan dá este exemplo para mostrar que o discurso do inconsciente responde à instituição do discurso do mestre:

Logo depois da última guerra – eu já tinha nascido há muito tempo – tomei em análise três pessoas do interior do Togo, que haviam passado ali sua infância. Ora, em sua análise não consegui obter nem rastros dos usos e crenças tribais, coisas que eles não tinham esquecido, que conheciam, mas do ponto de vista da etnografia. Devo dizer que tudo predisponha a separá-los disso, tendo em vista o que eles eram, esses corajosos mediquinhos que tentavam se meter na hierarquia médica da metrópole – estávamos ainda na época colonial. Portanto, o que conheciam disso no plano do etnógrafo era mais ou menos como no do jornalismo, mas seus inconscientes funcionavam segundo as boas regras do Édipo. Era o inconsciente que tinham vendido a eles ao mesmo tempo que as leis da colonização, forma exótica, regressiva, do discurso do mestre, frente ao capitalismo que se chama imperialismo. O inconsciente-deles não era o de suas lembranças de infância - isto era palpável –, mas sua infância era retroativamente vivida em nossas *categorias famil-iares* – escrevam a palavra como lhes ensinei no ano passado. Desafio qualquer analista, mesmo que tenhamos que ir ao campo, a que me contradiga.[363]

Lacan quase coincidiria aqui com o Franz Fanon de *Pele negra, máscaras brancas* que ressalta como o/a negras das Antilhas só se descobre negro/a na presença de brancos/as, se desconsiderássemos seu silêncio notável

---
[363] Jacques Lacan, *O Seminário. Livro XVII. O Avesso da psicanálise. 1969-1970*, Rio de Janeiro, Zahar, 1992, pp. 85-86.

sobre as exatidões psíquicas que a situação colonial produziu e sua omissão da cor de pele desses pacientes. Pois seria legítimo perguntar por que tipo de violência inaudita os inconscientes desses homens acabam abraçando as categorias familiares metropolitanas e abandonando radicalmente suas memórias de infância e os "usos e crenças tribais" descartados como curiosidades etnográficas. Como não pensar aqui no dramático dilema apontado por F. Fanon, "branquear ou desaparecer"?[364] Que racismo colonial, que alterização esmagadora vem impor o recalque e reduzir as formações inconscientes de uma cultura em benefício de outra?

Embora Lacan reconheça a situação colonial, sua análise parece ignorar o modo como o racismo e seu corolário, a branquitude, definem essas subjetivações. Aparece aqui a efetividade da branquitude num duplo nível: primeiro no auto-branqueamento desses "mediquinhos" negros, colonizados, desejosos, consciente e inconscientemente, de apresentar garantias de conformidade com as normas brancas daquilo que a colonização lhes ensinou sobre os processos psíquicos. Mas a branquitude também entra em jogo na escuta e nos comentários de Lacan: na presunção de que estes homens racializados seriam diferentes de um ponto zero branco; na ignorância, aliás a recusa das vivências particulares, na colônia e na metrópole, que lhes levam consciente e inconscientemente a forcluir os traços psíquicos dos seus "usos e crenças tribais"; mas também na despolitização do "discurso do mestre" que fundamenta esta forclusão, e se inscreve numa violência especificamente colonial e racial. O mestre é branco.

Que categorias de dizibilidade de si são invalidadas aqui? Que gramática própria, fora do familialismo analítico hegemônico, é impossibilitada aqui? Como isso se encaixa na transferência do/a analista? Se os "costumes e crenças tribais" não são formulados na cura, será provavelmente porque estes Togoleses têm interesse em silenciá-los diante do grande analista branco, e em adotar a atitude do etnógrafo em relação a si mesmos, para não se tornarem num exótico objeto de estudo.

Argumentaria que a especificidade das representações culturais tanto dos/as colonizados/as quanto dos/as colonizadores/as só pode ser abordada psicanaliticamente estudando os efeitos da branquitude nas associações destes pacientes, a prevalência da norma de subjetivação branca como garantia de universalidade, e a consequente exclusão da multiplicidade discursiva.

Branquitude melancólica

A branquitude poderia ser inscrita numa "melancolia de raça", semelhante à melancolia de gênero teorizada por Judith Butler em *Problemas de gênero*,

---

[364] Frantz Fanon, *Pele negra, máscara branca*, Salvador, EDUFBA, 2008, p. 95.

ou em *A vida psíquica do poder*. A filósofa retoma a teorização de Freud em *Luto e melancolia*: a melancolia surge de uma recusa em romper o apego com um objeto ou um ideal perdido, então introjetado no eu e transformado em instância crítica voltada contra ele. A melancolia de gênero se refere à perda de uma multiplicidade de gênero que acaba interiorizada e forcluída: é a operação pela qual parte do poder erógeno do corpo desaparece definitivamente, convertendo-se numa impossibilidade performativa, e assim criando um corpo genderizado. Essa perda é negada, e a superfície sexuada do corpo emerge como signo de uma identidade e de um desejo naturalizados. O movimento de estabilização do gênero na ordem heteropatriarcal é, portanto, pago por uma melancolia: uma perda de possibilidades erógenas e afetivas que não sejam heterossexuais, e uma perda dessa perda. Essa análise permite considerar o gênero além da lógica da identidade: não como uma afirmação, mas como um processo social e psíquico de privação. A sexuação majoritária procede da forclusão de uma multiplicidade psíquica e de uma hibridez de gêneros e sexualidades.

Da mesma forma, em sociedades marcadas por relações de raça decorrentes da escravidão e da colonização, pode-se falar de uma melancolia de raça. A afirmação da branquitude é, então, uma operação pela qual a multiplicidade das designações raciais se torna uma impossibilidade performativa e fabrica uma identidade branca hegemônica. Assim como acontece com a perda de parte do poder erógeno do corpo, essa negação ativa de uma multiplicidade experiencial de racialização é negada, e a superfície do corpo percebido como branco, "epidermizado"[365], surge como signo de um modelo naturalizado e universal. A branquitude aparece, pois, como um processo de privação, a forclusão de uma multiplicidade psíquica de racialização, literalmente incorporada numa submissão do corpo racializado a normas e modelos brancos. Se, na melancolia de gênero, a ordem heteronormativa invisibilizou por muito tempo os corpos *queer* para produzir corpos genderizados, na melancolia de raça, a branquitude hegemônica não faz desaparecer socialmente os corpos racizados, mas os classifica e subordina ao ideal branco, produzindo assim corpos gloriosos e corpos vergonhosos.[366]

Um dos objetivos do trabalho analítico é apoiar os/as analisandos/as na transição da melancolia de gênero e de raça, nas quais a perda é negada, para o luto, que implica um trabalho e uma transformação. Um dos objetivos aqui

---

[365] De acordo com Stuart Hall, esse termo se refere ao momento em que o racismo se materializa na corporalidade, e seus significantes visíveis são lidos no corpo mesmo (S. Hall, "Diasporas, ou les logiques de la traduction culturelle", in *Identités et cultures 2. Politiques des différences*, Paris, Amsterdam, 2013, p. 89).

[366] Um paralelo poderia ser traçado aqui com a forclusão da babá negra que cuida de crianças brancas no Brasil, de acordo com a tese de Rita Segato (*L'Œdipe noir. Des nourrices et des mères*, Paris, Payot, 2022). Para Pascale Molinier, "o que é forcluído é o fato de serem herdeiros ou descendentes da linhagem escrava pelas mães". Essa ausência determina um espaço simbólico particular: ser branco/a é construído pelo repúdio dos primeiros vínculos com uma mulher não-branca, primeiro nas sociedades escravagistas e coloniais, e hoje nas sociedades do Norte global, onde as babás "continuam a vir do Sul" (Pascale Molinier. "Mujeres blancas" et mélancolie de race. Colloque international "*Psychanalyse, études de genre, études postcoloniales: état de l'art*", CRPMS, Université Paris-Cité, Déc. 2018, Paris, França. hal-03946802, p. 14).

seria favorecer a fluidez psíquica das identificações de gênero e sexualidade e a conscientização da parcialidade, da especificidade e, portanto, da contingência das identificações de raça. O/a analista toma cuidado, no entanto, de não designar nada dessa fluidez ou multiplicidade que não venha do/a analisando/a.

Da necessidade à contingência

A fluidez psíquica mobiliza, então, a questão da contingência: a ausência de necessidade e a possibilidade que as representações e os processos psíquicos se articulem de forma diferente. A experiência analítica pode ser concebida como um espaço no qual um sujeito pensa a contingência dos discursos que o produzem, e as designações específicas que o subjetivam. Revelar a branquitude como uma construção social, um evento, equivale a apontar sua contingência, a partir de uma distância crítica que torna possível repensar - fantasiar, elaborar, reconstruir - processos de subjetivação não sujeitos às normas dominantes, mais passíveis de mudança e fluidez.

Parece urgente, pois, desconstruir a branquitude que às vezes pode operar na teoria analítica quando essa promove uma neutralidade ontológica do/a analista. Em consonância com Derrida, que teorizou o falogocentrismo da psicanálise, estatuto privilegiado concedido ao falo, considerado como condição de possibilidade de um pensamento estabelecido por e para os homens, se poderia falar aqui de *leucologocentrismo* inconfessado da psicanálise, em que λευκός [leukos], branco, se refere à sua branquitude invisibilizada.

O imperativo consciente de abstenção do analista só pode ser atingido de forma assintótica estudando a forma como a branquitude determina a posição de neutralidade, por meio de uma primazia silenciosa concedida a uma perspectiva masculina, eurocêntrica, burguesa, hetero e cis-cêntrica. A elaboração na sessão implica que o/a analista acompanhe o/a analisando/a na descoberta da contingência das normas de racialização, sem se poupar da tarefa de desconstruí-las na sua própria postura. Além disso, essa revelação de contingência não pode ser alcançada sem que seja reconhecido o grau desigual de vulnerabilidade dos sujeitos de acordo com a viabilidade dos seus corpos e desejos.[367] Caso contrário, o *setting* analítico corre o risco de reproduzir a maior vulnerabilidade que afeta os sujeitos alterizados e minorizados (racizados, mas também trans, gays, lésbicas, *queer*), aos quais não se reconhece a mesma humanidade que aos sujeitos maioritários. Se trata aqui de reconhecer sem essencializar.

De um ponto de vista analítico, o objetivo não é introduzir uma nova moralidade, mas considerar as relações sociais de poder na encruzilhada das quais sujeitos brancos e racializados estão posicionados, e seus efeitos: sub-

---

367 Judith Butler, *Défaire le genre*, op. cit.

jetivações, processos psíquicos, sintomas. Uma elaboração analítica procede à historicização das normas raciais de subjetivação, à sua desontologização e abre a possibilidade por um sujeito de circular dentro delas com maior fluidez. Embora não se trate diretamente de remover uma opressão social, ou menos ainda de ocupar uma posição moralmente "louvável", o objetivo continua sendo liberar, para o/a analisando/a, uma plasticidade psíquica que foi bloqueada pelo sintoma. É provavelmente essa fluidez resultando da desnaturalização das normas da branquitude que Frantz Fanon aponta, quando analisa o sonho de um homem negro que se percebe como branco:

Surge, então, a necessidade de uma ação conjunta sobre o indivíduo e sobre o grupo. Enquanto psicanalista, devo ajudar meu cliente a conscientizar seu inconsciente, a não mais tentar um embranquecimento alucinatório, mas sim a agir no sentido de uma mudança das estruturas sociais.

Em outras palavras, o negro não deve mais ser colocado diante deste dilema: branquear ou desaparecer, ele deve poder tomar consciência de uma nova possibilidade de existir; ou ainda, se a sociedade lhe cria dificuldades por causa de sua cor, se encontro em seus sonhos a expressão de um desejo inconsciente de mudar de cor, meu objetivo não será dissuadi-lo, aconselhando-o a "manter as distâncias"; ao contrário, meu objetivo será, uma vez esclarecidas as causas, torná-lo capaz de escolher a ação (ou a passividade) a respeito da verdadeira origem do conflito, isto é, as estruturas sociais.[368]

Se esse paciente é invadido pelo desejo de ser branco, é dentro de uma sociedade que tira sua consistência de seu complexo de inferioridade, instituindo a superioridade branca. Portanto, é uma elaboração subjetiva pode ocorrer aqui só ao reconhecer a violência social. A fluidez psíquica, a capacidade de escolher agir ou não em relação às estruturas sociais, ou, pelo menos, de considerar o papel dessas nas próprias produções psíquicas, são precisamente os objetivos de um trabalho psicanalítico que concebe o sujeito como inseparável do grupo social e apto a ocupar um estatuto de agente nele. Gostaria de retomar a valiosa indicação de Laurie Laufer sobre a prática analítica: ela considera a experiência analítica como um lugar de tensão entre o sujeito do inconsciente, dividido, representado pelo significante, sujeito da contingência, e o agente, inscrito num contexto social, mas dotado de potência de agir.[369] Assumir uma posição de sujeito, ser capaz de falar em nome próprio, não ceder sobre o desejo próprio, são objetivos do trabalho psicanalítico de elaboração que significam, no plano social, poder ter uma agência, uma capacidade de pensar e agir que não se reduza à pura passividade.

---

368 Frantz Fanon, *Pele negra, máscaras brancas*, op. cit., pp. 95-96.
369 Laurie Laufer, *Vers une psychanalyse émancipée. Renouer avec la subversion*, op. cit., p. 34.

Na encruzilhada das relações sociais

A produção social das designações, posições e fantasias de raça, e sua circulação dentro do dispositivo analítico, surgem na encruzilhada de outras relações de minorização de gênero, sexualidade, classe e validade, que, por sua vez, produzem efeitos psíquicos. A noção de interseccionalidade ajuda a entender a complexidade das construções e trocas fantasmáticas no curso de uma psicanálise.

Da interseção à fronteira

Opressões emaranhadas

O conceito de interseccionalidade foi cunhado, entre outras, por Kimberley Crenshaw: ela estuda a forma como as mulheres de cor se encontram à margem dos discursos feminista ou antirracista globalizantes.[370] A perspectiva não é nova, pois foi desenvolvida por várias "feministas de cor", como Angela Davis, Cherrie Moraga e Gloria Anzaldúa, ou Patricia Hill Collins, bem como Lélia Gonzalez no Brasil, já na década de 1970. K. Crenshaw destaca a vulnerabilidade das mulheres negras a agressões e estupros, e mostra que o feminismo ou o antirracismo, por si só, não conseguem abordar a combinação de raça e gênero envolvida nesse caso. Se trata de ver como certas vidas "resistem à narração": ocupar várias posições não-dominantes reduz as possibilidades de narrativas de si e de luta contra as opressões. A interseccionalidade, portanto, levanta a questão da subalternização: quem pode falar, como e a partir de que posicionamentos múltiplos?

As ferramentas legislativas usuais para combater as discriminações podem, às vezes, engessar categorias exclusivas, como a classe, o gênero ou a raça, sem considerar suas interconexões, deixando de fora as experiências daqueles/as que se encontram na interseção de várias relações de minorização. Portanto, é preciso refletir sobre a reificação do sujeito político produzida pelas diversas lutas contra a discriminação: o significante "mulher", por exemplo, reivindicado pelos movimentos feministas, pode apagar a multiplicidade dos posicionamentos, mobilizando apenas a experiência de mulheres cisgêneras heterossexuais de classe média europeias ou estadunidenses. A abordagem interseccional, por outro lado, busca analisar a construção de posições minoritárias considerando as diferentes experiências de dominação em termos de gênero, classe, raça, sexualidade, idade, nacionalidade, religião e capacidade,

---

370 Cf. Kimberley W. Crenshaw, "Demarginalizing the Intersection of Race and Sex: A Black Feminist Critique of Antidiscrimination Doctrine, Feminist Theory and Antiracist Politics", in *The University of Chicago Legal Forum* v.140, 1989, pp.139-167, e "Mapping the Margins: Intersectionality, Identity Politics, and Violence against Women of Color", *Stanford Law Review* v.43 (6), 1991, pp.1241-99.

cada uma das quais é historicamente construída e circunstanciada num espaço e tempo específicos.

Por exemplo, na França hoje, nas relações com a polícia ou com a justiça, é uma desvantagem ser um jovem racizado - enquanto o gênero masculino é geralmente vinculado a um privilégio social, e a juventude, em certos contextos, a uma vantagem profissional. E mais, uma associação frequente entre islã e rejeição do laicismo, ou até mesmo ameaça de terrorismo, coloca os homens jovens da periferia, norte-africanos ou negros percebidos como muçulmanos, na interseção de um conjunto de relações de gênero, classe, raça, religião e idade que afetam particularmente o reconhecimento da sua cidadania e dos seus direitos, bem como sua integração socioprofissional. Portanto, a perspectiva interseccional não se refere apenas a grupos diversamente discriminados, mas também à relatividade dos privilégios (por exemplo, nas diferentes construções de masculinidades)[371] e às tensões e modalidades de articulação, sempre contextualizadas, das prerrogativas e minorizações. Isso convida a abandonar uma leitura estritamente aditiva ou cumulativa da dominação em favor de uma consideração de processos sociais plurais, móveis e imbricados. Em outras palavras, nas relações sociais de poder, as posições de privilégio ou marginalização são variáveis, historicamente construídas, dinâmicas e interconectadas. Por exemplo, na França, as mulheres não são percebidas da mesma forma, sujeitas às mesmas expectativas e injunções, e expostas às mesmas projeções fantasmáticas, conforme sejam brancas, negras, norte-africanas ou asiáticas - o que, aliás, é complexificado e singularizado por seu estatuto socioeconômico ou sua sexualidade.

Entretanto, na França, a noção de interseccionalidade é geralmente rejeitada:[372] os/as defensores/as de uma abordagem marxiana da sociedade descartam as designações raciais, sexuais ou religiosas em favor da classe como único princípio explicativo; os/as adeptos/as do universalismo republicano consideram que a interseccionlidade provoca uma etnicização das relações sociais.

Consubstancialidade e complexidade

A perspectiva interseccional, portanto, permite dar atenção especial à singularidade, cada vez contextualizada, da imbricação das relações sociais de poder, que uma abordagem psicanalítica não pode ignorar. A singularidade só pode emergir de uma concepção complexificada de interseccionalidade.

---

371 Sobre esse assunto, veja a análise meticulosa de Mara Viveros Vigoya, *Les Couleurs de la masculinité. Expériences intersectionnelles et pratiques du pouvoir en Amérique latine*, Paris, La Découverte, 2018.
372 Sobre esse assunto, consulte a análise esclarecedora de Eléonore Lépinard e S. Mazouz, *Pour l'intersectionnalité* (Paris, Anamosa, 2021).

Essa abordagem é defendida por Danièle Kergoat, que propõe ao mesmo tempo uma crítica e uma extensão da teorização de Kimberley Crenshaw.[373] Ela ressalta que a interseccionalidade não pode ser limitada a uma concepção geométrica (aditividade, imbricação, interseção), pois as relações sociais das quais ela deriva permanecem fluidas, ambíguas e ambivalentes.[374] Questiona K. Crenshaw pela cartografia ("Mapping the Margins") adotada aqui, que pode petrificar e naturalizar categorias. Concebida dessa forma, a interseccionalidade estabelece posições fixas, engessa as relações e inscreve os sujeitos em identidades que os precedem. Se trata, portanto, de se afastar das categorias gerais (gênero, raça, classe) que supostamente pertenceriam a sujeitos ou grupos, para pensar em termos de relações sociais mutáveis.

Uma relação social (*rapport social*) é uma relação de produção material e ideal, "uma relação antagônica entre dois grupos sociais, estabelecida em volta de um interesse".[375] Nesse sentido, e de acordo com Danièle Kergoat, as relações sociais são consubstanciais: o nó de agenciamentos múltiplos que elas constituem não pode ser separado em categorias distintas de gênero, classe, raça ou idade. Essas categorias estão sempre imbricadas, mutuamente moduladas, e interagindo umas com as outras. Isso é recordado por Natacha Chetcuti-Osorovitz quando ela ressalta a forma como a raça é produzida a partir de um processo de controle da sexualidade.[376] Se na França a mídia e os políticos de ultradireita se opuserem ao Casamento igualitario (*Mariage pour tous/tes*) ou a questões de gênero sob o pretexto de que a indiferenciação de gênero está colocando a nação em perigo, eles também instrumentalizaram a igualdade entre gêneros e sexualidades para condenar a imigração, apresentada como intolerante à diversidade sexual, uma atitude que por sua vez colocaria a nação em perigo. A categoria da homossexualidade não ocupa aqui a mesma posição na constituição da identidade nacional, para os/as delatores/as da "teoria de gênero" ou para aqueles/as que condenam a imigração: os/as gays e lésbicas "nacionais" são alternadamente expostos/as à vulnerabilidade de gênero e sexualidade, e apresentados/as como modelos superiores de branquitude.

Além disso, como argumenta Danièle Kergoat, as relações sociais são coextensivas: as de classe prolongam e reproduzem as de gênero, raça, idade e sexualidade, de modo que relações não periodizáveis da mesma forma se coproduzem mutuamente. A terceirização do trabalho doméstico por mulheres brancas de classe média para outras mulheres, por exemplo, continua as relações de gênero dentro das relações de classe e raça.

---

373 Veja o livro de Danièle Kergoat *Se battre, disent-elles* (Paris, La Dispute, 2012), uma coletânea de seus artigos desde 1978.
374 Danièle Kergoat, "Dynamique et consubstantialité des rapports sociaux", in Elsa Dorlin (dir), *Sexe, race, classe. Pour une épistémologie de la domination*, Paris, P.U.F., 2009, pp. 111-125.
375 Ibid., p. 112.
376 Natacha Chetcuti-Osorovitz, "Quand les questions de genre et d'homosexualités deviennent un enjeu républicain", *Les Temps Modernes*, v. 678, no. 2, 2014, pp. 241-253.

Portanto, é preciso observar as interpenetrações, os emaranhados e a formação mútua das relações sociais que formam um "nó" em grupos, mas também em indivíduos. Danièle Kergoat distingue dois níveis: o das relações sociais (*rapports sociaux*) abstratas, que opõem grupos sociais em torno de uma questão, e o dos relacionamentos sociais (*relations sociales*), imanentes a indivíduos concretos entre os quais eles aparecem. Essa distinção permite compreender as singularidades subjetivas, que, embora se inscreverem inegavelmente em relações sociais, também se inserem em relacionamentos sociais que elas podem reconfigurar. Isso tem grande importância para uma psicanálise interessada em escutar simultaneamente as relações sociais e o indivíduo, o sujeito político e o sujeito do inconsciente. Ao deixar de raciocinar em termos de entidades fixas, e observar as relações sociais coproduzidas e os relacionamentos sociais nos quais os sujeitos estão envolvidos, a análise revela um sujeito político e um agente, e não mais apenas uma vítima das dominações. Prestar cuidadosa atenção à maneira como os/as dominados/as reinterpretam e subvertem o significado das categorias abre caminho para compreender e acompanhar práticas de resistência.

Em termos foucaultianos, portanto, são as relações de poder que criam as categorias nas quais os sujeitos estão inseridos: as relações produzem, por exemplo, um tipo específico de racismo sexista para com um determinado sujeito, um racismo homofóbico ou, ao contrário, homonacionalista para com outro, um racismo burguês aqui, oposto à impulsividade dos jovens ali etc.

Em termos psicanalíticos, isso permite conceber o sujeito e o sujeito do inconsciente simultaneamente como inscritos nas relações e nos relacionamentos sociais, mas livres de qualquer determinismo: as relações de gênero, raça, idade etc. variam segundo o contexto, e segundo os relacionamentos do sujeito com os outros e com as instituições. Mas, em nível subjetivo, isso também permite evitar qualquer essencialização que definiria traços categóricos ou "identidades" de gênero, classe, raça etc., e, assim criar um espaço para a plasticidade psíquica.

Continuando essa linha de pensamento sobre a complexificação da interseccionalidade, Soumaya Mestiri faz uma distinção entre duas abordagens interseccionais: a do feminismo negro e a do feminismo latino-americano decolonial.[377] Na primeira abordagem, que essencialmente remete a K. Crenshaw, o "pensamento da encruzilhada" se revela insuficiente para dar conta da complexidade das identidades: a interseção apaga a margem e negligencia a dinâmica intracategorial.

Sendo os processos opressivos mais complexos do que a mera interseção de uma série de categorias, é o paradigma da fronteira, e não o da encruzilhada, que consegue melhor explicá-los. De acordo com Soumaya Mestiri, esse

---

[377] Soumaya Mestiri, *Élucider l'intersectionnalité. Les raisons du féminisme noir*, Paris, Vrin, 2020.

paradigma geralmente está ausente do feminismo negro, aparecendo apenas no motivo da *outsider within* - intelectual, acadêmica ou estudiosa negra racialmente oprimida, mas socio-profissionalmente privilegiada, na fronteira entre dois mundos, excluída e incluída ao mesmo tempo. Essa figura, argumenta a filósofa, é um reconhecimento paradoxal dos limites da abordagem interseccional clássica: ela dá conta da "possibilidade de ser negra de um lado da fronteira e muito menos 'de cor' uma vez cruzada a fronteira".[378] Portanto, para entender a coexistência de opostos dentro do sujeito, é preciso pensar em termos de fronteira e não de interseção. Soumaya Mestiri retoma a análise de D. Garbado e M. Gulati: em cinco mulheres negras entrevistadas por um escritório de advocacia, quatro delas são selecionadas por um painel de mulheres brancas, com exceção da quinta, desqualificada sem nenhuma razão objetiva relacionada ao seu perfil profissional.[379] Diversas características específicas, incluindo sua atitude, seu nome, seu sotaque, seu cabelo, suas identificações sociais e políticas e seu local de residência, fazem que ela encarne uma identidade racial negra mais acentuada, o que a exclui do grupo de outras mulheres. Se ela não foi contratada por entrevistadoras aparentemente não racistas - e se ela não pode invocar esse motivo aqui - é por causa de uma discriminação "intra-interseccional", o que mostra claramente que a interseccionalidade não é uma questão de interseção. A quinta mulher está muito mais distante do mundo das entrevistadoras brancas, ela está claramente "do outro lado" da fronteira, "negra demais". "Portanto, há um mundo branco dentro do mundo negro", "a pessoa negra demais está já presente, constituída pelo olhar do outro que, ao mesmo tempo em que a constitui, a rejeita além, do outro lado, na interseção de nada, mas à margem de tudo"[380], conclui Soumaya Mestiri, ecoando as análises das diferentes modalidades de branqueamento e do colorismo previamente mencionadas.

Pensamentos da fronteira

O feminismo negro brasileiro e o *queer* decolonial latino-americano teorizam essas minorizações interseccionadas, num pensamento da fronteira e através de variações intra-categoriais. Esses dois movimentos analisam conjuntamente as relações sociais de gênero, raça, classe e sexualidade na encruzilhada das quais os sujeitos da margem estão inscritos. Gostaria de abordar algumas das suas elaborações, para apontar o que uma psicanálise da raça pode ouvir a respeito da interseccionalidade.

---

378 Ibid., p. 74.
379 Devon W. Garbado, Mitu Gulati, "The Fifth Black Woman", *Journal of Contemporary Legal Issues*, v. 11, 2001, *apud*. Soumaya Mestiri, op. cit.
380 Soumaya Mestiri, *Élucider l'intersectionnalité...*, op. cit., p. 76.

Um Brasil afrofeminista

Lélia Gonzalez se dedicou a construir um feminismo afro-latino-americano definido pela categoria de amefricanidade. Sua invenção do termo "Améfrica Ladina"[381] se refere à africanidade e à indigeneidade invisibilizadas dos países latino-americanos. A alteração da latinidade para ladinidade (provavelmente uma alusão ao ladino, uma língua híbrida judaico-espanhola) destaca a hibridização das línguas coloniais (espanhol ou português) com as línguas africanas e indígenas. Ultrapassando as fronteiras territoriais, linguísticas e ideológicas, o termo dá uma ideia clara das interseções das opressões em toda a América.

O racismo é um sintoma da neurose cultural brasileira que exotiza certos aspectos da sua herança africana enquanto a despreza abertamente: quando é ligado ao sexismo, isso produz efeitos violentos sobre as mulheres negras.[382] Essas, como Lélia Gonzalez destacou no final da década de 1970, são condenadas a ocupar, em sua maioria, apenas duas posições profissionais: a de empregada doméstica ou a de mulata, um produto turístico de exportação reduzido a um corpo objetificado durante o carnaval. A empregada doméstica negra representa a internalização de várias formas de inferiorização e subordinação (raça, gênero, classe)[383], enquanto ela contribuiu para a emancipação econômica e cultural da patroa branca por meio de sua dupla jornada (trabalhando para empregadores brancos e na sua própria casa). A mulata, por outro lado, é exibida simultaneamente como objeto sexual e como prova concreta da democracia racial brasileira.

No entanto, Lélia Gonzalez argumenta, empregada doméstica e mulata são apenas duas facetas do mesmo sujeito: a mucama, escrava doméstica, uma ameaça à ordem econômica e familiar estabelecida. Objeto de cobiça dos senhores brancos que competiam com seus escravos negros, as mucamas também eram rivais das mulheres brancas que elas substituíam para o prazer do mestre ou o cuidado dos filhos.[384]

Lélia Gonzalez adota uma abordagem psicanalítica para pensar a posição de "resíduo" ocupada pelas mulheres negras: contrapõe a consciência, um lugar de desconhecimento, alienação, esquecimento e saber, à memória, "um lugar de inscrições que restauram uma história não escrita, um lugar onde a verdade emerge, essa verdade que se estrutura como ficção".[385] A consciência se expressa como um discurso dominante que obscurece a memória, exalta o mito da democracia racial, diviniza a mulata, objeto de desejo no carnaval,

---

[381] Lélia Gonzalez, "A categoria político-cultural de amefricanidade", in *Por um feminismo afro-latino-americano*, op. cit.
[382] Lélia Gonzalez, "Racismo e sexismo na cultura brasileira", in *Por um feminismo afro-latino-americano*, op. cit.
[383] Lélia Gonzalez, "Cultura, etnicidade e trabalho: Efeitos linguísticos e políticos da exploração da mulher", in *Por um feminismo afro-latino-americano*, op. cit.
[384] Ibid.
[385] Ibid.

para depois submetê-la, culpada, à mais violenta agressividade social como doméstica. E a polissemia depreciativa do termo "negro", a africanização do Brasil vista como um retrocesso, o racismo não assumido, camuflado no preconceito de não ter preconceitos enquanto se considera que lugar de negro é nas favelas, são sintomas desse conflito entre consciência e memória. Eles se inserem na contradição entre, por um lado, a reivindicação de uma ascendência branca e europeia e, por outro, a promoção do patrimônio nacional do samba, do tutu, do maracatu, do frevo, do candomblé, da umbanda e do bunda, objeto parcial por excelência da cultura brasileira. Uma vez encerrado o parêntese subversivo do carnaval, as mulheres negras, objeto inconfessável do desejo dos homens brancos dominantes, são empurradas de volta ao seu lugar de resíduo de uma sociedade que quer ser branca e as despreza de forma projetiva para se defender do retorno do recalcado.

A natureza multirracial e multicultural das sociedades latino-americanas é negligenciada pelo feminismo branco local, que ignora a realidade de milhões de mulheres não brancas, as mais oprimidas e exploradas nessa área do capitalismo patriarcal racista.[386] A afirmação de um feminismo negro próprio às sociedades latino-americanas vem assumida por várias teóricas, entre elas Beatriz Nascimento, Sueli Carneiro ou Djamila Ribeiro. "Enegrecer o feminismo"[387], como propõe Sueli Carneiro, significa revelar ao mesmo tempo a identidade branca e ocidental da formulação clássica feminista e a inadequação teórica, prática e política desse feminismo para apreender a realidade local.

A questão principal suscitada aqui, para uma escuta psicanalítica inspirada por esse feminismo negro, é ouvir a especificidade das vozes definidas por esse posicionamento interseccional, sem abafá-las por uma concepção hegemônica do inconsciente que dá pouca atenção às designações sociais cruzadas. Mais uma vez, isso levanta a questão da subalternidade.

Queer e decolonial

As figuras da doméstica e da mulata destacadas por Lélia Gonzalez mostram a constante travessia da fronteira que as mulheres negras no Brasil podem experimentar. Da mesma forma, o *queer* decolonial, através da interseccionalidade que articula, mantém uma relação particular com a fronteira. O pensamento *queer* latino-americano destaca a maneira como as relações sociais são coextensivas e consubstanciais: estruturações de gênero e de sexualidade são de fato claramente produzidas pela colonização e pela colonialidade. E mais, a interseccionalidade específica do *queer* decolonial revela

---
[386] Lélia Gonzalez, "Por um feminismo afro-latino-americano", in Lélia Gonzalez, *Por um feminismo afro-latino americano*, op. cit.
[387] Sueli Carneiro, "Enegrecer o feminismo: a situação da mulher negra na América Latina a partir de uma perspectiva de gênero", in Heloisa Buarque de Holanda (comp.) *Pensamento Feminista: Conceitos fundamentais*, São Paulo, Bazar do tempo, 2019, edição eletrônica (Kindle).

- nos escritos de Gloria Anzaldúa, por exemplo - a forma como a linguagem é particularmente afetada por essas relações sociais e, fora da hierarquia ocidental entre linguagem e imagem, permite remover certas subalternizações. Os efeitos dessa abordagem interseccional dos gêneros e da sexualidade, e dessa linguagem renovada, se revelam fundamentais para a psicanálise.

Segundo Soumaya Mestiri, viver na fronteira e assumir sua instabilidade é a característica do feminismo latino-americano decolonial. A travessia das fronteiras simbólicas e geográficas que ele permite é em um processo de ida e volta, condição imprescindível para um diálogo efetivo. Por isso, a filósofa considera aqui um feminismo da fronteira e não na fronteira: um vai-e-vem que a habita por tê-la atravessado, retornado dela, e assumido essa vivência num entrelugar.[388]

Esse habitar a fronteira caracteriza o Border thinking, pensamento fronteiriço específico da borderland, uma fronteira em constante estado de transição, tematizada por Gloria Anzaldúa.[389] Chicana, mexicana estadunidense e indígena, mulher racizada e lésbica, Gloria Anzaldua fica fora de todo sentimento de pertença identitária, e vive na fronteira. É lá que ela tenta estabelecer uma nova cultura, mestiça, numa nova língua híbrida, o *Spanglish*, poética e teórica, conceitual e imagética.

O *Border thinking* de Gloria Anzaldúa levanta a questão da possível representação do sujeito minoritário, da margem, do Sul global ou da migração. Trata-se de considerar se a crítica do sujeito soberano, realizada em vários aspectos e por várias epistemologias no Ocidente e, em particular, pela psicanálise, não entroniza, de fato, um sujeito específico ao silenciar outros sujeitos possíveis. Aqui surge de novo a questão da subalternização, central para a psicanálise: como criar um espaço de escuta e teorização para vozes diferentemente situadas? Como remover a subalternização produzida numa condição de alterização interseccional? Como abrir um espaço para as vozes alterizadas, as vozes indígenas abafadas pelos processos de reatualização colonial, e como capturar os efeitos atuais das memórias apagadas?

Para responder a essas perguntas, Gloria Anzaldúa convoca a dimensão fronteiriça da língua: ressalta como a criação de uma nova língua híbrida, o *Spanglish*, lhe permite tornar explícitas realidades interseccionais da fronteira e da colonialidade silenciadas. A fronteira é, antes de mais, a "ferida aberta" estabelecida entre o México e os Estados Unidos depois que este último país anexou uma grande parte do território mexicano, transformando sujeitos anteriormente legítimos nas suas terras em migrantes "ilegais", perseguidos, deportados e discriminados: é "*una herida abierta* onde o Terceiro Mundo é perseguido pelo Primeiro Mundo e sangra".[390] A zona fronteiriça, um mundo

---
[388] Soumaya Mestiri, *Élucider l'intersectionnalité. Les raisons du féminisme noir*, op. cit., p. 15.
[389] Gloria Anzaldúa, *Bordelands. La frontera. The New Mestiza*, San Francisco, Aunt Lute Books, 2012.
[390] Ibid., p. 29. Minha tradução.

intermediário indeterminado, é um lugar de transição, de proibição, povoado por aqueles que ultrapassam os limites da normalidade: *los atravesados*, bastardos, mulatos e mestiços, meio vivos. Além da mera definição física, a fronteira se revela psíquica, sexual e espiritual: é aquele lugar do não-lugar que permite desenvolver uma verdadeira estrangeiridade para si mesmo. Aqui, o silêncio não é produzido pelo significante, mas procede de interstícios que nenhuma palavra consegue expressar: é um silêncio historicamente construído pela colonialidade que inibe, bloqueia e invisibiliza. O pensamento *queer* latino-americano, caracterizado por uma migração de práticas discursivas e uma política da tradução, reativa essa parte intraduzível que não depende da lógica da linguagem, mas da sua afetividade.

Isso é o que Hector Domínguez-Ruvalcaba destaca na sua análise do *queer* latino-americano.[391] Ao chegar à América Latina, a noção de *queer* foi ressignificada, descontruindo ainda mais o sistema de sexo-gênero. A primeira singularidade dos estudos *queer* latino-americanos é o diálogo transnacional a partir do qual se desenvolvem, o que implica uma política de tradução cultural. A própria palavra "queer" tem sido objeto de inúmeras tentativas de tradução, refletindo uma multiplicidade de posições: *cuir, jotería, putedad, lo marica, teoria torcida*.[392] Ao passar do Norte para o Sul Global, o discurso *queer* foi reescrito para levar em conta os desafios muito diferentes do seu novo contexto. Por meio desse deslocamento típico da tradução infiel, dessa invenção na língua de destino, o *queer* latino-americano visa a entender os corpos em seu contexto, para evitar o imperialismo das teorias do Norte global. Trata-se aqui de uma tradução descolonizadora.

Pois, e essa é sua segunda característica, a teoria *queer* nos contextos culturais latino-americanos resulta na revelação de uma variedade de desidentificações com os fios invisíveis do colonialismo sexual. *Queer* é aquele lugar incômodo do meio, um não-lugar, um espaço de desidentificação ocupado por pessoas queer racizadas e migrantes que não desfrutam dos privilégios concedidos a gays, lésbicas e pessoas trans brancas no Norte global. Esse lugar do abjeto é o da fronteira, estabelecido por uma geografia que separa os países colonizados dos colonizadores. As políticas *queer* ocidentais tendem a conceber os corpos a partir de uma perspectiva individualista, liberal e universalista. Em contrapartida, os estudos sobre os gêneros e a sexualidades indígenas e afro-americanos na América Latina desafiam essa narrativa civilizatória e descolonizam as dimensões raciais da dominação sexual.

A colonialidade do sexo resulta da sua submissão a códigos rígidos de heterossexualidade compulsória: a multiplicidade de práticas eróticas pré-colombianas foi, por meio da colonização espanhola, portuguesa e holandesa, reduzida a um sistema normalizado de sexualidade dentro de uma estratégia

---

391 Hector Domínguez-Ruvalcaba, *Latinoamérica queer. Cuerpo y política en América latina*, Ariel, CDMX, 2019.
392 *Jotería, putedad, lo marica* são todas formas de dizer "bicha".

política de controle dos corpos. Revelar a homofobia e a binaridade de gênero como estratégias coloniais permite que surjam práticas sexuais e configurações de gênero híbridas e clandestinas. A descolonização *queer*, no entanto, não busca reconstruir, numa fantasia de origem, um sistema ancestral indígena de gênero e sexualidade, mas revelar os efeitos de exclusão e violência próprios à colonialidade.

Entretanto, esse processo de retradução cultural revela interstícios, espaços não traduzidos, silêncios a serem interpretados. De fato, a retradução *queer* ocorre após uma des-tradução da forma como as concepções sexuais indígenas foram reduzidas pelo cristianismo colonial. Isso é ilustrado, por exemplo, pelo Códice Florentino, uma enciclopédia do mundo asteca produzida sob a direção do monge franciscano Bernardino de Sahagún entre 1558 e 1577. Os manuscritos incluiam ilustrações através da escrita pictográfica, um texto em Nahuatl transcrito para o alfabeto latino, e sua tradução para o espanhol. Como Hector Dominguez-Ruvalcaba aponta, um duplo processo de tradução foi envolvido aqui.[393] Ao passar dos pictogramas para o nahuatl latinizado, um texto gráfico de várias camadas foi reduzido às vezes a uma única frase ou palavra. Em adição, a tradução do texto nahuatl para o espanhol simplificou as práticas sexuais indígenas ao agrupá-las sob o termo pejorativo de "pecado inominável", reforçando assim a configuração binária do sistema moral europeu. A prática colonial reinventou o mundo "índio", submetendo as histórias indígenas à mitologia cristã e condicionando a tradução à necessidade religiosa de reprimir as práticas sexuais. Forjou um passado conveniente para os colonizadores, impôs uma forma de escrita que re-semantizou o sistema de significações e valores próprios à sociedade colonial, a fim de forçar uma heterossexualidade restritiva obrigatória sobre a cultura sexual nativa. O ato da tradução operou, portanto, como uma estratégia de rejeição, depreciação e perseguição das práticas nahua.

Entretanto, essa subjugação das práticas corporais encontrou resistência: por não ter nenhum equivalente do conceito de pecado no sistema cultural nahua, um aparato sexual híbrido ainda sobrevive em muitas comunidades indígenas e mestiças. O controle católico não impediu a incorporação das figuras andróginas e transgêneras dos rituais pré-colombianos nas cerimônias tradicionais ainda praticadas atualmente. Por meio da sua proposta de retradução, o *queer* latino-americano dá atenção especial a esses espaços de resistência.

Portanto, o *queer* não se refere apenas à sexualidade, reduzida ao dispositivo de sexualidade ocidental, mas a uma gama mais ampla de opressões. *Queer* é o estudo das relações sociais de poder de raça, cultura e classe; *queer* é a atenção dada à resistência dos corpos à colonização e à colonialidade; *queer* é a escuta prestada àquilo que é dito fora da linguagem ocidental da

---

393 Hector Domínguez-Ruvalcaba, *Latinoamérica queer. Cuerpo y política en América latina*, op. cit.

sexualidade. A interseccionalidade fica evidente aqui. Essa perspectiva certamente inspirará uma psicanálise disposta a escutar os efeitos psíquicos das relações sociais de poder além do dispositivo de sexualidade, e a repensar a questão freudiana do sexual-infantil como questão situada.

Isso é claramente evidenciado nos escritos de Gloria Anzaldúa, que promove a hibridez da *mestiza*, a reinvenção rebelde da língua por *los/as chicanos/as*, e a criação de uma língua alucinatória da imagem, além do significante só. É um *nepantilismo* mental - um termo asteca que significa "dividida entre vários caminhos" - que caracteriza a *mestiza*, tricultural (mexicana, indígena, estadunidense), multilíngue ou inscrita numa monolíngua reinventada. A *mestiza* é dividida porque, como Gloria Anzaldúa aponta, "dentro de nós mesmas e dentro da cultura chicana, as crenças comumente compartilhadas da cultura branca atacam as crenças habituais da cultura mexicana, e ambas atacam as da cultura indígena da América Latina".[394] A nova *mestiza* desenvolve, portanto, uma tolerância às contradições e à ambiguidade, além dos limites rígidos. Ela aprende a compreender as causas profundas do ódio e do medo dos homens chicanos, mas também a redescobrir "*nuestros hermanos los jotos, desheredados y marginales como nosotros*".[395] Portanto, mestizos/as e gays são constituídos/as pelo mesmo material: "somos um amálgama que prova que todos os sangues estão intimamente misturados e que somos fruto de almas semelhantes."[396]

Essa interseccionalidade de raça, classe, gênero e sexualidade é libertadora quando se estabelece contra a rigidez, que "significa a morte".[397] Isso passa primeiro essencialmente pela invenção de uma nova língua, coletiva e cada vez individual, a partir da multiplicidade de línguas faladas pelos/as chicanos/as: o inglês *standard*, o inglês popular e suas gírias, o espanhol *standard*, o espanhol mexicano *standard*, o dialeto espanhol do norte do México, o espanhol chicano (e suas variantes regionais do Texas, Novo México, Arizona e Califórnia), o Tex-Mex, e o Pachuco ou caló, uma língua secreta e codificada de rebelião contra o espanhol e o inglês *standard*.

Para Gloria Anzaldúa, pois, se trata, antes de tudo, de domar uma língua selvagem: punida quando criança por falar espanhol na sala de aula ou tentar pronunciar seu nome corretamente para a professora, ela é considerada uma traidora cultural quando se expressa em inglês, língua do opressor, e mutila a língua espanhola com seu dialeto chicano. Essa língua, indomável, arrancada pelo Anglo[398], é um produto da fronteira que se desenvolveu natu-

---

394 Gloria Anzaldúa, *Bordelands. La frontera. The New Mestiza*, San Francisco, Aunt Lute Books, 2012, p. 100.
395 Ibid., p. 107, "nossos irmãos, as bichas, deserdados e marginalizados como nós". Minha tradução.
396 Ibid., p. 106.
397 Ibid., p. 101.
398 "El Anglo con cara de inocente nos arrancó la lengua. Wild tongues can't be tamed, they can only be cut out", in ibid., p. 76 ("O Anglo, com seu rosto inocente, arrancou nossas línguas. Não se pode domar línguas selvagens, só se pode cortá-las", minha tradução).

ralmente. Para aqueles/as que vivem na fronteira, não há outro recurso a não ser criar sua própria língua: nem *español* nem *English*, mas ambos e muito mais, numa sinergia de duas culturas com graus variáveis de *mexicanidad* e *Angloness*, num conflito das fronteiras que torna a Chicana ao mesmo tempo uma multiplicidade e um nada, uma privação de língua e um pesadelo, uma aberração e uma mestiçagem linguística, o objeto de zombaria e o sujeito de uma língua órfã.

A inversão dessa inferiorização da língua é realizada por meio do que Anzaldúa chama de "terrorismo linguístico": uma maneira de perfurar a língua até ela sangrar, de escrever com o corpo para dar origem a um idioma poderoso que perturba os/as puristas. A partir desse lugar de subalternização da língua, da raça e da sexualidade, Gloria Anzaldúa transforma a rebelião num ato de criação. Sua escrita se torna, pois, uma reinvenção alucinatória da língua: ela funciona por meio de imagens desubalternantes e atravessa a escritora transformada em "*nahual*", xamã. Assim, ela descreve os tormentos do processo de escrita, que agita seu corpo, o transforma, e o submete a um transe, a fim de produzir a apresentação direta da imagem.[399] Num processo de ascetismo, luta e resistência, "ser escritora é muito parecido com ser chicana ou *queer* - envolve contorções e o enfrentamento com todo tipo de barreiras". Para escrever, é preciso se submeter a um transe, num espaço de transição, de metamorfose constante: mutações do pensamento, da realidade e do gênero. *Tlilli Tlapalli*, o título de um dos seus textos, se refere às tintas preta e vermelha do Códice Florentino, o paradigma da tradução, simplificação e repressão das práticas sexuais indígenas pela colonização cristã. Escrever com as tintas vermelha e preta do Codex não significa retornar a uma cultura ou língua da origem: a hibridez é constante, essas tintas pré-hispânicas só existem por meio da colonização, e com a colonização.

Essa presença pré-colombiana conecta a escrita de Gloria Anzaldúa ao poder alucinatório da imagem: aquela dos mitos mexicanos, que lhe permite domar seu medo e atravessar abismos internos, tornando-se ponte de pedra, pássaro e cobra. A escrita vira uma travessia do corpo doente, ardendo em febre e náusea, é uma evocação de imagens do inconsciente, algumas das quais são traumáticas; permite que elas ganhem significado e, assim, sejam transformadas: a escrita é cura. Aqui, a imagem recebe um valor diferente, que supera sua redução empobrecedora ao imaginário, à ficção e ao engano na clássica oposição ocidental entre imagem e linguagem; a imagem vem quando a linguagem majoritária está faltando:

> Uma imagem é uma ponte entre um afeto despertado e um saber consciente; as palavras são os cabos que sustentam a ponte. As imagens são mais diretas, mais imediatas do

---

[399] Gloria Anzaldúa, "*Tlili Tlapalli*. The Path of the Red and Black Ink", in ibid., pp. 87-120.

que as palavras e mais próximas do inconsciente. A linguagem das imagens precede o pensamento em palavras.[400]

Mais do que uma representação, *Vorstellung*, a imagem aqui é *Darstellung*, figuração, no sentido especular e teatral: ela é direta, imediata, evidente. Não se trata de uma remissão a outro objeto, mas de uma presença imediata por apresentação, de uma figurabilidade, uma capacidade de colocar em figuração os movimentos psíquicos além das representações instituídas.

Através da imagem, Gloria Anzaldúa atravessa a fronteira do *borderland* em ambas as direções: passa da prisão da linguagem e do idioma subalternizado a uma escrita que fura a língua. Aqui, a fronteira interseccional permite uma imaginarização do Real: mais do que um lugar de separação, é uma brecha aberta na subalternidade, no silenciamento ou na invisibilização. Esse pensamento por imagens é particularmente importante para elaborar psicanaliticamente aquilo que condena ao silêncio além da repressão freudiana ou da alienação do significante. Remover a subalternização significa reverter o descrédito na tradição ocidental do pensamento por imagem em favor da linguagem. Não se trata de uma visão clássica do imaginário, categoria longamente condenada por uma veia lacaniana, mas de uma investida, pela imagem, contra a imposição historicamente construída das categorias do simbólico.

O *queer* decolonial visa, portanto, um ponto intraduzível do gênero, da sexualidade e da raça imbricados, não alcançado pela lógica da linguagem, perturbando hábitos linguísticos e, portanto, sociais. O que surge aqui é um dizer e um se-dizer que contornam a subalternização, promovem a expressão além das categorias hegemônicas da linguagem e mobilizam a escuta do inedito. Em termos metapsicológicos, se as designações entrecruzadas de raça, gênero, classe ou sexualidade se inscrevem num Simbólico imaginarizado, o mito-simbólico previamente descrito[401], romper a subalternidade em sessão analítica equivale então a propor um Real imaginarizado, uma figuração, além da representação (atolada no mito-simbólico), que transforme o indizível, impossível de ser dito, em inefável, um dizer nunca exaustivo e sempre renovado.

Interseccionalizando a transferência

Contra um saber supostamente não situado, produzido por um observador invisível, a interseccionalidade, pois, destaca o posicionamento do sujeito político, ético e teórico e a situação da sua enunciação. Essa perspectiva determina uma responsabilidade ética do/a analista, que assim é levado/a a conceber que a escuta não se desenvolve a partir de uma posição única e supostamente neutra, mas "em coletividade", através da multiplicidade de vozes dos/as

---
400 Ibid., p. 91.
401 Veja o subcapítulo "Devir-negro do mundo: um mito-simbólico".

analisandos/as. Dessa forma, a interseccionalidade permite identificar como séries dinâmicas de dominações e privilégios se entrecruzam, no/a analista e no/a analisando/a, resultando em formas de ignorância e incapacidade a (se) ouvir. Em oposição ao universalismo abstrato da perspectiva majoritária, que torna sua própria posição invisível e atribui projetivamente identidades a quem não for maioritário/a, a interseccionalidade propõe um "universalismo concreto", como Éléonore Lépinard e Sara Mazouz apontam, "incorporado nas diferenças e histórias específicas daqueles que compõem o corpo político".[402] Permite a emergência de uma posição analítica essencialmente política, isso é, atenta aos privilégios e minorizações entrecruzados do/a analista e do/a analisando/a, e aos impensados da escuta.

Uma psicanálise guiada pela interseccionalidade poderia, assim, prestar atenção a três níveis: o nível político da dominação social interseccional; o nível fenomenológico das vivências dessa dominação; e o nível dos efeitos inconscientes dessas determinações interseccionais. De fato, como toda experiência social, embora não faça parte de um processo de comunicação e troca habitual, a prática analítica não escapa dessas interseções de gênero, sexualidade, raça, classe ou capacidade: o/a analista, assim como o/a analisando/a, emergem na encruzilhada da sua própria realidade interseccional, da fantasia que cada um/a tem dela, e da representação fantasmática da realidade interseccional do/a outro/a.

As categorias com as quais analista e analisando/a se identificam consciente e inconscientemente precisam, portanto, ser concebidas como realidades que não são distintas, mas permeadas umas pelas outras, fluidas, mutáveis e constantemente recriadas por dinâmicas de poder e dominação social. São, pois, passíveis de serem redefinidas uma pela outra no/a analisando/a e no/a analista, mas também entre os/as dois/duas, na "quimera psicológica"[403] oriunda do entrelaçamento de seus inconscientes, correlativa da dissolução identitária que ambos/as atravessam juntos/as.

Interseccionalizar a escuta analítica implica refletir sobre as semelhanças e diferenças entre os sistemas de referência e as experiências de gênero, sexualidade, raça e classe do/a analista e do/a analisando/a, nos seus privilégios e marginalizações respectivos entrecruzados. É o que o psicanalista estadunidense Max Belkin relata da elaboração com sua analisanda chicana Ana, após ela ter questionado a homossexualidade do analista. A interseccionalidade permite entender que, quando um aspecto da dinâmica de privilégio/marginalização é destacado numa sessão, é para obscurecer outros, vinculados com outras relações sociais de poder. Max Belkin, por exemplo, interpreta a comparação que sua analisanda faz entre ele e Kevin Spacey, "um homem

---

[402] Éléonore Lépinard, Sara Mazouz, *Pour l'intersectionnalité*, op. cit.
[403] Michel de M'Uzan, "Sombrer pour survivre", *Revue Française de Psycho-somatique*, n° 30, p. 36.

gay de aparência heterossexual", como uma forma de ela lhe indicar, através do questionamento de sua sexualidade, uma fantasia sobre seu privilégio como homem branco.[404] Assim, ela o convida a ser deliciosamente *queer* em sua companhia, a superar a rígida oposição binária entre homossexual e heterossexual, branco/a e racizado/a, homem e mulher, e a criar novas significâncias e novas possibilidades para ambos/as.[405] Em outras palavras, a interseccionalidade permite considerar as relações de poder na interseção das quais analista e analisando/a se subjetivam, o seu efeito psíquico, e a sua transformação mútua.

A abordagem da interseccionalidade se revela, portanto, característica da escuta psicanalítica; duplica a questão da enunciação e da situação do ponto de vista ao colocar a "outra questão", como observa M. Matsuda:

> Tento compreender a interconexão de todas as formas de subordinação através de um método que chamo 'fazer a outra pergunta'. Quando vejo algo que parece racista, pergunto: 'Onde está o patriarcado aí?' Quando vejo algo que parece sexista, pergunto: 'Onde está o heterossexualismo aí?" Quando vejo algo que parece homofóbico, pergunto: 'Onde estão os interesses de classe aí?'.[406]

Para um sujeito que está na junção de todos esses aspectos variados, a atenção psicanalítica coloca a "outra pergunta", pois ela procura escutar as conexões latentes por trás dos aspectos manifestos. No entanto, isso implica também prestar atenção às singularidades identificatórias na encruzilhada das relações sociais de raça, classe, gênero e sexualidade, além de uma concepção universalizante, desencarnada, des-historicizada e despolitizada do inconsciente.

Mais uma vez, pensar, ouvir e psicanalisar com interseccionalidade significa romper com o mito da neutralidade social, política e psíquica do analista. Pois, como aponta Lynne Layton, o que mantém os/as analistas convencidos/as de que a realidade psíquica pode ser escutada sem referência ao posicionamento social é precisamente o privilégio de raça, classe, gênero e sexualidade desfrutado pelos grupos socialmente dominantes aos quais muitos/as teóricos/as da psicanálise pertencem.[407] O objetivo é analisar o modo como analistas e analisandos/as codificaram suas identificações, recalcando e alterizando o que fica socialmente condenado por experiências de aprovação e rejeição

---

[404] Max Belkin, "Who is queer around her? Overcoming rigid thinking and relating in patient and analyst", in Max Belkin, Cleonie White, *Intersectionality and Relational Psychoanalysis. New Perspectives on Race, Gender and Sexuality*, London and New York, Routledge, 2020, p. 17.

[405] Ibid., pp. 9-10.

[406] M. J. Matsuda, "Beside My Sister, Facing the Enemy: Legal Theory out of Coalition", *Stanford Law Review* v. 43(6), 1991, p. 1189. Tradução minha.

[407] Lynne Layton, "Intersectionality, normative unconscious processes and racialized enactments of distinction", in Max Belkin, Cleonie White, *Intersectionality and Relational Psychoanalysis...*, op. cit., pp. 171-191.

social, e também o modo como as instituições, formações e teorias psicanalíticas podem manter um *statu quo* racista, sexista, classista e heterossexista.

Portanto, a interseccionalidade favorece uma psicanálise concebida menos como teoria da sexualidade do que das relações de poder e dos efeitos de dominação subjetivos e coletivos pelos quais um sujeito se subjetiva ao se assujeitar. Ela convida a formular uma metapsicologia interseccional da raça, que permita ouvir, pensar e criar, analiticamente, a partir de uma renovação da teoria. Para fazer isso, cabe definir com mais precisão as relações sociais de poder que constituem o racismo, a fim de ver como uma abordagem analítica da raça pode descentralizá-las, deslocá-las, remover a necessidade social e psíquica na qual estão inscritas e permitir que os/as analisandos resistam a elas. Esse é o tema do capítulo final desse livro.

4

O que a raça faz à psicanálise

A vida psíquica do poder

Para evitar uma apreensão puramente moral do racismo, considerando-o como resultante de ações e discursos de pessoas mal-intencionadas, e para entendê-lo como relação de poder, parece apropriado mobilizar a análise foucaultiana do poder disciplinar e da dispersão dos micropoderes. O objetivo é estudar a forma como esse poder produz subjetividades racializadas, brancas ou racizadas, e determina suas interações, seu comportamento e suas representações conscientes e inconscientes. Argumentaria aqui que esse modelo de poder é que precisa ser levado em conta para abordar psicanaliticamente os efeitos psíquicos da raça.

Cinco características do poder disciplinar são apresentadas por Foucault e serão retomadas aqui: o poder está associado à produção de saber, é uma relação e não uma substância, provoca uma conduta, institui um sujeito que não o precede, mas também abre caminho para possibilidades de resistência. Proponho examinar essas possibilidades uma a uma.

Desconhecer para saber

Para estudar o vínculo entre as estruturas de poder e a produção de saber, Michel Foucault abre um campo de análise das práticas discursivas, revelando que o regime de verdade em cada sociedade depende da sua política geral, dos discursos que podem circular nela, dos mecanismos e instâncias que decidem o que é verdadeiro e falso, e dos meios de legitimação e transmissão da verdade.

É isso que está em jogo, por exemplo, na primeira aula que Foucault ministrou no Collège de France.[408] Além da relação de interioridade que a filosofia estabelece com a verdade (o produto de um conhecimento puro e desinteressado), Nietzsche expõe a verdade como vontade e destaca a violência do desejo de saber, exterior ao conhecimento. Uma história política do discurso revela a historicidade das relações de poder, dominação e luta, nas quais a verdade é ao mesmo tempo objeto de interesse, ferramenta e efeito. Com Nietzsche, o conhecimento aparece como o efeito ilusório da afirmação fraudulenta da verdade:

> Se parece, primeiro, com a maldade - rir, desprezar, odiar. Não se trata de se reconhecer nas coisas, mas de se manter à distância delas, de se proteger delas (*rir*), de se diferenciar delas desvalorizando/as (*desprezar*), de querer afastá-las ou destruí-las (*detestar*).[409]

---

[408] Michel Foucault, *Leçons sur la volonté de savoir. Cours au Collège de France. 1970-1971 suivi de Le savoir d'Œdipe*, Paris, Gallimard/Seuil, 2011.I
[409] Ibid., p. 196

Lembremos aqui esta "maldade radical do conhecimento".[410] Essa perspectiva arqueológica tinha guiado o pensamento de Foucault sobre a noção de "formação discursiva":[411] o sintagma designa um sistema de conexão entre vários enunciados, uma ordem de correlação, posições, funcionamento e transformação de objetos, estilos, conceitos e temas. Os objetos de uma formação discursiva existem dentro da estrutura de relações estabelecidas entre instituições, processos econômicos e sociais, formas de comportamento, sistemas de normas e técnicas e, por sua vez, os reforçam.

As práticas discursivas são, portanto, sustentadas por sistemas de poder e, por sua vez, favorecem determinados objetos, formas de transmissão, instituições específicas, comportamentos, estereótipos e campos de visibilidade que beneficiam o poder.[412] Dessa arqueologia da verdade resulta uma reelaboração da teoria do sujeito, não como fundamento e núcleo de todo conhecimento, mas como seu efeito. Todo poder permite e produz um tipo de saber e formas de subjetividade, assim como todo saber estabelecido garante um exercício do poder e modos de subjetivação.

A raça aparece, indiretamente e depois nominalmente, numa série de discursos inscritos nas relações de poder específicas da colonização e da escravidão. A historicidade dessas relações de dominação, que usam a "verdade" da raça como objeto, arma e efeito, é claramente ostensível, por exemplo, na controvérsia de Valladolid. A questão da humanidade dos "índios" fazia parte do imperativo social, econômico e político da distribuição das terras e do trabalho. No debate entre Las Casas e Sepúlveda, cujos interesses econômicos eram consideráveis para a Coroa espanhola, o saber produzido sobre a raça era central: determinava a qualificação dos/as índios/as e o comportamento dos colonos que deveria resultar disso.

Invocando a verdade teológica da raça, Sepúlveda usou dois argumentos tradicionais: o da revelação primeira da religião, excluindo esses povos longínquos do cristianismo que os apóstolos haviam pregado a todas as nações, e o da realidade dos massacres, provando que os índios estavam sendo punidos/as por idolatria pelo braço armado de Deus, os espanhóis. Las Casas, entretanto, virou de cabeça para baixo as acusações de selvageria e diabolismo dirigidas por Sepúlveda contra os índios, rebatendo-as com o argumento da evolução histórica: os índios apresentavam aos europeus uma imagem antiga e esquecida de si mesmos, eram a infância da Europa e seguiam um desenvolvimento que os levaria à civilização e ao cristianismo. Um evolucionismo *avant la lettre* poupou os índios da desumanidade, mas também os reduziu a uma

---

410 Michel Foucault, "La vérité et les formes juridiques", Texte n° 139 , in *Dits et écrits*, Tome I, Paris, Quarto, 2001, pp. 1406-1514.
411 Michel Foucault, *L'Archéologie du savoir*, Paris, Gallimard, 1966.
412 Michel Foucault, "La vérité et les formes juridiques", Texte n° 139 , in *Dits et écrits*, Tome I, op. cit., pp. 1406-1514.

humanidade inferior. Até na defesa de seus direitos, a verdade da raça estava inscrita nas relações de poder sociais, econômicas e políticas da colonização.

De Kant a Darwin e Gobineau, ou de Montesquieu a Hegel e Renan, a formação discursiva da raça estabelece objetos - as populações colonizadas ou escravizadas - e um sujeito do conhecimento - o homem branco europeu. A hipótese da inferioridade dos seres humanos não brancos foi duradouramente desenvolvida, em vários regimes de verdade que consagraram diferentes modalidades de saber/poder. Na sua análise da racialidade que atravessa de forma invisibilizada o contrato social, Charles Mills destaca a maneira como a construção da verdade e as modalidades de discriminação entre verdade e falsidade são determinadas por um "contrato racial".[413] Esse consiste num conjunto de acordos ou meta-acordos formais ou informais entre os membros de um subgrupo de seres humanos designados, de acordo com critérios "raciais" (fenotípicos/genealógicos/culturais) variáveis, como "brancos", pessoas de pleno direito. Esse contrato lhes permite classificar o subgrupo restante de humanos como "não-brancos", subpessoas de estatuto moral inferior e, consequentemente, subordinadas, nos agrupamentos políticos gerenciados pelos brancos.

As regras morais e legais que normalmente regem o comportamento dos/as brancos/as em suas relações entre si não se aplicam, ou só de forma limitada, argumenta Mills, às relações com os/as não-brancos/as. O objetivo geral do contrato, que estabelece uma polaridade, um estado e um sistema jurídico raciais, é sempre garantir o privilégio diferencial dos/as brancos/as, a exploração dos corpos, das terras e dos recursos dos/as não-brancos/as, e a recusa de lhes conceder condições socioeconômicas iguais.

O que surge aqui é uma verdadeira história política da verdade, revelando a historicidade das relações de poder, dominação e luta que constituem várias epistemes de raça. Uma das primeiras, em Hobbes, consiste em afirmar que o estado de natureza, um estado de "guerra de todos contra todos", é uma condição que nunca ocorreu de fato, enquanto paradoxalmente se sustenta que "os selvagens em muitas partes da América"[414] representam esse estado sem nunca o ter abandonado. Não se trata mais de um estado pré-político temporário (e hipotético) de todos os seres humanos, mas do estado não-político permanente de um povo não-branco real - precisamente o povo despojado de suas terras pelos assentamentos.

De acordo com outra episteme, a da lei moral, e conjuntamente com a teoria da pessoa desenvolvida na *Crítica da Faculdade de Julgar*, Kant fundou uma teoria da subpessoa com base na classificação dos povos, em seu ensaio

---

[413] Charles Mills, *The Racial Contract*, Ithaca et Londres, Cornell University Press, 1997, edição eletrônica.
[414] Thomas Hobbes, Leviathan, ed. Richard Tuck (Cambridge: Cambridge University Press, 1991), p. 89, *apud*. Charles Mills, *The Racial Contract*, op. cit. Minha tradução.

Sobre as Diferentes Raças Humanas. Isso fica evidente num comentário do filósofo sobre uma declaração feita por um africano, que ele rejeita comentando: "Esse homem era completamente negro da cabeça aos pés, o que prova claramente que seu discurso era estúpido."[415] Na hierarquia racial codificada que Kant instituiu entre europeus-as, asiáticos/as, africanos/as e ameríndios/as, a cor da pele atestava o "talento", a capacidade de alcançar a razão e a perfeição racional e moral. A verdade da razão, tanto pura quanto prática, está claramente inscrita nas relações de poder de raça, das quais ela deriva e que, por sua vez, ela sustenta.

Se, de acordo com Nietzsche e Foucault, conhecer significa exercer uma violência real, uma relação de ódio e destruição daquilo que está sendo conhecido, essa "maldade radical do conhecimento"[416] pode ser desenvolvida, de acordo com Mills, através de uma "epistemologia da ignorância". Moral e político, o contrato racial também é epistemológico: ele prescreve normas de cognição às quais seus signatários (brancos/as) devem aderir. Assim, introduz uma epistemologia invertida, com disfunções cognitivas localizadas e globais, mas compartilhadas e validadas pela autoridade epistêmica secular ou religiosa branca. Essas disfunções psíquica e socialmente operantes "produzem o resultado irônico de que os brancos geralmente serão incapazes de entender o mundo que eles mesmos criaram".[417] A incompreensão, a distorção, o autoengano sobre a raça e as mitologias brancas formam, portanto, uma economia cognitiva psiquicamente necessária para a conquista, a colonização e a escravidão. Essa inciência epistemológica anda de mãos dadas com a restrição do conhecimento aos/as europeus/as e a destruição das produções culturais de determinados povos.

Esse desconhecimento epistemológico também implica uma psicologia moral racializada e uma dificuldade real, para os/as brancos/as, de reconhecerem determinados comportamentos como racistas: o contrato racial distribuiu deveres, direitos e liberdades durante séculos com base na diferenciação racial, tornando o racismo e a discriminação não apenas exceções, mas a própria norma. Essa atitude pode ser observada no silêncio ensurdecedor da maioria dos/as teóricos/as europeus/as sobre os grandes crimes inseparáveis da conquista europeia, que foram alternadamente ignorados, aprovados ou tibiamente condenados.

Isso deu origem àquilo que Charles Mills chama de "ignorância branca"[418], evidenciada em diversas obras clássicas, como no conto de Melville Benito

---

415 Emmanuel Kant, *Observations sur le sentiment du beau et du sublime*, 1764, Section IV. Des caractères nationaux, en tant qu'ils reposent sur le sentiment différencié du sublime et du beau, p. 170.
416 Michel Foucault, "La vérité et les formes juridiques", Texte n° 139, in *Dits et écrits*, Tome I, Paris, Quarto, 2001, pp. 1406-1514,
417 Charles Mills, *The Racial Contract*, op. cit.
418 Charles Mills, "White Ignorance" *Charles W. Mills*, in Shannon Sullivan and Nancy Tuana, Race and Epistemologies of Ignorance. New York: *State University of New York Press*, 2007, p. 13-38.

Cereno, em que Amasa Delano não consegue conceber que a tripulação do navio negreiro San Dominick tenha sido sequestrada pela sua carga humana. A ideia de que negros/as inferiores/as pudessem perpetrar tal inversão do curso de ação era tão impensável que Delano preferiu atribuir todas as explicações alternativas possíveis ao estranho comportamento dos brancos aprisionados. A ignorância branca funciona aqui como uma recusa de qualquer desafio à superioridade racial branca. Mais do que meramente acidental, esse desconhecimento é efetivo, produtivo: como os processos do inconsciente, ele não é apenas aquilo que escapa à consciência, mas aquilo que se opõe ativamente a ela. A raça desempenha um papel central: como motivação racista direta ou, atualmente, como causalidade socioestrutural mais impessoal, efetiva mesmo em ausência de racismo psicológico. A ignorância "branca" é comparável à "ignorância masculina", também baseada numa desigualdade estrutural.

Essa opacidade possibilitou uma série de ficções ao longo da história: lendas sobre terras "vazias", na realidade habitadas por milhões de pessoas, sobre uma nação de caçadores em total contradição com a agricultura indígena local, sobre uma natureza virgem claramente desmentida pela paisagem humanizada e transformada por milhares de anos de trabalho, ou sobre um povo sem organização política apesar das formas locais de governo desenvolvidas. Paralelamente a essa fabricação de falsas verdades, o esquecimento é promovido: eventos como as guerras entre indígenas e colonos ou as atrocidades da escravidão (substituídas pelo mito do "bom mestre") são apagados da memória nacional.

Hoje em dia, a ignorância branca assume outras formas, entre as quais a "indiferença à cor" (*colour-blindness*). Essa atitude defendida por muitos/as brancos/as para combater o racismo acaba perpetuando-o através do mesmo processo de ignorância: a linha de cor que os/as distinguia dos sujeitos não--brancos desaparece na sua construção histórica e, com ela, desaparecem todas as tentativas de reparar as desigualdades do passado, alcançar justiça retrospectiva ou efetivar uma retificação histórica do privilégio branco. Dessa forma, a raça é cancelada retrospectivamente, apagando os efeitos cumulativos do tratamento diferenciado do passado.

Como observa Reni-Eddo Lodge, essa alegação de não ver a raça equivale a uma assimilação compulsória:

> *É verdade que a cor da minha pele foi politizada a despeito de mim, porém, me recuso a permitir que ela seja deliberadamente ignorada a fim de estabelecer alguma aparência de frágil harmonia. Mesmo que alguns tentem se tranquilizar abraçando a sedução da colour-blindness*, a tremenda diferença nas chances de sucesso em função da raça, como acabamos de comentar, prova que esse

conceito, embora incentivado por nossas instituições, não é implementado.[419]

A indiferença à cor, uma análise medíocre e imatura do racismo, é frequentemente usada para silenciar as pessoas racizadas: assim, quando tentam expressar as discriminações vivenciadas, são acusadas de serem, por insistência, racistas contra os/as brancos/as.

A ignorância branca, portanto, determina as formas como a verdade é produzida, através de uma antropologia baseada na evidência de uma hierarquia racial, uma sociologia que ignora a dominação branca estrutural, uma história que minimiza os massacres indígenas e a exploração escravocrata, uma ciência política que apresenta o racismo como a anomalia de uma política fundamentalmente inclusiva e igualitária, ou uma filosofia política que se esquece da injustiça racial.

A epistemologia da ignorância parece, portanto, literalizar a concepção foucaultiana de que para ser ouvido, um discurso requer o silenciamento ativo de uma pluralidade de outros discursos. Mais do que um sistema intencional ou individual, o racismo aparece aqui como produto de interesses inconscientes, subjetivos e coletivos, que conduzem a formas ordinárias de ignorância, silêncio ou inação. É precisamente essa epistemologia da ignorância que precisa ser enfrentada por uma abordagem clínica e teórica da psicanálise.

Compelir a relação

A segunda característica do poder, de acordo com Foucault, é sua dimensão relacional: o poder não deve ser entendido no sentido do governo ou do Estado, mas de relações estabelecidas entre sujeitos, na escala de uma família, uma universidade, um quartel ou um hospital.[420] O poder não é a propriedade de um indivíduo ou um grupo, seja ele monarca, pai, estado ou instituição social: em vez de ser possuído, é exercido em relações de luta permanente. Nesse sentido, ele não é uma substância nem a prerrogativa de uma classe privilegiada: não pertence a um ou mais órgãos centrais identificáveis, mas consiste em relações de força múltiplas, pontuais e locais que atravessam a família, a sexualidade, a educação, a economia, o conhecimento.

Trata-se de uma relação estratégica e instável: mais do que um vetor unidirecional indo de um/a opressor/a a um/a oprimido/a, é um meio fluido, um fluxo reversível presente em qualquer relação social, que se move, expõe, concentra ou expande. Uma analítica do poder levanta, portanto, a questão não do que é o poder, mas de como ele é exercido e, mais precisamente, em

---

419 Reni Eddo-Lodge, *Why I'm No Longer Talking to White People About Race*, op. cit.
420 Michel Foucault, "Sexualité et pouvoir", in *Dits et écrits II. 1976-1988*, Paris, Quarto Gallimard, 200, pp. 552-570.

que consistem suas relações, seus/suas atores/as, suas intensidades e seus mecanismos. O poder é definido nesses termos em *A vontade de saber*.

> Parece-me que se deve compreender o poder, primeiro, como a multiplicidade de correlações de força imanentes ao domínio onde se exercem e constitutivas de sua organização; o jogo que, através de lutas e afrontamentos incessantes as transforma, reforça, inverte; os apoios que tais correlações de força encontram umas nas outras, formando cadeias ou sistemas ou ao contrário, as defasagens e contradições que as isolam entre si; enfim, as estratégias em que se originam e cujo esboço geral ou cristalização institucional toma corpo nos aparelhos estatais, na formulação da lei, nas hegemonias sociais.[421]

Portanto, o poder é exercido a partir de inúmeros pontos, num jogo de relações desiguais e móveis que atravessam outros tipos de relações - processos econômicos, epistêmicos, relações sexuais e, acrescentaria, relações raciais. Nesse sentido, as relações de poder são ao mesmo tempo intencionais, não subjetivas e táticas: "a lógica ainda é perfeitamente clara, as miras de- cifráveis e, contudo, acontece que não tem mais ninguém que as concebeu e poucos que as formulam."[422]

Essa dimensão do poder disciplinar se manifesta, como mostra Foucault em *Vigiar e punir*, por meio de uma tecnologia política do corpo, treinado, investido, afetado, dirigido, supliciado, submetido a marcas, cerimônias e sistemas de signos. Vira, pois, uma força útil, produtiva e sujeitada, moldada por normas de reconhecimento do normal e do patológico e, acrescentaria, do central e do periférico, do majoritário e do minorizado.

Vale observar, em primeiro lugar, que o contrato racial, por meio da extensão de seus signatários, não permite que o poder seja atribuído a nenhum indivíduo, grupo ou instituição. As formas como as relações sociais de raça prevalecem hoje não estão mais, em sua maioria, diretamente inscritas em teorizações pseudocientíficas ou legislações racistas, identificando uma comunidade de dominadores/as, e um grupo de dominados/as. Embora a dominação ainda esteja presente em muitos aspectos, o racismo não se limita a ela, mas depende de múltiplas relações de poder que atravessam uma variedade de lugares e contextos: educação, saúde, acesso ao emprego ou à moradia, à justiça etc. O racismo como sistema de poder não é, portanto, prerrogativa de um grupo específico, nem deriva de um ou mais órgãos centrais identificáveis (embora certas instituições, como a polícia, reflitam sua presença efetiva).

---

[421] Michel Foucault, *História da sexualidade. Volume I. A Vontade de saber*, Rio de Janeiro, GRAAL, 1999, pp. 88-89.
[422] Ibid., p. 91.

Nem pertence a uma classe, nem está localizado no aparato do Estado, nem é relativo a um modo de produção.

O racismo sistêmico, baseado em relações discriminatórias espalhadas, distribui privilégios e marginalizações de forma diferenciada, afetando vários aspectos da vida de determinados grupos (trajetória escolar, emprego, moradia, relações com as autoridades etc.), sem visá-los diretamente. Trata-se de uma máquina que produz desigualdades dispersas incidindo sobre as prerrogativas materiais e simbólicas, e consistindo em práticas comuns não questionadas, microagressões (olhares, comentários ou, ao contrário, falta de reconhecimento), piadas (que invocam estereótipos raciais), silêncios (diante de maus-tratos racistas) etc. Esse processo, intencional e não necessariamente subjetivo, geralmente ocorre sem o conhecimento dos indivíduos, e suas táticas se inserem numa tradição histórica e política.

Ademais, a racização e a branquitude são relacionais: o privilégio branco faz com que as vantagens recebidas por aqueles/as percebidos/as como brancos/as sejam a contrapartida da discriminação sofrida pelas pessoas racizadas. Sendo o racismo uma relação de poder que implica desconhecer a posição ocupada nas relações sociais de raça, se trata, pois, de uma relacionalidade que ignora a si mesma. A angústia de ser sitiado/a e miscigenado/a e o sentimento de obsidionalidade expressado pelos denunciadores/as do "racismo antibranco" são simplesmente uma insistência em perpetuar essa relacionalidade, uma manutenção das relações de poder quando estas arriscam ser desestabilizadas.

Por fim, o adestramento do corpo diretamente imerso na política, sujeito a sistemas de signos e dirigido por relações de poder, aparece no branqueamento das pessoas racizadas. Nas relações de poder do racismo, os corpos racizados são construídos como inapropriados, intempestivos, fora do seu espaço, enquanto os corpos brancos permanecem apropriados, sempre em casa. A lactificação, uma máscara branca sem reconhecimento possível, aprisiona as pessoas racizadas em normas estéticas e morais que confirmam a superioridade do corpo branco, cujo domínio só poderão escapar pelo contropoder consistindo em valorizar o corpo racizado.

Conduzir a conduta

Em *Vigiar e punir* e posteriormente em *A vontade de saber*, Foucault refutou a ideia de que o poder deriva apenas do paradigma jurídico da repressão baseado na lei e na negação. O modelo jurídico oculta as estratégias de normalização que estão na raiz do poder disciplinar. O poder não é intrínseca nem exclusivamente negativo, mas também positivo e produtivo: gera possibilidades de ação, escolhas e condições de exercício da liberdade.

O objetivo dos mecanismos de vigilância inerentes ao poder disciplinar é aumentar a eficácia dos indivíduos, treiná-los, e moldar suas capacidades através de sistemas de disciplina. No que diz respeito à sexualidade, por exemplo, as proibições das sociedades ocidentais são acompanhadas por uma inflação de discursos científicos e institucionais sobre a sexualidade, garantindo seu controle através da proliferação de campos que analisam, classificam e controlam todas as práticas sexuais, e assim instituem o dispositivo de sexualidade.

Na França, esses mecanismos produtivos se manifestam por exemplo no conjunto de leis e disposições relativas à raça, desde o Código Negro (*Code noir*) até as leis raciais de Vichy, passando pelos códigos autóctones (*codes indigènes*) e pelos mecanismos de atribuição de nacionalidade. Mais do que simplesmente reprimir os/as não-brancos/as, esse aparato produz uma segregação ativamente inscrita no espaço social e político, nas representações e nos processos psíquicos de subjetivação. Mais recentemente, na França, a recusa do vínculo entre racismo e história colonial, a rejeição da categoria de "raça", a invisibilização do racismo sistêmico, a negação da discriminação sofrida pelas pessoas racizadas ou a promoção de um universalismo indiferente à cor, são todos mecanismos produtivos. Embora perpetuem o racismo de outra forma (invalidando as experiências das pessoas racizadas), eles fabricam positivamente a ideia de uma nação livre de relações sociais de raça e combatendo ativamente o racismo (psicológico ou ideológico) por um conjunto de leis. Essa é uma das primeiras formas que o racismo assume como conduta da conduta.

Pois o exercício do poder, argumenta Foucault, não é simplesmente uma relação entre "parceiros", individuais ou coletivos, mas um modo de ação de alguns/algumas sobre a ação possível, presente, futura ou real de outros/as. Nesse sentido, o poder difere de uma relação de violência que força, quebra e visa apenas anular a resistência. Ao contrário, o poder implica que o/a outro/a (sobre quem age) seja reconhecido/a e mantido/a como sujeito da ação, e que um campo de possíveis respostas, reações, efeitos e invenções se abra diante do poder. O exercício do poder consiste em conduzir condutas, governar e estruturar o campo de ação dos/as outros/as: portanto, implica sujeitos livres que disponham de uma soma de possibilidades, comportamentos e reações.

Talvez seja necessário começar discordando num aspecto. Foucault considera que a escravidão não é uma relação de poder, porque o poder se exerce sobre sujeitos "livres", que dispõem de uma gama de possíveis reações e modos de comportamento: "A escravidão não é uma relação de poder quando um homem está preso a ferros (nesse caso, é uma relação física de coerção), mas precisamente quando ele pode se movimentar e, em última instância, escapar."[423]

---

[423] Michel Foucault, "Le sujet et le pouvoir", in *Dits et écrit II. 1976-1988*, Paris, Quarto Gallimard, 2001, pp. 1056-1057. Minha tradução.

Essa capacidade de se movimentar ou escapar atravessou toda a história da escravidão: determinou os destinos de *marronnage* (fuga), rebelião, resistência, criação de sociedades autônomas escondidas, e um conjunto de prerrogativas muitas vezes condenadas ao esquecimento. Para que a condição violentamente imposta de escravidão, mais do que o estado supostamente natural de escravo, fosse aceita, era necessário um poder que determinasse as ações e reações dos/as escravos/as: levando-os/as a se reconhecerem como subpessoas, obtendo uma abnegação moral e ideológica em vez de apenas uma submissão a ferro e chicote. De acordo com Charles Mills, os termos do contrato de escravidão exigem que o escravo negue permanentemente seu estatuto[424] de pessoa, uma condição mais difícil de alcançar do que os vários estatutos de subpessoa impostos pelo contrato de expropriação (no qual a pessoa racizada é morta ou confinada a um espaço separado) ou pelo contrato colonial (no qual a pessoa colonizada, um/a "menor", ainda alimenta a esperança de um dia se tornar maior). O escravo, argumenta Frederick Douglas, "deve ser levado a pensar que a escravidão é justa; e ele só pode ser induzido a admitir isso quando deixa de ser um homem".[425] Conduzir a sua conduta consiste em obscurecer a sua visão moral e intelectual a fim de aniquilar a sua razão e lhe impedir ver qualquer incoerência em sua servidão.

Nesses três sistemas (escravidão, expropriação, colonização), o racismo atua como uma ação sobre a ação: cria um espaço de manobra que pode levar à rebelião. Esse espaço de ação sempre aberto explica a violência sem precedentes das reações às resistências indígenas, às revoltas de escravos/as, às rebeliões, motins e insurreições de trabalhadores/as forçados/as, às lutas anticoloniais e contra os sistemas de *apartheid*: todas formas de reprimir, por terror, qualquer ação que ameace a ordem branca. Portanto, o racismo como sistema de poder implica a internalização de uma hierarquia dos povos, produzindo a subjugação dos/as colonizados/as por meio de um ódio de si e uma deferência para com os/as colonizadores/as.

Essa conduta da conduta parece ser perpetuada pelo racismo sistêmico, que, por meio de práticas de discriminação direta e indireta, produz uma internalização da estratificação social que afeta o curso de vida de todos os membros de um grupo social. Essa é provavelmente a razão pela qual muitas pessoas racizadas ainda renunciam a seguir carreiras educacionais e profissionais que consideram, por convicção internalizada, bem distantes do seu capital cultural, simbólico e econômico. Talvez essa também seja a origem da convicção, própria a vários/as descendentes de migrantes, de que precisam se esforçar muito mais do que os/as outros/as para ter sucesso acadêmico e social.

---

424 Charles Mills, *The Racial Contract*, op. cit.
425 Frederick Douglass, *Narrative of the Life of Frederick Douglass, an American Slave*, New York, Viking Penguin, 1982, p. 135, *apud*. Charles Mills, *The Racial Contract*, op. cit. Minha tradução.

O racismo como conduta da conduta também assume outras formas. Cinco pontos são apresentados por Foucault para estudar a forma como um poder se exerce:[426] diferenciações hierárquicas, objetivos perseguidos, modalidades instrumentais, formas de institucionalização e graus de racionalização do poder.

1. Todas as relações de poder envolvem diferenciações, nas quais se baseiam e que elas produzem ao mesmo tempo: transformadas em hierarquias, essas diferenciações permitem agir sobre as ações dos outros. No centro do contrato racial, os/as não brancos/as, indígenas, escravizados/as ou colonizados/as, recebem um estatuto jurídico e social claramente distinto daquele dos/as brancos/as. Embora essa discriminação jurídica já tenha sido abolida nas sociedades ditas democráticas, permanece uma diferença irredutível na distribuição internacional do trabalho e das riquezas. Os/as cidadãos-ãs de países do Norte ou do Sul global não circulam da mesma forma: a obtenção de um visto depende de inúmeras condições econômicas, geopolíticas e diplomáticas.

Outro grau de diferenciação é que as disparidades econômicas na apropriação de riquezas e bens mencionadas por Foucault são claramente perceptíveis nas sociedades atravessadas pela raça: estatisticamente, no continente americano ou nas antigas metrópoles europeias, a racização (como indígena, afrodescendente, descendente de migrante ou imigrante) é frequentemente acompanhada por uma condição econômica inferior. Ademais, a xenofobia e o racismo se fundamentam na competição socioeconômica entre grupos, isso é numa injustiça econômica e no medo que seja revogada (como no mito da "grande substituição"). Thomas Piketty enfatiza esse aspecto ao afirmar que uma verdadeira justiça racial não pode ocorrer sem justiça econômica: "As categorias raciais são sempre categorias sociorraciais, que usam as genealogias e os temperamentos atribuídos a uns e a outros para estruturar as relações entre grupos sociais e a desigualdade social em geral."[427] De acordo com a análise desse economista, o sistema escolar e universitário francês consegue, detrás do discurso oficial uma igualdade "republicana", investir de três a quatro vezes mais recursos públicos por aluno/a nos percursos seletivos ("classes préparatoires" e "Grandes Écoles"[428]) do que nos percursos universitários regulares. As desigualdades sociais (os alunos de percursos seletivos são, em média, de origem social mais privilegiada) e, por conseguinte, étnico-raciais, são reforçadas pelos fundos públicos. Eis uma das fontes das "diferenças em qualificações e habilidades" destacadas por Foucault.

---

[426] Michel Foucault, "Le sujet et le pouvoir", op. cit.
[427] Thomas Piketty, *Mesurer le racisme, vaincre les discriminations*, Paris, Seuil, 2022. Minha tradução.
[428] Na França, existe um sistema acadêmico duplo: após o diploma de ensino médio, os/as estudantes podem se candidatar diretamente à universidade ou passar por uma "classe préparatoire" (curso preparatório) com duração de dois anos ou mais, que os/as prepara para um exame de admissão altamente seletivo para uma Grande École. Há três tipos de Grandes Écoles: literárias (École Normale Supérieure, Sciences-Po etc.), científicas (École Polytechnique de Télécommunications, École Nationale des Ponts et Chaussées, École Mines, École Normale Supérieure etc.), e comerciais (Hautes Études Commerciales, École Supérieure des Sciences Économiques et Commerciales, École des Hautes Études Commerciales du Nord etc.).

Por fim, as "diferenças linguísticas e culturais" mencionadas por Foucault são claramente ressaltadas pelo racismo ordinário, isso é por negrofobia e islamofobia: se inserem no mito de um "choque entre civilizações" e na ideia de que algumas culturas são emancipadas, progressistas e universalistas, enquanto outras são atrasadas e reacionárias. Com base nesses preconceitos culturais, as línguas árabes e africanas costumam ser muito menos valorizadas do que as línguas europeias.

2. O segundo elemento da análise foucaultiana do poder diz respeito ao tipo de objetivos perseguidos por aqueles que agem sobre as ações dos outros. De modo geral, o alvo continua sendo a manutenção do contrato racial, nas suas formas renovadas: preservação do privilégio branco e epistemologia da ignorância, mas também permanência de uma organização sócio-racial particular.

Aqui aparece a função do racismo descrita por Grada Kilomba: restabelecer uma ordem colonial passada, reinstituir um ritual de ocupação colonial que nega toda e qualquer ideia de perda do passado. O racismo obedece ao desejo violento de manter o sujeito racizado sob dependência e controle:

> *É um ato invasivo com elementos de dependência: o sujeito branco pergunta e o sujeito negro responde, o sujeito branco pede e o sujeito negro explica, o sujeito branco exige e o sujeito negro elucida. Podemos explicar, mas é preciso ver que, para o racismo, o objetivo não é entender, mas possuir e controlar. Em outras palavras, o objetivo não é encontrar uma resposta, mas perpetuar o ato divertido de manter o sujeito negro dependente do eu branco.*[429]

3. O terceiro elemento da análise foucaultiana abrange as modalidades instrumentais do poder: esse é exercido por meio de armas, efeitos do discurso, disparidades econômicas, mecanismos de controle ou regras que podem ou não ser explícitas ou permanentes. Fora dos sistemas jurídicos caducados de segregação e *apartheid*, hoje são os "efeitos do discurso" que constituem as modalidades do racismo. Como aponta Grada Kilomba, uma série de discursos - um termo que aqui se refere a palavras, imagens, gestos, ações, olhares e instituições - constituem o sujeito negro não apenas como o outro, mas como a alteridade, uma personificação dos aspectos recalcados da sociedade branca.[430] O/A racizado/a, um/a outro/a indesejado/a, intruso/a, perigoso/a, violento/a, sujo/a, excitado/a, selvagem, natural, exótico/a, se torna uma tela de projeção das fantasias da sociedade branca. Preso nessa alteridade, o sujeito racizado passa a performar o papel de representante do seu grupo étnico-racial: essa conduta da sua conduta lhe nega qualquer singularidade subjetiva. Esta redução à alteridade pode assumir formas de

---

[429] Grada Kilomba, *Memórias da plantação*, op. cit, pp. 228-229.
[430] Ibid., p. 78.

infantilização, primitivização, incivilização, animalização ou erotização exotizante que desumanizam o sujeito racizado.

4. A analítica foucaultiana implica considerar, num quarto nível, as formas de institucionalização do poder: disposições tradicionais, estruturas jurídicas, fenômenos de hábito ou de moda, ou sistemas complexos com múltiplos aparatos, como no caso do Estado. No que diz respeito ao racismo sistêmico, considerarei aqui apenas exemplos de fenômenos de hábito. Grada Kilomba relata a memória de uma visita ao médico aos treze anos de idade, quando, terminada a consulta, ele lhe sugeriu acompanhá-lo com a esposa e os filhos nas férias à beira-mar para cozinhar, limpar e lavar a roupa. Entre essas várias atividades, afirmou o médico, ela poderia ir à praia e se divertir à vontade. A relação médico-paciente foi transformada aqui numa relação mestre-serva: o adulto branco abordou a adolescente negra numa tripla minorização (de gênero, idade e raça) e lhe dirigiu um pedido que ele não teria podido direcionar a um homem racizado ou a uma mulher branca.[431] As formas de institucionalização do racismo por meio do hábito e da moda reúnem diferentes concepções, como os mitos da mulher negra disponível, do homem negro infantilizado, da mulher muçulmana oprimida, do homem muçulmano agressivo, da mulher branca emancipada ou do homem branco liberal.

Essas práticas são acompanhadas pelo que Grada Kilomba chama de "política do espaço": por exemplo, perguntar às pessoas racizadas qual é a sua origem, uma forma de questionar indiretamente sua legitimidade a estar num espaço nacional determinado. Outro exemplo dessa relação de poder exercida de acordo com o hábito é quando Alicia, uma entrevistada de Grada Kilomba, comenta sua situação de mulher negra com uma das suas amigas brancas, que responde: "Mas para mim, você não é negra". O que costumava ocupar o centro do palco no racismo direto é subitamente invisibilizado aqui: ser negro/a só é admitido na consciência por meio da negação, e esse mecanismo também se aplica a todos os tipos de discriminação associados a essa racização.[432]

Por último, outra forma assumida pelas modalidades de exercício do poder pelo hábito ou pela moda é o elogio da diferença naturalizada e essencializada. Grada Kilomba relata o recente fascínio pelo cabelo africano (antes considerado pouco atraente): o cabelo de suas entrevistadas é alternativamente tocado, questionado quanto à sua limpeza e aparência ("Como você lava seu cabelo?", "Você o penteia?") ou associado a uma profusão de imagens coloniais exóticas.[433]

A exaltação fetichizada da diferença assume uma forma muito clara no relato de uma entrevistada: ao acompanhar o seu namorado branco à casa da professora de piano dele, ela é insultada pela filha da professora nos termos

---
431 Ibid., pp. 87-90.
432 Ibid., pp. 141-143.
433 Ibid., p. 131.

seguintes: "Que n. linda! Olha como essa n. é linda! Veja como ela é linda! E que olhos lindos essa n. tem! E que pele linda essa n. tem! Eu também quero ser uma n.!"[434] A mãe, constrangida, reage explicando à filha que as pessoas são diferentes, que existem negros e judeus, e que isso é maravilhoso. A pessoa entrevistada, inicialmente alvo de desprezo e ofensa, se torna um objeto de educação para a criança: em ambos os casos, ela satisfaz as expectativas dos/as espectadores/as brancos/as. Além disso, as diferenças entre os indivíduos são explicadas aqui em termos estéticos e não políticos, numa inversão dos processos de racização:

> A garotinha aprende que '*Outras/os*' raciais tornam-se diferentes porque têm aparências diferentes, não porque são tratadas/os de modo diferenciado. A enunciação da diferença é construída de uma forma que supõe que grupos racializados são uma ocorrência preexistente, em vez de uma consequência do racismo. Como resultado, a menina é ensinada que pessoas sofrem discriminação porque são diferentes, quando na verdade é o contrário: as pessoas se tornam diferentes através do processo de discriminação. Kathleen não é uma N. por causa do seu corpo *negro*, mas ela se torna uma através dos discursos racistas fixados na cor da sua pele.[435]

O fenômeno da moda aqui consiste na exaltação estetizada e despolitizada da diferença e da diversidade, que ontologiza as singularidades do corpo negro ou branco, enquanto invisibiliza o sistema sociopolítico que produz as diferenças.

5. Esse último exemplo dá uma ideia das elaborações, transformações e organizações pelas quais passa uma relação de poder: esse é o quinto ponto da analítica foucaultiana do poder, chamado "graus de racionalização".[436] O poder não é um fato bruto ou um dado institucional que não evolui; deve passar por mudanças e ajustes para ser eficaz. É o que acontece com a evolução do racismo na França, que passa de um racismo oficial do Estado, com seus mecanismos jurídicos, doutrinários e institucionais, para uma indiferença à cor (*colour-blindness*) que recusa a expressão própria da experiência racizada, e para um universalismo performativo.

Em todas essas formas de exercício do poder - diferenciações transformadas em hierarquias, tipos de objetivos perseguidos, modalidades instrumentais de exercício do poder, formas de institucionalização e graus de racionalização, - o racismo sempre possibilita, de várias maneiras, determinar a ação - e a reação - das pessoas racizadas. É precisamente essa conduta da conduta

---

434 Ibid., p. 155.
435 Ibid., pp. 165-166.
436 Michel Foucault, "Le sujet et le pouvoir", op. cit., p. 1059.

que uma elaboração analítica visa remover, para restaurar uma agentividade na qual o sujeito não é totalmente agido por uma forma de poder.

Inventar sujeitos

O poder cria sujeitos: não se aplica a sujeitos preexistentes, mas circula por eles, produzindo-os e instituindo-os como sujeitos. Se exerce sobre a vida cotidiana imediata, classifica os indivíduos em categorias, os vincula a uma identidade e "lhes impõe uma lei de verdade que devem reconhecer e que os outros devem reconhecer neles".[437] O poder subjuga e subjetiva: transforma os indivíduos em sujeitos submetidos ao controle e amarrados à sua identidade pelo desejo de se conhecerem a si mesmos.

Na forma moderna do Estado, argumenta Foucault, a salvação inerente ao poder pastoral - o poder que liga um pastor, guia religioso, ao seu rebanho de seguidores - é substituída por um imperativo de autoexploração aprofundada dos indivíduos. As lutas contemporâneas contra o poder visam rejeitar essas prescrições de identidade, a fim de imaginar e construir o que cada indivíduo poderia ser. De acordo com Foucault, o problema político, ético, social e filosófico consiste em tentar se libertar desse tipo de individualização e promover novas formas de subjetividade: esse objetivo, eu acrescentaria, também é claramente psicanalítico.

Para pensar a branquitude, Ladelle Mc Worther e Maxime Cervulle retomam a ideia de que o poder constitui os sujeitos sobre os quais é exercido, atribuindo-lhes uma identidade particular.[438] De acordo com esses autores, os estudos sobre a branquitude geralmente falham seu alvo, tanto analítica quanto politicamente: adotam uma concepção jurídica do poder, que simplesmente não dá conta da maneira como ele opera nas sociedades industrializadas modernas, especialmente no que diz respeito à dimensão biopolítica da opressão racial. A questão aqui é distinguir a noção de privilégio branco de uma concepção do poder jurídico-monárquico: esse privilégio não é detido por um sujeito soberano que lhe é anterior, mas aparece como o efeito de um poder que constitui sujeitos brancos - e, correlativamente, sujeitos racizados.

A análise de Peggy McIntosh, pois, retoma uma concepção jurídico-monárquica do poder e não permite dar conta da produção e da manutenção de subjetividades brancas em regimes de poder racistas. Essa perspectiva individualiza a questão ao representar um sujeito carregando uma mochila de privilégios concebidos como posses. O problema consiste em considerar o

---

437 Ibid., p. 1046.
438 Ladelle Mc Worther, "Where do White People Come From? A Foucaltian Critique of Whiteness Studies", *Philosophy and Social Criticism*, v. 31, N°5-6, 2005, pp. 533-556; et Maxime Cervulle, *Dans le blanc des yeux. Diversité, racisme et médias*, op. cit.

racismo como uma distribuição desigual de bens sociais, quando ele consiste num vasto sistema institucionalizado de controle social que produz sujeitos com identidades designadas. Para lutar contra esse sistema, portanto, não se trata de se desfazer ou livrar de bens não merecidos (o privilégio branco), o que focaria uma culpa branca, mas de procurar transformar os sistemas sociais e perturbar as redes de poder.

De fato, argumentaria, se concebermos que o racismo pode funcionar perfeitamente bem na ausência de sujeitos explicitamente racistas, é importante então analisar como esse sistema produz modos relacionais, com base em discursos, representações, prerrogativas materiais e simbólicas, designações de identidade, ocupações de espaço e considerações de si mesmo, conscientes e inconscientes, que criam sujeitos brancos ou racizados. E talvez essa seja a maneira de evitar o diálogo de surdos entre pessoas racizadas apontando o privilégio branco para sujeitos brancos, e brancos/as se refugiando na recusa ("não sou racista", "me recuso a ser particularizado/a e chamado/a de branco"), na culpa ("como é moralmente difícil aceitar que eu desfrute do que os outros não têm!") ou na agressão que frequentemente resulta dela. A desconstrução do racismo deve, portanto, ser despersonalizada: se trata de desviar a atenção dos sujeitos para o sistema que os produz com suas prerrogativas.

A importância dessa concepção da branquitude e do racismo sistêmico é considerável para uma abordagem psicanalítica. Permite, pois, considerar que um sujeito não precede o sistema racialista que o produz: se subjetiva ao internalizar as normas específicas desse sistema, que o definem como branco ou racizado. Como foi visto, o objetivo do ato analítico é destacar a contingência dessas normas, mas também interromper algo da repetição pela qual esse sujeito se produz regularmente, em particular no espaço da transferência.

Resistir em contra e a favor...

Por último, a característica do poder, segundo Foucault, é que ele produz resistência. O que escapa das relações de poder não ocupa um lugar inacessível ao poder, mas representa tanto sua condição de apoio quanto seu limite:

> Não há relações de poder sem resistências: (...) essas são ainda mais reais e eficazes ao se formarem lá onde as relações de poder são exercidas; a resistência ao poder não precisa vir de outro lugar para ser real, e não está tramada por ser compatriota do poder. Ela existe ainda mais porque está onde o poder está; é, portanto, como o poder, múltipla e pode ser integrada a estratégias globais.[439]

---

[439] Michel Foucault, "Pouvoirs et stratégies", in *Dits et écrits II, 1976-1988,* op. cit., p. 425. Minha tradução.

Assim como as relações de poder, as resistências são plurais, espontâneas, móveis e transitórias. Introduzem numa sociedade clivagens que se deslocam, quebram as unidades e provocam novas combinações. Resistir não é apenas negar, mas também criar, transformar e participar ativamente do processo de poder. A resistência se baseia na situação contra a qual está lutando, a fim de ressignificá-la, como pode ser visto na história da homossexualidade psiquiatrizada ou do movimento lésbico.[440] Certas práticas sexuais podem ser vistas como resistência em si ao dispositivo de sexualidade (por exemplo BDSM, *Fist-Fucking* ou práticas das culturas de couro, gays e lésbicas). Consequentemente, o poder e a resistência chamam um ao outro num processo constante de equilíbrio e reformulação mútua, cada um constituindo um limite e um ponto de possível reversão para o outro.

Resistir também significa pensar uma configuração diferente do saber-poder, que propõe uma outra leitura do mundo e de si, como é o caso com Charles Mills: o contrato racial apresenta uma leitura resistente do mundo e do sujeito racizado, que se desprende da miopia inerente a uma posição dominante.[441] Além disso, ao separar a branquitude (*whiteness*) como fenótipo e categoria racial da Branquitude (*Whiteness*) como sistema político e econômico de supremacia racial, essa perspectiva abre um espaço teórico para uma resistência branca ao contrato. O/a renegado/a branco/a, trai, então, a branquitude em nome de uma definição mais ampla do espaço cívico. Essa é a posição de "conscientização" do/a "traidor/a branco/a" desenvolvida por Pierre Tevanian.[442]

No plano pessoal, resistir é lutar, tanto coletiva quanto subjetivamente, contra as designações feitas pelo racismo estrutural. Uma psicanálise foucaultiana, que trabalha com relações de poder e dominação, visa acompanhar os sujeitos na desconstrução das identidades que lhes são designadas, na saída de um tipo de individualização determinado pelo racismo como sistema de poder, e na promoção de novas formas de subjetividade, em resistência. Portanto, o racismo como sistema envolve estratégias de poder e resistência nas quais a concepção foucaultiana do poder se mostra claramente relevante: esse poder é conjunto a uma produção de saber, relacional, produtivo, age sobre a ação do outro, cria um sujeito que não o precede, e suscita resistências. A significância do sujeito é, então, constantemente adiada, enquanto os significados pontuais que ele assume de forma identitária não são mais do que paradas temporárias e contingentes, posicionamentos provisórios, tão arbitrários quanto estratégicos. Essa é, pois, provavelmente a fluidez almejada por um trabalho analítico no espaço do racismo sistêmico.

---

440 Confira "Michel Foucault, une interview: sexe, pouvoir et la politique de l'identité", in *Dits et écrits II. 1976-1984*, op. cit., pp. 1554-1565.
441 Charles Mills, *The Racial Contract*, op. cit.
442 Pierre Tevanian, *La mécanique raciste*, op. cit.

Agora parece pertinente avaliar os efeitos dessa leitura do racismo como relação de poder sobre a transferência analítica.

O poder na sessão: raça e transferência

Pensar os efeitos psíquicos e transferenciais da raça implica, em primeiro lugar, não negar a prevalência do racismo sistêmico no espaço social e, consequentemente, no dispositivo analítico: um trabalho psicanalítico só pode ser realizado se forem levados em conta a composição racial, as relações de poder, e as relações sociais históricas de raça de cada determinado espaço cultural. Caso contrário, a violência social e psíquica de invisibilização do racismo estrutural fica perpetuada no consultório do/a analista.

Também parece apropriado não trabalhar aqui com a ideia de sujeito universal: a branquitude também é um traço identitário, caracterizado por uma posição de privilégio historicamente construída com base na opressão de grupos minoritários. A violência na qual ela se baseia como fenômeno estrutural (e não individual) fica redobrada em seus efeitos psíquicos quando é negada no consultório do/a analista.

Portanto, ao considerar que uma escuta analítica visa desconstruir as relações de poder dentro das quais um sujeito se subjetiva, o/a analista deveria ser, mais do que neutro, antes de tudo antirracista. Vários/as analistas responderão que o espaço do consultório e, de modo ainda mais geral, o inconsciente, é uma "outra cena", completamente distinta do espaço social e político, e sujeita a leis perfeitamente diferentes. Ao contrário, argumentaria que o sujeito do inconsciente está irredutivelmente inscrito num espaço social e político, e que a transferência nunca deixa de relembrar ao/à analista as relações de poder e as relações sociais.

O/a analista certamente não é autor/a de um racismo considerado como estrutural, nem individual nem ideológico, mas sua negligência em relação a essa realidade o/a torna ética ou politicamente responsável por sua manutenção - a indiferença a esse respeito perpetua a opressão. E o/a analista não resolve o problema afirmando não ser racista, porque a questão não é moral nem individual.

Se o racismo é uma invenção da branquitude, que fiquem tranquilizados/as os/as colegas brancos/as: não se trata para o/a analista de sentir nenhuma culpa por ser branco/a, mas de assumir uma responsabilidade. É, aliás, uma atitude que Djamila Ribeiro recomenda adotar na vida cotidiana: "Diferente da culpa que leva à inércia, a responsabilidade leva à ação."[443]

---

[443] Djamila Ribeiro, *Pequeno manual antirracista*, São Paulo, Companhia das Letras, 2019, edição eletrônica.

1. A culpa engessa numa paralisia psíquica; é narcisista e imaginária. Enfocar suas formas e mecanismos equivale a colocar a ênfase no que Kipling chamou de "fardo do homem branco": anteriormente a tarefa de civilizar os povos não europeus, esse fardo aqui vira lamentação de se ter desviado/a nesse empreendimento. É essa culpa que Pascal Bruckner, teorizador do "racismo anti-branco" denuncia, quando ele critica a "autoculpabilização" e o "sentimentalismo terceiro-mundista" de uma parte da esquerda ocidental.[444] Os/as brancos/as mais uma vez ocupam o centro do palco, enquanto as vicissitudes vivenciadas pelos/as racizados/as ficam relegadas a uma segundo plano. O objetivo aqui não é corrigir uma situação social injusta, mas restaurar uma imagem de si.

Como escreve Audre Lorde, a culpa diante da raiva das mulheres negras é apenas outro nome para a impotência: é uma defesa que destrói a comunicação.[445] Estabelece um dispositivo destinado a manter a ignorância, o *statu quo*, e a imutabilidade. É uma forma de evitar, fugir ou até mesmo neutralizar a raiva expressa, neste caso, por mulheres negras frente ao racismo. Perpetua a objetificação de pessoas racizadas, preserva uma cegueira racial e privilégios não questionados. Para o/a analista, a culpa leva apenas a um reforço da posição narcisista, e uma ruptura da regra de abstenção, substituindo o desejo do/a analisando/a pelo seu próprio.

2. A responsabilidade, por outro lado, implica ocupar uma posição de sujeito consciente da própria inclusão num conjunto de estruturas. Ela leva a considerar os efeitos políticos do que se institui na cura. Identificar a posição própria dentro do racismo estrutural é, portanto, uma forma de o/a analista identificar, na análise da transferência, o imaginário a partir do qual ele/a escuta, seus efeitos sobre o que está sendo escutado, e de refletir novamente sobre a transferência simbólica operando nessa situação analítica.

Pois, e essa é a minha hipótese, a transferência psicanalítica se inscreve nas relações de poder que vinculam analista e analisando/a: nesse caso, ela reflete parte das relações sociais de raça. Conceberia, portanto, a análise da transferência simbólica teorizada por Lacan como forma de identificar como o regime de poder atua na relação analisando/a/analista.

Deslocar, incendiar, resistir, repetir

Para traçar a genealogia da distinção feita por Lacan entre transferência imaginária e simbólica, conviria fazer uma breve recapitulação da noção de

---

444 Pascal Bruckner, *Le Sanglot de l'homme blanc. Tiers-monde, culpabilité et haine de soi*, Paris, Seuil, 1983.
445 Audre Lorde, "The Uses of Anger: Women Responding to Racism", in *Sister Outsider*, New York, Ten Speed Press, 1984, edição eletrônica.

transferência. Classicamente, essa noção se refere ao "processo pelo qual os desejos inconscientes se realizam em determinados objetos no âmbito de um certo tipo de relação estabelecida com eles, e eminentemente no âmbito da relação analítica".[446] Concebida como a repetição de protótipos infantis vivenciados com um senso de atualidade, a transferência é geralmente considerada como o que instaura o processo analítico, define as relações entre analista e analisando, e sua resolução caracteriza a conclusão do tratamento. A construção da noção de transferência por Freud passou por uma evolução. Antes de ser considerada por si mesma, a transferência é definida nos *Estudos sobre a histeria* como uma falsa aliança, uma relação errada na qual o afeto do desejo atual endereçado ao/à analista é idêntico ao afeto de um desejo proibido no passado e esquecido. Resulta de uma associação errônea. Mais tarde, na monografia dedicada a Dora[447], a transferência é concebida como repetição de desejos inconscientes e conflitos infantis, substituindo uma pessoa anteriormente importante pela do/a analista.

A transferência também é definida em relação à vida pulsional: a "transferência erótica" para a pessoa do analista é o amor que possibilita a "cura". O narcisismo do/a analisando/a é projetado no/a analista: o/a analisando ama o que falta ao seu eu para se conformar ao seu ideal de eu.[448]

Porém, para Freud, a transferência também está ligada a modalidades de resistência: em primeiro lugar, porque torna possível contornar a resistência ao se apresentar como amor pelo/a analista, mas também porque, paradoxalmente, ela também a reforça.[449] A transferência surge, afirma Freud, quando um complexo patogênico usa a pessoa do/a analista como pretexto para interromper as associações.[450] Nesse caso, a resistência serve de diversão, tal como um incêndio que irrompe durante uma representação teatral[451], e o/a analisando/a só quer ouvir falar de seu amor, exigindo que seja correspondido.

Por último, Freud afina a concepção de transferência como repetição a partir de 1920. Considera que à medida que uma "neurose de transferência" substitui, na cura, a neurose do/a analisando/a, a compulsão de repetição instalada uma vez que a rememoração se esgotou dá lugar a uma perlaboração.[452] A compulsão envolve o/a neurótico, além do princípio do prazer, numa repetição idêntica dos eventos de sua vida infantil. A transferência permite passar dessa repetição imutável para uma repetição-transformação, criando algo novo e inédito na vida psíquica.

---

446 Jean Laplanche, J.-B. Pontalis, *Vocabulaire de psychanalyse*, Paris, P.U.F., 1998, p. 492. Minha tradução.
447 Sigmund Freud, *Fragmento da análise de um caso de histeria*, Edição Standard das Obras Psicológicas Completas de Sigmund Freud, Volume VII (1901-1905).
448 Sigmund Freud, *Sobre o narcisismo: uma introdução*, in ibid., Volume XIV (1914-1016).
449 Sigmund Freud, *A dinâmica da transferência*, in ibid., Volume XII (1911-1913)
450 Ibid.
451 Sigmund Freud, *Observações sobre o amor transferencial*, in ibid., Volume XII (1911-1913).
452 Sigmund Freud, *Além do princípio de prazer*, in ibid., Volume XVIII (1925-1926).

Entre eu e eu?

É com base nessa construção progressiva da transferência – "falso endereçamento", ilusão, amor, resistência, repetição e transformação - que Lacan produz sua distinção entre transferência imaginária e transferência simbólica.

Lacan se posiciona contra a análise das resistências do ego, apresentada, em particular, pelos defensores da *egopsychology*, que visam remembrar uma parcialização fundamental imaginária do sujeito. O eu, conquista de unidade na imagem externa, é meramente uma estrutura de alienação, na concepção lacaniana do "Estágio do Espelho".[453] Portanto, o objetivo é superar a transferência imaginária e o conjunto de noções que ela carrega: repetição de situações antigas ou resistência do/a analisando/a.

A transferência não mobiliza o eu, mas o sujeito: aquele/a que recebe sua própria mensagem do Outro em forma invertida. A análise é, portanto, um contexto de alocução, no qual a escuta e a interpretação evidenciam no discurso do sujeito o lugar em que se realiza, em que é criado por sua própria mensagem invertida. Por meio dessa escuta, o/a analisando/a recebe um esclarecimento de suas designações e identificações.

O alvo do manejo da transferência não é, pois, nem o eu nem a resistência. Os/as defensores/as da *egopsychology* andam atolados/as numa concepção imaginária, escondendo que essa resistência é sua. Tal psicanálise produz apenas a relação de um eu com um eu, na qual a/o analista, trabalhando para se tornar "um aliado da parte saudável do eu do sujeito" está, em última análise, lidando apenas com "o eu do analista"[454] e se coloca "sob o encantamento do seu próprio eu".[455]

Falar, então, de contratransferência significa, segundo Lacan, se limitar a essa transferência imaginária: é uma "impropriedade conceitual"[456], até mesmo uma "renúncia do analista".[457] Como função do eu do/a analista, a contratransferência é a "soma dos preconceitos, paixões, constrangimentos e até mesmo insuficiente informação do analista num determinado momento do processo dialético".[458] A resposta ao racismo sistêmico por culpa, recusa (indiferença à cor e universalismo), projeção ("racismo antibranco") ou até mesmo autoglorificação de ser racizado/a confina o/a analista ao "brilho do seu próprio eu", ao lugar imaginário onde a transferência o coloca.

---

453 Jacques Lacan, "Le stade du miroir comme formateur de la fonction du Je", in *Écrits*, op. cit., pp. 93-100.
454 Jacques Lacan, "Variantes de la cure type", in *Écrits*, p. 338.
455 Ibid., p. 347.
456 Jacques Lacan, "La direction de la cure et les principes de son pouvoir" (1958), in *Écrits*, *op. cit.*, p. 585.
457 Ibid., p. 589.
458 Jacques Lacan, "Interventions sur le transfert", in *Écrits*, op. cit., p. 225. Minha tradução.

Contudo, assinalar essa captura imaginária e emergir desse confronto entre dois eus racizados significa, em primeiro lugar, apontar seus efeitos, sem essencializá-los. Se trata de reconhecer a racialização olhando, por trás dela, para a estrutura simbólica que a determina: entendê-la como uma sedimentação de normas, um sistema relacional de micropoderes, uma circulação de discursividades historicizadas, que, em determinados lugares e momentos, produzem determinados sujeitos (aparecendo na análise como o eus), mas que também podem se configurar de forma diferente. Para transformar, se não essa configuração do poder, pelo menos seus efeitos psíquicos, é necessário revelar sua estruturação simbólica, que, por mais imposta que seja, não deixa de ser contingente. Isso permite que o sujeito identifique a designação pela qual recebe sua mensagem do Outro em forma invertida, e remova sua necessidade prescritiva.

E isso mobiliza a transferência simbólica.

A transferência simbólica

Já no primeiro livro do *Seminário,* Lacan concebe uma transferência que procede necessariamente do Simbólico, pois "sempre que um homem fala a outro de maneira autêntica e plena, há, no sentido literal, transferência, transferência simbólica".[459] Se a transferência participa da economia narcísica do sujeito e se aproxima do amor, é somente na medida em que esse Imaginário é articulado por um Simbólico. O desafio da análise é, portanto, evidenciar a função assumida pelo sujeito nessa troca simbólica, considerando o fato linguístico que liga analisando/a e analista menos como significação do que como endereçamento. Nesse sentido, a transferência do/a analista precede a do/a analisando/a e procede do desejo do/a analista. Isso é o que aparece no livro do *Seminário* sobre a transferência, no qual Lacan apresenta o *Banquete* de Platão como um "relato de sessões psicanalíticas".[460] A transferência, argumenta Lacan, se origina no desejo do/a analista, que ocupa o lugar vazio do desejo do Outro. Ela efetua uma substituição de lugares: o analisando/a, erômeno[461], se torna erasta[462] e coloca o analista na posição de erômeno, como Alcibíades fez com Sócrates. A transferência posiciona o/a analista como aquele que, na crença do/a analisando/a, possui seu *agalma*, objeto precioso, objeto a. Sócrates não se deixa enganar pela tentativa de sedução de Alcibíades: convencido de ser nada mais do que o embrulho do seu objeto precioso, indica para Al-

---

459 Jacques Lacan, *Le Séminaire, Livre I. Les écrits techniques de Freud. 1953-1954*, op. cit., p. 193. Minha tradução.
460 Jacques Lacan, Le Séminaire, Livre VIII, Le Transfert, Paris, Seuil, 2001, p. 21.
461 Nas configurações sexuais afetivas da Grécia clássica, o erômeno é um jovem envolvido num relacionamento amoroso com um homem mais velho: ele é, como Lacan enfatiza no Seminário sobre Transferência, posicionado como o objeto do desejo.
462 O erasta, nessa configuração sexual afetiva, é o homem mais velho: ele é designado por Lacan como o sujeito do desejo.

cibíades que seu *agalma* está em Agaton, revelando o que está em jogo no desejo por trás do amor. Cabe então ao/à analista não perpetuar as relações de poder que se estabelecem quando ele ou ela aparece como quem detém o *agalma* do/a analisando/a.

A transferência simbólica, encontro de dois sujeitos em que um investe o outro com um suposto saber sobre o que lhe é mais íntimo, "é o amor dirigido ao saber".[463] Analisá-la, e essa é minha hipótese, é tentar ver em que estrutura simbólica, em que redes de troca, em que dispositivo, no sentido foucaultiano de discursividades verbais e não verbais, analistas e analisandos/as estão inscritos/as, e o que disso, na situação analítica, se repete ou se renova.

Gostaria agora abordar o que emerge das relações de raça na transferência simbólica.

A raça na transferência

Argumentaria aqui que a transferência simbólica reproduz, na escala da cura, o modo de articulação, em regime de racismo sistêmico, das relações de poder. A questão, no entanto, não é limitar a transferência simbólica apenas às relações sociais de raça, mas considerar o impacto que essas relações, concebidas de forma interseccional, têm na psique e no dispositivo analítico, e como elas se inscrevem na transferência. Não se trata, pois, de preencher a transferência simbólica com conteúdos (raça, gênero, sexualidade, classe), que sempre ameaçam imaginarizá-la, mas de examinar como o endereçamento que ela mobiliza participa dessas relações. No espaço íntimo do consultório do analista, a transferência simbólica reencena o que atravessa o espaço social e cristaliza os jogos de poder. Se trata, portanto, de ver como os distintos critérios da analítica foucaultiana do poder - o nexo poder-saber (1), a relacionalidade (2), a conduta da conduta (3), a produção de sujeitos (4) e de resistências (5) - se manifestam na transferência simbólica e se revelam centrais para seu manejo.

1. Se o analista é um "sujeito suposto saber", desidentificado de todo saber imaginário, o saber precisa ser entendido aqui no sentido foucaultiano de saber-poder. O racismo é acompanhado pela instituição de certos saberes e pela supressão de outros: o contrato racial prescreve normas e disfunções de conhecimento localizadas e globais e institui uma epistemologia da ignorância. Cabe, em primeiro lugar, se interrogar sobre a presença, ou melhor, a ausência marcante dessas questões raciais na literatura analítica. Essa epistemologia

---

[463] Jacques Lacan, "Introduction à l'édition allemande des Écrits", *Autres écrits*, Paris, Seuil, 2001, p. 557-558.

da ignorância é, ademais, reforçada pela baixa representação de autores/as racizados/as ou oriundos/as do Sul global na produção da teoria psicanalítica.[464]

Na sua função de "suposto saber", desidentificado/a de todo saber, o/a analista fica suscetível de acolher o que se contrapõe a essa epistemologia da ignorância, e de se descentrar da subjetivação hegemônica invisibilizada própria à branquitude. Os saberes do mestre e do universitário são questionados aqui quanto à sua branquitude insuspeita. Nesse sentido, a ignorância branca pode ser vista como um conjunto de processos inconscientes - repressões, forclusões, negações, desmentidos, recusas - mecanismos de falha correspondendo ao que André Green chamou de "trabalho do negativo".[465] O negativo é um redobramento da negação, uma ignorância intensificada por uma ignorância da ignorância: é um ponto de opacidade a ser analisado na transferência quando o/a analista tenta definir o posicionamento psíquico e social a partir do qual ele/ela está escutando. Essa análise precisa considerar também a indiferença à cor (*colour-blindness*): o/a analista, racializado/a, recebe analisandos/as racializados/as, e isso define tanto o curso quanto o manejo da transferência. Revelar a ignorância branca significa não idealizar uma função de analista totalmente desvinculada da sua inscrição nas relações sociais de raça.

2. Mas também se trata de não se limitar apenas a esse reconhecimento da racialização, que seria só imaginário. A relacionalidade destacada pela analítica foucaultiana do poder aparece, na transferência simbólica, na forma de um endereçamento. Nessa relacionalidade, é importante distinguir claramente a assimetria específica da situação analítica, do poder do/a analista. A análise não é um processo habitual de comunicação; ela se baseia numa assimetria entre analista e analisando/a, uma ruptura na qual a trama sociocultural e seus códigos simbólicos são designificados. Só um "jogo", uma fluidez nas trocas entre analista e analisando/a, impede que essa ruptura se converta em relação de poder.

Em vez de ser um vetor unidirecional que flui de um/a opressor/a para um/a oprimido/a, o poder é, na perspectiva foucaultiana, um meio fluido, presente em toda relação social, um fluxo reversível que se move, se concentra ou se expande. A análise da transferência simbólica visa, portanto, discernir a forma como esse fluxo aparece no discurso entre analisando/a e analista.

O discurso do/a analisando/a contém, de forma invertida, a mensagem que ele/a recebe do Outro: aqui, o/a analista identifica o lugar onde o sujeito é criado por sua mensagem invertida. O racismo sistêmico atribui ao sujeito um lugar específico de acordo com sua racialização: como isso aparece no posiciona-

---

[464] Com a notável exceção do Brasil, como já foi mencionado, onde muitos/as analistas abordam as questões de raça.
[465] André Green, *Le Travail du négatif*, Paris, Minuit, 1993.

mento do/a analisando/a na transferência? Que mensagem invertida do Outro é identificável aqui? Que tipo de relacionalidade com o/a analista isso estabelece? Se a transferência efetua uma substituição de lugares, com o/a analisando/a, erômeno, se tornando erasta, como essa situação de apego apaixonado, desejoso e demandante ao Outro reproduz posicionamentos na racialização? Em vez de responder ao pedido do/a analisando/a, o analista, de acordo com o que Lacan enfatizou no Seminário sobre a transferência, lhe indica o lugar de seu *agalma*. Em que sistema social e político esses objetos preciosos se encaixam? De acordo com que necessidade eles emergem, e como esse desejo, em busca de sua especificidade subjetiva, pode seguir outros caminhos? Se no centro da transferência está o desejo do/a analista, que precede o do/a analisando/a, como esse desejo está inscrito nas relações de poder de raça, subjetiva, institucional e sistemicamente, e como essas podem ser identificadas em vez de agidas?

3. Esses questionamentos convidam a conceber a transferência através do critério de *conduta de conduta* elaborado por Foucault na sua analítica do poder. Se, como Foucault sustenta, o exercício do poder consiste em agir sobre a ação possível, presente, futura ou atual dos/as outros/as, cabe analisar precisamente esse aspecto, em vez de agi-lo, implementá-lo, na transferência. Eis aqui o dilema enfrentado pelo/a analista no que diz respeito à raça. Por um lado, ele/a acompanha o/a analisando/a na identificação da forma como, enquanto pessoa racializada, ele/a internalizou um estatuto de pessoa plena (branca) ou de subpessoa. A colonialidade, pois, o/a designou à posição de norma da subjetividade (como branco/a), ou de "aspirante a europeu/ia", resgatado/a da barbárie pela missão colonial - ou a uma das posições intermediárias entre esses dois extremos. Numa negação da sua singularidade subjetiva e psíquica, o sujeito racizado é levado a desempenhar, queira ou não, consciente ou inconscientemente, o papel de representante geral do seu grupo étnico-racial, e o sujeito branco induzido a incorporar a posição de representante do universal. Por outro lado, não pode ser a missão do/a analista levar o sujeito a levantar diretamente essas hierarquias: ele/a estaria assim conduzindo sua conduta. Mais uma vez, se trata pelo/a analista de acompanhar o/a analisando/a na identificação de um sistema, de uma estrutura simbólica, sem, no entanto, incitá-lo a agir sobre ela: isso fica à discrição do/a analisando/a e de seu desejo, que só pode aparecer como tal quando se distingue do mandato racial do Outro. Talvez uma solução para esse dilema seja visar a saída do/a analisando/a de uma condição de minoria psíquica, e isso convoca o desejo do/a analista.

Lacan concebe que o desejo do/a analista se concentra no luto de que "não há nenhum objeto que seja mais valioso do que outro".[466] Me afastaria dessa perspectiva aqui para propor que, em vez de ser engolfado por uma idealização

---

[466] Jacques Lacan, *Le Séminaire. Livre VIII. Le transfert...* op. cit., p. 459.

imaginária desse luto, o/a analista pode desejar certos objetos mais do que outros. Entre eles, e certamente se trata do meu desejo como analista, está a fluidez psíquica do/a analisando/a e sua saída de uma condição de minoria. Afinal, ao considerar que o/a analista é mais antirracista do que neutro/a, na sua desconstrução das relações sociais de raça, ele/a escuta a minorização e a forma como o/a analisando/a deseja superá-la, se conformar com ela, ou transformá-la. Portanto, definiria o objetivo de uma cura aqui como restauração da agentividade do/a analisando/a: assumir a sua mensagem em forma invertida significa conseguir inscrever os efeitos psíquicos das relações sociais na contingência, não ser mais agido/a, conduzido/a na sua conduta, mas suscetível de escolha. Essa passagem da necessidade para a contingência ocorre, a meu ver, numa transferência simbólica em que a repetição é acompanhada por uma transformação. A analítica foucaultiana do poder considera, dentro das formas de institucionalização do poder, os fenômenos do hábito e da moda: as perguntas sobre a origem, as piadas racistas, as exotizações do corpo ou a exaltação estetizadora e despolitizada da diferença são exemplos de uma designação racial constantemente repetida. Essas são recorrências que dão ao sujeito um lugar específico no discurso do Outro, suscetível de se repetir na transferência.

Considero que a análise dessa transferência simbólica, na qual aparecem o endereçamento e a mensagem invertida do/a analisando/a, possibilita repetir transformando. O conceito pós-colonial de hibridez teorizado por Homi Bhabha expressa a forma como a repetição pela qual o sujeito, e não o eu - num sentido lacaniano - assume uma mensagem e a reitera, contribui para a criação de novas posturas subjetivas. Homi Bhabha define o *mimetismo (mimicry)* colonial como "desejo de um outro reformado, reconhecível como sujeito de uma diferença que é quase o mesmo, mas não completamente".[467] Ao assumir o mandato colonial, o/a colonizado/a o hibridiza, introduzindo uma torção, uma nuance que atesta a presença conjunta do discurso colonial e das próprias expectativas do/a colonizado/a. Nessa repetição infiel, realizada com um passo para o lado, é introduzida uma subversão daquilo que é repetido, "ameaçando a demanda narcisista da autoridade colonial".[468] Portanto, se o sintoma é uma repetição alienada na qual algo é repetido de forma idêntica sem o sujeito, é essa híbrida repetição/subversão que caracteriza as modalidades da transferência e garante a plasticidade psíquica. Analisar a transferência simbólica implica, portanto, ver como, no âmbito da relação analítca, do endereçamento do/a analisando/a para o/a analista, o sujeito pode efetuar uma repetição transformadora: uma retomada distorcida das mensagens do Outro, que lhe permite se desviar delas e, aqui, subverter as designações raciais.

---

[467] Homi Bhabha, "Du mimétisme et de l'homme: l'ambivalence du discours colonial", in *Les Lieux de la culture*, op. cit., p. 148.
[468] Ibid., p. 152.

4. Isso significa, então, se livrar das capturas imaginárias do eu suscitadas pelo poder, que Foucault chama produção de sujeitos. Pelo contrário, conceberia o sujeito e o sujeito do inconsciente cunhados por Lacan como formas de descentramento do sujeito foucaultiano (o eu) produzido pelo poder.

Promover novas formas de subjetividade, como Foucault sugere, pode significar se libertar desse tipo de individualização do eu designado a uma identidade racializada, construído imaginariamente por uma história individual e coletiva com efeitos inconscientes. Além do reconhecimento necessário da racialização, que mencionei anteriormente, não se trata aqui do eu racializado do/a analisando/a, ao qual responderia o eu racializado do/a analista. Isso significaria acreditar na identidade racializada, que, embora tenha efeitos psíquicos consideráveis, não deixa de ser uma construção social. A análise da transferência visa aqui, em vez dessas combinações imaginárias, as modalidades da troca entre analisando/a e analista, o endereçamento nessa relação entre eus, e o funcionamento do sistema que distribui as prerrogativas e minorizações raciais desses eus.

5. Por último, se o poder, na perspectiva foucaultiana, produz resistências, essas devem ser abordadas como formas de elaboração psíquica, e não no sentido clássico de resistência (do eu) em psicanálise. Para Foucault, a resistência é o ponto de apoio, mas também de inversão potencial do poder, da mesma forma que, na transferência, o/a analista, erômeno do/a analisando/a, inverte essa relação apontando para o lugar distinto da *agalma* do/a analisando/a. A repetição subversiva na transferência, a assunção pelo/a analisando/a da sua própria mensagem em forma invertida, possibilita uma resistência, uma desidentificação das designações determinadas pelo racismo como sistema de poder.[469] O sujeito (num sentido lacaniano), despojado de um senso identitário prescrito de forma centrípeta, passa a ser um metonímico deslize de significância, suscetível de designificar a racialização. No entanto, isso só acontece à custa da identificação e da assunção pelo/a analista-a do seu desejo próprio: das paixões que podem atravessá-lo/a, além da idealização fantasmática e, na realidade, verdadeiramente sádica de uma posição de analista objetivo/a, neutro/a, (f)rígido/a, exclusivamente silencioso/a, que alguns/algumas se empenham em encarnar de forma caricatural. Conceber, toscamente, que o/a analista deva tratar o/a analisando/a com distância e frieza, a fim de não responder à sua demanda e deixar os significantes da sua frustração emergirem, equivale a perpetuar as relações de poder, a retirar a análise e seus protagonistas da esfera política, e a fetichizar uma pureza completamente imaginária do/a analista. Ademais, essa distância e frieza permanecem etnocêntricas: elas imitam caricaturalmente um hábito parisiense que não precisa ser imperialmente imposto em Salvador da Bahia,

---

[469] Discutirei esses processos de resistência mais detalhadamente no subcapítulo final.

Rabat ou Buenos Aires, embora isso não agrade os mestres em turnê que procuram pregar sua mensagem europeia no mundo.

Freud e Margareth: releituras

Para esclarecer essa distinção entre transferência imaginária e simbólica, parece oportuno apresentar a releitura por Lacan da análise freudiana da "jovem homossexual"[470] conhecida como *Sidonie Csillag*, e cujo nome verdadeiro era Margareth Csonka-Trautenegg.[471] A releitura que proponho dessa situação ressaltará uma concepção da transferência simbólica como lugar de repetição das relações de poder, em seu imbricamento interseccional. A "psicogênese" desse "caso" de homossexualidade apresentada por Freud é anedótica: depois de ter entrado harmoniosamente no Édipo, impressionada pela comparação dos órgãos genitais do irmão com os seus[472] e sem mostrar sinais de neurose, Margareth se inscreveu na freudiana assunção maternal de feminilidade ao cuidar de uma criança de três anos que ela via regularmente num parque infantil, sob o olhar enternecido dos pais.

Quando seu terceiro irmão nasceu, seu desejo de ter um filho do pai, de acordo com a interpretação freudiana, foi realizado para sua mãe: por consequência, "afastou-se completamente do pai e dos homens. Passado esse primeiro grande revés, abjurou de sua feminilidade e procurou outro objetivo para sua libido".[473] Ao "tornar-se homossexual", entregando os homens à sua mãe, ela "se transformou em homem e tomou a mãe, em lugar do pai, como objeto de amor".[474] Nessa interpretação, que sem dúvida confunde identificação de gênero e orientação sexual por heteronormatividade, a "retirada" em favor da mãe é tanto um benefício quanto um reforço da sua posição. Permite também, pois, que ela se vingue do pai, após o despeito amoroso que ela vivenciou.[475]

Analisando a transferência que se dá aqui, Freud afirma ocupar a posição do pai da jovem e, assim, se tornar o destinatário do seu desafio ou das suas mistificações. De fato, a jovem frequentemente mostra ironia, por exemplo quando, conforme Laurie Laufer aponta, ela propõe cumprimentar Freud com um beijo na mão e ele recusa[476], ou quando ela reage à interpretação de Freud da seguinte maneira:

---

[470] Sigmund Freud, *A psicogênese de um caso de homossexualismo numa mulher*, in *Edição Standard Brasileira das Obras Psicológicas Completas de Sigmund Freud*, op. cit., Volume XVIII (1925-1926).
[471] Sou muito grato à minha amiga e colega Laurie Laufer por ter chamado minha atenção para a releitura por Lacan desse caso de Freud, e a distinção que ele introduz entre transferência imaginária e transferência simbólica.
[472] Sigmund Freud, *A psicogênese de um caso de homossexualismo numa mulher*, op. cit.
[473] Ibid.
[474] Ibid.
[475] Ibid.
[476] Sobre esse assunto, confira o luminoso artigo de Laurie Laufer "Sidonie l'ironiste", em *L'Unebévue*, "Au loin l'Œdipe", 2015, 33, pp. 21-42.

> Certa vez, ao lhe expor uma parte especialmente importante da teoria, que lhe tocava de perto, ela respondeu num tom inimitável, 'Que interessante', como se fosse uma *grande dame* levada a um museu e passando o olhar, através de seu *lorgnon*, por objetos a que era completamente indiferente.[477]

Assim, quando a paciente traz uma série de sonhos nos quais, com alegria, ela se vê amada por um homem com quem tem filhos e, assim, se engaja na mudança desejada para ela, Freud considera essa "transferência positiva"[478] como um engano:

> Advertido por uma ou outra ligeira impressão, disse-lhe certo dia que não acreditava naqueles sonhos, que os encarava como falsos ou hipócritas e que ela pretendia enganar-me, tal como habitualmente enganava o pai. Eu estava certo; após havê-lo esclarecido, esse tipo de sonhos cessou. Mas ainda acredito que, além da intenção de desorientar-me, os sonhos parcialmente expressavam o desejo de conquistar meu favor; eram também uma tentativa de ganhar meu interesse e minha boa opinião, talvez a fim de, posteriormente, desapontar-me mais completamente ainda.[479]

Logo de saída, Lacan aponta o erro nessa interpretação da transferência:[480] Freud reconhece que a jovem está reproduzindo com ele seu desejo de enganar o pai. Entretanto, embora seja verdade que os sonhos são enganosos, é simplista pensar que eles são apenas isso. Ao alertar contra essas ilusões, Freud entra no jogo, "realiza o jogo imaginário"[481] e o torna real. Ao se identificar excessivamente com o pai, ele se limita ao nível do imaginário e não pode escapar do lugar onde sua "contratransferência" o coloca. Ele poderia tê-la usado "com a condição de que ele mesmo não acreditasse nela, ou seja, que ele não estivesse presente nela".[482] O problema, então, não está no que o/a analista sente, mas no uso que ele/a faz disso: as experiências, os afetos e as representações de Freud se referem aqui mais às pessoas envolvidas do que aos processos inconscientes. Eles são apreendidos numa comunicação de eu para eu.

O desejo de enganar se insere numa transferência simbólica, uma modalidade particular de relacionamento instituída entre ambos. Que um sonho

---

477 Ibid.
478 Ibid.
479 Ibid.
480 Jacques Lacan, *Le Séminaire. Livre IV. La relation d'objet-et les structures freudiennes. 1956-1957*, Publicação não comercial. Documento interno da Associação Freudiana.
481 Ibid.
482 Ibid.

relatado numa sessão seja sempre endereçado ao/à analista acontece em dois níveis, ressalta Lacan: o primeiro nível destaca o jogo do engano, "intencionalização pré-consciente", e o segundo se refere "à maneira pela qual o sujeito recebe sua mensagem em forma invertida". Freud não percebe que esse conteúdo do inconsciente lhe é dirigido. E Lacan conclui:

Na transferência, há um elemento imaginário e um elemento simbólico e, consequentemente, uma escolha a ser feita.

A transferência (....) se dá essencialmente no nível da articulação simbólica, (...) falamos de transferência quando algo adquire seu significado pelo fato do analista se tornar o lugar da transferência.[483]

A transferência simbólica dá primazia, mais do que a qualquer significação do dito, ao endereçamento estabelecido pelo dizer. Como Lacan escreve num outro texto, "o que ele [o/a analisando/a] diz 'pode não ter nenhum significado', o que ele *lhe* diz sim".[484] Ao contar esses sonhos a Freud, por mais enganosos que sejam, Margareth lhe traz algo, entra numa perspectiva de dom e contra-dom, e estabelece com ele um relacionamento particular, inscrito em relações sociais específicas de gênero, sexualidade, raça e classe. Esvaziada do imaginário e da especularidade de dois eus, a transferência indica aqui, por meio do endereçamento entendido como mensagem invertida, o lugar inconsciente a partir do qual o sujeito interpela o Outro. Minha tese é que esse lugar está inscrito no contexto político das relações sociais de poder e reproduz alguns aspectos delas com o/a analista.

Assim, em vez de responder, em nível imaginário, "você está tentando me enganar, mas eu não sou enganado", acreditando excessivamente na sua transferência (imaginária), Freud poderia ter perguntado, abordando a transferência simbólica: "Por que você quer me enganar e a quem isso está sendo endereçado?". E, com mais ênfase nas relações de poder, ele poderia ter indagado: "Você está estabelecendo um certo tipo de relação comigo: o que essa relação está tentando negociar e o que está reproduzindo? O que estamos trocando aqui e o que está em jogo? Em que modalidades de poder isso se encaixa? Articulando que saber? Em que relacionalidade? Que subjetividades, a sua e a minha, são assim produzidas e engessadas? Que tipo de resistência está envolvida? Em que tipo de relações sociais isso se inscreve?".

E é o desejo de Freud que dá origem a essa transferência: os sonhos de heterossexualidade feliz da jovem podem, de fato, ser entendidos como uma resposta ao que ela interpreta como desejo por Freud de heterossexualizá-la. Pois, embora Freud de fato diga que se absteve "por completo de oferecer aos pais qualquer perspectiva de realização de seu desejo"[485], ele, no entan-

---

483 Ibid. Minha tradução.
484 Jacques Lacan, "Au-delà du principe de réalité", in *Écrits,* op. cit., p. 82.
485 Sigmund Freud, *A psicogênese de um caso de homossexualismo numa mulher,* op. cit.

to, se identificou, enquanto patriarca vienense, com o pai, no lugar que ele ocupa na própria transferência imaginária. E mais, o que está em jogo aqui é o prestígio da psicanálise. Efetivamente, se Freud aceita atender a jovem por alguns meses, isso não é alheio ao desejo do pai, que está tão determinado a combater o lesbianismo da filha que "a pouca estima em que a psicanálise geralmente é tida em Viena não impediu que se voltasse a ela em busca de auxílio".[486] Assim, os sonhos da jovem parecem ressoar como uma resposta ao desejo de Freud, que por sua vez é uma resposta ao desejo do pai e ao descrédito da psicanálise. Um sistema particular de troca é estabelecido quando ela os confia a Freud, sistema que abrange relações sociais particulares e os diversos aspectos da analítica foucaultiana do poder.

Consideremos as relações sociais de gênero, sexualidade, classe e raça na Viena de 1920, quando Sigmund encontra Margareth. Existe aqui uma tensão entre a minorização de Margareth como mulher jovem, lésbica, diante de um patriarca, e sua pertença a uma classe social bem superior à dele - evidente nas suas manifestações de ironia. Soma-se a isso a racização de ambos/as, como judeu e judia, o que, no entanto, os/as expõe a vulnerabilidades distintas devido às suas condições económicas diversas e, consequentemente, a uma vivência íntima singular disso.[487] Trazer esses sonhos, nos quais se manifesta o desejo de enganar Freud, de seduzi-lo para melhor decepcioná-lo, é uma forma de negociar essas relações sociais, virando-as de cabeça para baixo.

Em termos de gênero, no contexto europeu do novo século, a jovem encontra uma forma de viver sua paixão por sua dama enquanto cumpre com as normas de gênero e sexualidade da época: o sonho permite conciliar o desejo e a proibição.

Essa relação social passa a ser reconfigurada pela relação de raça. A racização que ela compartilha com Freud inscreve sua dádiva dos sonhos numa possível cumplicidade: Freud, um judeu, sabe o que é ser exposto à vulnerabilidade por meio da minorização racial e, mais do que um engano, os sonhos heterossexualizados apelam, interseccionalmente, à sua compreensão das minorizações de gênero e sexualidade que Margareth está tentando negociar. Ademais, em termos de classe, ao se recusar a ser "tratada" por esse indivíduo de classe baixa, ela restabelece a ordem social: ela é que lhe aporta algo, por meio de seus sonhos. Aqui, o endereçamento próprio à transferência simbólica articula um amor desinteressado, como observa Lacan:

Se é verdade que o que é mantido no inconsciente de nossa homossexual é a promessa do pai: 'você terá um filho meu', e se o que ela mostra nesse amor exaltado pela dama é precisamente, como Freud nos diz, o modelo do

---

[486] Ibid.
[487] Margareth se exilou na América Latina quando a ameaça nazista se tornou mais real na Áustria. Consulte I. Rieder, D. Voigt, *Sidonie Csillag, homosexuelle chez Freud, lesbienne dans le siècle*, Paris, EPEL, 2003.

amor absolutamente desinteressado, do amor por nada, vocês não veem que nesse primeiro caso tudo acontece como se a moça quisesse mostrar ao pai o que é o verdadeiro amor, esse amor que o pai lhe recusou?[488]

Se a transferência é amor dirigido ao saber, nesse presente de sonhos a um Freud que não esperava tanto, a jovem articula um amor absolutamente desinteressado[489], o que lhe permite reverter sua designação de mulher.

Em termos de gênero e sexualidade, enquanto lhe é prescrito ser esposa e mãe como recompensa por sua minorização de gênero, ela escolhe ser uma mulher com uma mulher, sem essa compensação. Para Freud e o pai que podem ter dúvidas sobre a necessidade da heterossexualidade, como Freud manifesta ao longo do texto[490], ela propõe um idílio heterossexual reconfortante, que resolve qualquer ameaça a essa ordem sexual. Endereça um amor desinteressado ao saber, afirmando que pode ser psíquica, mas também socialmente lésbica e heterossexual ao mesmo tempo, confirmando a teoria da "bissexualidade psíquica" de Freud, mas também estendendo-a para um nível sociológico. A orientação sexual aparece como semblante, definido por normas de gênero e sexualidade.

Nesse amor desinteressado endereçado ao saber, a raça desempenha um papel central: lembra a Freud que a psicanálise, que ele declara ter pouca estima em Viena, deve essa sua minorização ao fato de ser considerada "ciência judaica". O judaísmo orgulhoso e independente de Margareth pode muito bem ter ajudado Freud a reverter esse estigma. Esse amor desinteressado endereçado por uma judia a um judeu também minimiza os desníveis sociais de gênero, sexualidade e classe entre eles, reduzindo-os a semelhanças mais do que diferenças. E é em termos de relações de classe, de forma puramente graciosa, que ela faz essa oferenda a Freud, sem esperar dele, socialmente inferior, nenhuma "resolução" da sua situação psíquica e social. A transferência simbólica se inscreve, portanto, num verdadeiro confronto entre estratégias de poder e estratégias de resistência. O poder que atravessa as posições de gênero e sexualidade de Freud e Margareth é reproduzido na relação transferencial: produz, como seu limite final e reversão, a resistência de Margareth à sua designação como mulher. O saber que fundamenta esse poder (desenvolvido por Freud sobre as "posições masculina e feminina" ou sobre a homossexualidade) fica assim invertido pelo novo saber que Margareth lhe traz. Os sonhos de Margareth e sua inserção na transferência mostram

---

488 Jacques Lacan, *Le Séminaire. Livre IV. La relation d'objet-et les structures freudiennes. 1956-1957*, op. cit., p. 114. Minha tradução.

489 Sobre esse assunto, consulte Jean Allouch, *L'Ombre de ton chien. Discours psychanalytique, discours lesbien*, Paris, EPEL, 2004.

490 Sobre a questão da "heterossexualização" da jovem que lhe foi pedida, Freud escreveu que "em geral, empreender a conversão de um homossexual plenamente desenvolvido em um heterossexual não oferece muito maiores perspectivas de sucesso que o inverso; exceto que, por boas e práticas razões, o último caso nunca é tentado. (Sigmund Freud, *Psicogenêse...*, op. cit.).

que a conduta da sua conduta pelas normas de gênero e sexualidade também pode ser revertida, abrindo para ela um espaço de manobra psíquica e social. As diferenciações (sociais de classe, gênero e sexualidade) nas quais essa ação sobre ação se apoia, bem como o objetivo de manter uma normatividade por hábito social, são aqui invertidos por Margareth. Pois ela subverte muito claramente seu estatuto de sujeito definido como mulher, esposa e mãe, menina edipiana que espera um filho do pai (na interpretação freudiana), da mesma forma que ela rejeita seu estatuto de inferioridade racial. Sua resistência, ao longo do processo analítico, expressa na transferência simbólica por esse dom de sonhos, recusa a designação de identidade socialmente definida que lhe é imposta, e inventa novas formas de subjetivação.

Todos esses conteúdos - sociais, familiares, íntimos e políticos, conscientes e inconscientes, oriundos da história psíquica e social - se misturam na transferência simbólica. O que mais importa na transferência aqui não é tanto o conteúdo imaginário da intenção (consciente ou inconsciente), mas a estrutura de troca, pela qual as relações sociais de poder são distribuídas e renegociadas. A transferência simbólica se inscreve, portanto, numa rede: analisá-la significa olhar para além da binaridade imaginária racizado/a/branco/a para as estruturas que articulam essas relações, para os seus efeitos psíquicos em termos de saber, relacionalidade, conduta da conduta, subjetivação e resistência, e para o que disso fica reproduzido na análise. Mas, para fazer isso, é preciso considerar o Simbólico como sedimentação de normas sociais des-historicizadas, perfeitamente contingentes na sua construção histórica, e apresentadas, no contexto do racismo estrutural, como necessárias.

Além disso, é evidente que essas relações sociais de raça não intervêm isoladamente na estruturação psíquica e na sessão analítica, mas de forma interseccional, imbricadas com relações sociais de gênero, sexualidade, classe, idade, capacidade etc. Para escutar essa interseccionalidade mais atentamente, que metapsicologia da raça pode ser adotada?

Por uma metapsicologia da raça

Que metapsicologia?

O objetivo de uma metapsicologia da raça implica, sobretudo, tomar nota do racismo estrutural irredutível que pode, consciente e inconscientemente, atravessar a cena analítica. No entanto, não se trata de perpetuar uma metapsicologia do racismo, que só se limitaria a generalizar processos psíquicos definindo um perfil de sujeito racista. Além de perder a singularidade de cada situação, essa metapsicologia omitiria, como foi visto anteriormente, a dimensão política da questão: ao intrapsicologizar o racismo, ela o reduz a uma formação subjetiva individual, o despolitiza e desconsidera sua dimensão estrutural.

Meu interesse aqui não recai sobre uma metapsicologia do racismo ou do sujeito racista, mas sobre uma desenvolvida a partir do racismo como sistema, estrutura, instituição social historicamente situada, invisibilizada como tal e com efeitos psíquicos irredutíveis. Assim, essa metapsicologia procura considerar a raça como seu ponto central, a fim de se descentralizar, se deslocalizar, se desviar e se desterritorializar, um movimento que, aliás, é característico da metapsicologia como ficção teórica. Ela também almeja lançar luz sobre o modo como a metapsicologia habitual (freudiana, lacaniana, winnicottiana etc.) tem limites, por considerar um sujeito historicamente situado, totalmente capturado pela certeza de que a raça não é uma questão para ele ou ela, e acaba assim desqualificando e excluindo aqueles para quem a raça continua sendo uma preocupação central na vida cotidiana.

Essa metapsicologia deslocada participaria, portanto, de uma epistemologia situada que revelaria a dimensão irredutivelmente restrita da metapsicologia pretendidamente universal. Essa, pois, se revela numa experiência predominantemente branca, ocidental, cristã, dominante, colonial (que colonizou e continua marcada pela colonialidade), e correlativamente masculina, hetero e cis-centrada, burguesa.

O objetivo aqui não é desenvolver uma metapsicologia do/a racizado/a ou do/a colonizado/a, o que arriscaria ser essencialista, mas se afastar da metapsicologia do colonizador/branco: levar em consideração não apenas as relações sociais de gênero e sexualidade específicas da Viena do século XIX onde Freud inventou a psicanálise, mas também as de raça. Essa metapsicologia interseccional da raça visa reconsiderar a questão da sexualidade infantil como situada, inscrita em múltiplas relações sociais.

Dessa forma, ela iria além de um certo familialismo da psicanálise: além da primazia do Édipo, a fim de compreender, à maneira de Deleuze e Guattari em L'Anti-Œdipe[491], o desejo individual como um agenciamento. O desejo só surge numa paisagem, um todo que faz sentido no contexto social e político do mundo. Como esses dois autores enfatizam, os movimentos do sujeito desejante e delirante são cósmicos: envolvem a história, a geografia, a política e a economia, os povos e os fluxos. A ordem privada das famílias oculta uma ordem histórico-política, racial, cultural e econômica. Nesse sentido, "cabe à libido delirar as raças":[492] a história coletiva e as histórias subjetivas que dela resultam estão inscritas, mais do que na sexualidade e no dispositivo de sexualidade, na construção da diferença, à qual a raça serve de paradigma. As figuras parentais emergem, portanto, não como pilares indestrutíveis de uma

---
491 G. Deleuze, F. Guattari, L'Anti-Œdipe, Minuit, Paris, 1973.
492 Ibid, p. 117.

metapsicologia familialista, mas como 'sinalizadores", de acordo com Deleuze: pontos de transmissão entre o campo social e político e o sujeito. É por isso que as relações sociais de raça se revelam, nesse contexto, interconectadas com as relações sociais de gênero e sexualidade, mas também de classe: essa consubstancialidade determina relações de poder e dominação que subjetivam os corpos ao sujeitá-los. Como Maël le Garrec[493] ressalta, isso significa entender que o inconsciente é, antes de tudo, racial e que, onde ele parece não sê-lo, como no Édipo, "ele também está lá em virtude de um processo racial, ou precisamente antirracial, de segregação, e de sua negação".[494]

Não usarei o termo raça aqui exatamente no sentido determinado por Deleuze e Guattari, mas adotarei a ideia, nesta iniciativa de uma metapsicologia da raça, de opor os efeitos da raça nos processos psíquicos a uma visão familiarista do inconsciente. Para Deleuze e Guattari, a raça é o não-familiar, a inscrição do sujeito em outra linhagem, "nem uma identidade pré-disponível nem uma causa separada de sua produção, mas o ponto de passagem de uma identificação para outra, como catalisador dessa migração".[495] Ela é uma implosão dos signos familiares e da filiação edipiana, um lugar de diferenciação, o primeiro "desvio-padrão" (*écart type*), reproduzido por outros desvios, como os "sexos, classes, continentes, formas de poder".[496]

Aqui, opto por entender raça mais precisamente como uma relação entre grupos ou indivíduos, inscrita na história ocidental da colonização e da escravidão, com sua produção de branquitude.

Do dispositivo de sexualidade ao dispositivo de raça

Considerar que o inconsciente é, primeiramente, racial, mas de forma interseccional, leva a conceber que o sexual-infantil inventado por Freud no contexto do dispositivo de sexualidade é apenas um aspecto, reduzido, de um racial-infantil, definido como colonial-infantil, que permeia e determina o inconsciente. Pretendo demonstrá-lo agora nesse capítulo.

Freud faz uma clara distinção entre o sexual-infantil e a sexualidade no sentido comum: quando ampliada, a sexualidade

> designa não apenas as atividades e o prazer que dependem do funcionamento do aparelho genital, mas toda uma série de excitações e atividades, presentes desde a infância, que proporcionam um prazer irredutível à satisfação de uma necessidade fisiológica fundamental (respiração, fome, funções

---

[493] M. Le Garrec, "Deleuze et Guattari: le délire parle toujours de race", *Chimères*, v. 96, no. 1, 2020, pp. 186-199.
[494] Ibid., p. 188. Minha tradução.
[495] Ibid., p. 190. Minha tradução.
[496] Ibid., p. 197.

excretoras etc.), e que se encontram como componentes na chamada forma normal do amor sexual.[497]

Entretanto, embora seja diferente da sexualidade, o sexual-infantil, que forma a base da invenção freudiana do inconsciente, se inscreve no dispositivo de sexualidade: a teorização do sexual-infantil é contemporânea à era da classificação das sexualidades. A "moral sexual civilizada"[498] da Viena do início do século XX revela a historicidade da sexualidade concebida como um conjunto de práticas sujeitas a classificações e proibições e, portanto, a historicidade do sexual-infantil, que permanece ligado a esse contexto.

Minha hipótese de leitura aqui é que o dispositivo de sexualidade, próprio à discursividade europeia sobre o sexo desde o final do século XVIII, se baseia numa ocultação nas metrópoles: a raça é recalcada e limitada às colônias. Nas colônias, como nas metrópoles, é um *dispositivo de raça*, consubstancial ao dispositivo de sexualidade, mas independente dele, e invisibilizado na Europa, que forma a base do dispositivo de sexualidade.

Isso fica claro quando Michel Foucault teoriza a relação entre o dispositivo disciplinar e o sistema biopolítico no seu curso *Il faut défendre la société*. Embora o filósofo não mencione explicitamente um dispositivo de raça, sua definição do biopoder permite considerar esse na sua interação com o dispositivo de sexualidade. Nesse curso de 1976, Foucault se propõe retomar a teoria da guerra, princípio histórico do funcionamento do poder, em torno do problema da raça, porque, segundo ele, "foi no binarismo das raças que pela primeira vez no Ocidente surgiu a possibilidade de analisar o poder político como guerra".[499] A análise se estende do século XVI ao século XIX, quando a luta das raças e a luta das classes se tornaram os dois padrões das relações de força específicas da sociedade política. O objetivo deste curso, como em outros textos contemporâneos, é refinar a definição do poder: lançar luz sobre duas formas de poder que escapam ao poder soberano: o poder disciplinar e o biopoder.

O poder disciplinar, um novo mecanismo de poder surgido nos séculos XVII e XVIII, distinto das relações de soberania, diz respeito aos corpos e visa aumentar tanto as forças sujeitadas quanto "a força e a eficácia que as sujeitam".[500] Como ele já havia indicado no primeiro volume da *História da sexualidade*, a transição no século XVIII de uma simbólica do sangue para uma analítica da sexualidade[501] foi acompanhada por um deslocamento da lei e do regime de soberania para a norma e o regime da disciplina. O indivíduo não

---

497 J. Laplanche, J.-B. Pontalis, *Vocabulaire de la psychanalyse*, op. cit, p. 443. Minha tradução.
498 Sigmund Freud, *Moral sexual civilizada e doença nervosa moderna*, in *Edição Standard Brasileira das obras completas*, op. cit., Volume IX (1906-1908).
499 Michel Foucault, *Il faut défendre la société. Cours au Collège de France. 1976*, Paris, EHESS, Gallimard, Seuil, 1997, p. 18. Minha tradução.
500 Ibid., p. 32. Minha tradução.
501 M. Foucault, *Histoire de la sexualité. Tomo I. La volonté de savoir*, Paris, Gallimard, 1976, p. 194.

preexiste à função-sujeito, argumenta Foucault no *Poder psiquiátrico*[502], ele não precede o poder que o constitui como sujeito: a autoridade normalizadora do poder, por meio da vigilância ininterrupta, da escrita contínua e da punição virtual, enquadra os corpos e extrai deles uma psique.

De acordo com Foucault, esse poder disciplinar e os sujeitos que ele gera são contemporâneos da ideia que a guerra é o tecido ininterrupto da história, que ela atua sobre a sociedade e a divide no modo binário de uma "guerra das raças".[503] No século XVII, uma primeira transcrição biológica dessa luta permanente entre as raças se centrou nos movimentos das nacionalidades na Europa, nas suas lutas contra o grande aparato estatal e na política de colonização europeia.[504]

A segunda transcrição dessa guerra de raças, argumenta Foucault, girou em torno do tema da guerra social no século XIX e tendeu a "apagar todos os traços do conflito de raças para defini-lo como uma luta de classe".[505] Em oposição a essa contra-história revolucionária, que transformou o discurso da luta das raças em luta das classes, surgiu um contra-discurso reacionário, pós-evolucionário e biológico-médico de luta pela vida. Ele encenou uma sociedade monista ameaçada por elementos heterogêneos, estrangeiros e infiltrados, cuja integridade, superioridade e pureza de raça deviam ser protegidas pelo Estado. No século XIX, a ideia de pureza da raça substituiu a da luta entre raças, que remontava ao século XVII.

Esse discurso passou a ser o de um poder centralizador construído em torno de uma raça que detinha o poder, contra aqueles que ameaçavam o patrimônio biológico. Os discursos sobre a degeneração e a luta das raças permearam as instituições como princípios de eliminação, segregação e normalização da sociedade. A temática racista virou a estratégia global dos conservadorismos sociais e formou a base de um racismo de Estado, "um racismo interno, da purificação permanente, que será uma das dimensões fundamentais da normalização social".[506] O racismo, afirma Foucault, não é um acidente da política antirrevolucionária do Ocidente, mas sua contrapartida irredutível: "o racismo é, literalmente, o discurso revolucionário, mas pelo avesso", o reavivamento pelo Estado do discurso da luta das raças como um imperativo "para proteger a raça, como uma alternativa e uma barreira ao chamado revolucionário e uma barragem para o apelo revolucionário".[507]

---

502 M. Foucault, *Le Pouvoir psychiatrique*, op. cit, p. 57.
503 M. Foucault, *Il faut défendre la société*, op. cit, p. 51.
504 Se, por exemplo, na história da Inglaterra o discurso da raça é baseado na dualidade de normandos e saxões, na França é a noção de nação que prevalece.
505 Ibid., p. 52.
506 Ibid., p. 53. Minha tradução.
507 Ibid., p. 71.

No século XIX, um racismo de Estado tomou conta do vivo, numa espécie de "estatalização do biológico". Junta e contemporaneamente às tecnologias disciplinares, surgiram tecnologias biopolíticas: as primeiras garantem a distribuição espacial de corpos individuais, aumentam sua força, os treinam e monitoram e propõem uma abordagem anátomo-política do corpo humano. As segundas têm como alvo o ser humano vivo, a espécie humana, e governam os processos de nascimento, mortalidade e longevidade; elas definem uma biopolítica da espécie humana. As tecnologias de treinamento e os mecanismos disciplinares de poder estão, portanto, vinculados a tecnologias de segurança e mecanismos de regulação populacional. A sexualidade, o foco da doença individual e o núcleo da degeneração, representa o ponto em que o corpo e a população se unem, numa sociedade de normalização em que a norma da disciplina e a norma da regulamentação se cruzam. Longe de ser uma anomalia, o racismo é intrínseco à biopolítica do Estado.

O surgimento do biopoder inscreveu, portanto, o racismo nos mecanismos do Estado, de modo que não há "funcionamento moderno do Estado que, em certo momento, em certo limite e em certas condições, não passe pelo racismo".[508] O racismo é a única maneira de criar uma divisão entre aqueles/as que podem viver e aqueles/as que devem morrer. Ele legitima uma divisão biológica dentro da sociedade e vincula a morte (física, social, política) do outro, da "raça inferior (ou do degenerado, ou do anormal)"[509] à condição de fortalecimento da espécie:

> A raça, o racismo, é a condição de aceitabilidade da matança numa sociedade de normalização.
>
> (...) A função assassina do Estado só pode ser assegurada pelo racismo, quando o Estado funcione no modo do biopoder.[510]

O evolucionismo, entendido no sentido amplo de hierarquia das espécies, luta pela vida e seleção, constituiu a forma central de pensar as relações no âmbito da colonização. Assim, o genocídio e os massacres se tornaram a condição para a manutenção da civilização europeia.

Considerar que o biopoder e a centralidade do racismo são inseparáveis do regime disciplinar e da sua regulação da sexualidade significa conceber um dispositivo de raça inseparável do dispositivo de sexualidade. Entretanto, Foucault não é muito explícito sobre os fundamentos coloniais desse entrelaçamento entre raça e sexualidade, como mostra a análise de Ann Laura

---

508 Ibid., p. 304. Minha tradução.
509 Ibid., p. 305.
510 Ibid., p. 306. Minha tradução.

Stoler.[511] Com o objetivo de estender o estudo de Foucault sobre a sexualidade para além do etnocentrismo europeu, a autora destaca a maneira pela qual os contextos coloniais levam a repensar a construção específica da sexualidade europeia.[512] Ela destaca a omissão por Foucault dos corpos coloniais como sitio possível para a construção da sexualidade europeia do século XIX e, portanto, o impacto do racismo na instituição do sujeito burguês europeu. Se a gestão discursiva das práticas sexuais nas colônias era fundamental para a ordem colonial, isso teve efeitos no contexto metropolitano, onde o pensamento racial aplicado nas colônias contribuiu para a construção da identidade burguesa europeia. E mais, além do modelo da confissão, a "verdade sobre o sexo" retomou uma busca pela verdade sobre a raça nas colônias. Ao ignorar as colônias, a história da sexualidade europeia de Foucault não leva em conta as práticas que racializaram os corpos, oferecendo em contrapartida um modelo de corpo saudável, vigoroso e burguês, e inscrevendo a branquitude no autocontrole, na virtude sexual e na prevenção da miscigenação.

Conforme escreve Foucault na *Vontade do saber*, o dispositivo de sexualidade no qual a psicanálise surgiu definiu um ethos burguês caracterizado por práticas de controle sexual e figuras específicas: a histerização do corpo das mulheres, a sexualização do corpo das crianças, a psiquiatrização das perversões e a socialização do comportamento procriativo. De acordo com Ann Laura Stoler, todas essas figuras têm contrapontos eróticos raciais que mobilizaram as energias libidinais de selvagens, primitivos e escravos.[513] Na visão de Ann Laura Stoler, o ethos burguês dependeu fundamentalmente da raça, tanto nas colônias quanto na metrópole. Em sua análise das sensibilidades burguesas dos holandeses, franceses e britânicos, por mais distintas que fossem, ela encontra uma diferença definida em termos de virtude sexual e pureza racial. A falência moral das populações racizadas, mestiças e sem domínio sexual, as distinguia daqueles que, por meio da civilidade burguesa, da autodisciplina e da autodeterminação, estavam destinados a governá-las.

Uma gramática racial implícita sustentava os regimes sexuais da cultura burguesa. A necessidade higiênica de limpar e revigorar o corpo, definida pelo racismo de Estado do século XIX na Europa, se revelou, portanto, muito anterior nas colônias. O mito do sangue que permeava o racismo do século XIX pode ser atribuído a uma preocupação aristocrática com a legitimidade, o sangue puro e a descendência, como analisa Foucault, mas também a uma política colonial de pureza racial, à exclusão da miscigenação e à gestão dos arranjos sexuais entre colonos e colonizados/as de acordo com critérios que combinavam raça, classe e gênero. A definição do corpo burguês europeu nas

---

[511] Ann Laura Stoler, *Race and The Education Of Desire. Foucault's History of Sexuality, and the Colonial Order of Things*, Durham London, Duke University Press, 1995.
[512] Ibid, p. 95.
[513] Ibid, p. 7.

colônias dependia, pois, de um conjunto de relações de exploração sexual e serviços entre homens europeus e mulheres nativas (concubinas, criadas e babás), mulheres europeias e homens nativos (que comprometiam a sua branquitude), crianças europeias e crianças nativas (cuja precocidade sexual ameaçava o desejo burguês europeu branco).[514] O ser europeu foi, portanto, constituído nas colônias pelo valor diferenciado dos corpos, codificado por classe, gênero e raça. Foi a raça que sublinhou as profundas diferenças entre a cultura da classe trabalhadora e a cultura burguesa[515], assim como sustentou a oposição entre as prostitutas, às quais foram atribuídas a sexualidade lasciva e a fisionomia genital das hotentotes da África do Sul, e as mulheres burguesas das colônias e das metrópoles, apresentadas como guardiãs da moralidade.[516]

Essa evidência da consubstancialidade de raça, classe e gênero na definição da sexualidade burguesa europeia permite uma concepção particular do desejo (1) e uma releitura racial da hipótese repressiva destacada por Foucault (2).

1. O primeiro volume da *História da Sexualidade* contesta a ideia de um grande mecanismo central do poder destinado a dizer não ao sexo, a subjugá-lo e a agir sobre ele apenas por meio da repressão. O poder disciplinar, ao contrário, faz proliferar aquilo sobre o qual se exerce. Ann Laura Stoler destaca a maneira pela qual a hipótese repressiva foi construída racialmente e decorria da ideia altamente orientalista de que as colônias permitiam escapar da civilização ocidental que se tornava cada vez mais restritiva.[517] Ainda que, em nome das missões civilizatórias britânicas, francesas e holandesas, a autoridade colonial fosse baseada numa clara distinção entre desejo e razão, impulsividade indígena e autodisciplina branca, luxúria indígena e civilidade europeia, sexualidade transgressiva não reprodutiva e sexo patriótico produtivo, essas linhas de separação nem sempre foram claramente definidas ao nível racial.[518] A identidade burguesa dependia de um conjunto mutável de Outros/as, ao mesmo tempo desejados/as e abjetos/as, disponíveis e proibidos/as, condenados/as por sua diferença, e, porém, tão parecidos/as.[519] A história da sexualidade, argumenta Ann Laura Stoler, não é, portanto, a história do desejo ocidental, mas sim a maneira pela qual o desejo sexual se tornou o critério pelo qual o burguês ocidental se distinguia de um Outro interno e externo. O discurso do século XIX sobre a sexualidade burguesa pode, então, ser considerado como uma extensão do discurso sobre a raça: introduziu a sexualidade respeitável da classe burguesa como defesa contra um Outro interno e externo,

---

514 Ibid., p. 111.
515 Ibid., p. 126.
516 Ibid., p. 128.
517 Ann Laura Stoler, *Race and The Education Of Desire. Foucault's History of Sexuality, and the Colonial Order of Things*, op. cit., p. 173.
518 Ibid., p. 179.
519 Ibid., pp. 192-193.

ao mesmo tempo essencialmente diferente e perigosamente próximo. Portanto, a produção e a distribuição dos desejos no discurso ocidental do século XIX sobre a sexualidade são atravessadas por um conjunto de discursos e práticas anteriores, específicos das tecnologias imperiais de dominação: em seu cerne, a lógica raciocinada da raça, para defender a civilização contra a transgressão.[520]

Assim, se o dispositivo de sexualidade associa a verdade do sujeito a seus desejos sexuais profundos, na demonstração de Ann Laura Stoler é a raça que diferencia os desejos, sua legitimidade e a forma como é produzido um sujeito burguês. Portanto, concluiria, na base do dispositivo de sexualidade está um dispositivo de raça, que o atravessa e lhe é consubstancial. A ordem burguesa europeia do século XIX e o sujeito criado por ela surgem na encruzilhada de codificações pela sexualidade e pela classe, mas também pelo gênero e pela raça. O encontro do poder disciplinar e do biopoder, gerenciando o movimento e a diferenciação das populações por meio da categoria de raça, revela o entrelaçamento da sexualidade e da raça. A leitura de Ann Laura Stoler destaca a maneira como esse entrelaçamento é experimentado inicialmente no laboratório das colônias.

2. Junto com o dispositivo de sexualidade, que multiplica os discursos sobre o sexo, desde sua classificação até sua suposta liberação, há, pois, um dispositivo de raça, que faz proliferar os saberes sobre a raça. Portanto, argumentaria que, assim como o dispositivo de sexualidade desenvolve uma "hipótese repressiva", o dispositivo de raça vem promovendo, desde a segunda metade do século XX, o que poderia ser chamado de "hipótese desmentidora". O dispositivo de sexualidade é caracterizado por dois aspectos: a ideia de que a verdade do sujeito está ligada aos discursos (inclusive os próprios) sobre a sexualidade, e a concepção de que o único meio de ação do poder é a repressão. O dispositivo de raça institui a ideia, inicialmente consciente, clara e estruturante, de uma hierarquia de povos e culturas e das suas prerrogativas simbólicas, sociais e econômicas. Essa ideia, no entanto, é constantemente ocultada e desmentida: esse é o princípio da epistemologia da ignorância anteriormente mencionada. Uma recusa em ver as desigualdades e os abusos é constantemente mantida, em sistemas explicitamente racistas e, depois da Segunda Guerra Mundial, por invisibilização dos efeitos do racismo sistêmico até mesmo em contextos oficialmente antirracistas. Assim como a hipótese repressiva afirma que o sexo é recusado e combatido pelo poder, a hipótese desmentidora afirma que a raça não existe e que o racismo é coisa do passado. No entanto, os efeitos da hierarquização dos corpos pelo racismo e o discurso da suposta luta contra ele continuam a proliferar juntos.

---

520 Ibid., p. 194.

É só reconhecendo esse dispositivo de raça consubstancial e coextensivo com o dispositivo de sexualidade que uma metapsicologia da raça pode, a meu ver, teorizar corretamente o inconsciente. Considerar o dispositivo de raça implica, portanto, que o inconsciente não pode ser concebido apenas com base no sexual-infantil, sob o regime do dispositivo da sexualidade. Parece necessário reintroduzir a raça, a fim de redefinir o sexual infantil por meio do que eu chamaria de "racial infantil" ou "colonial infantil". Se uma gramática racial implícita sustenta os regimes sexuais da cultura burguesa, é preciso pensar aqui o entrelaçamento das questões raciais e sexuais na constituição do inconsciente, que resulta também do poder colonial.

O racial-infantil

Proponho definir esse racial-infantil de acordo com a teorização de Achille Mbembe sobre o "inconsciente racial" e o "devir-negro" do mundo.[521] O "negro", como foi visto anteriormente, é a figura moderna daquele/a "cuja carne foi transformada em coisa e mente em mercadoria"[522], excluído/a, embrutecido/a e degradado/a. A. Mbembe aplica essa figura a todas as humanidades subalternas dentro da globalização do mercado, do neoliberalismo e da circulação diferenciada dos corpos. Generalizada para além da condição exclusiva dos/as africanos/as escravizados/as, para os corpos-objetos, corpos-ferramentas de trabalho perpetuamente descartáveis, essa figura é hoje reconfigurada pela ideologia de segurança que restringe o movimento dos "indesejáveis". Por meio do racismo sistêmico no qual está inserida, ela forma a base para a internalização coletiva e subjetiva de um conjunto de representações historicamente construídas, impostas, e que determinam o que A. Mbembe chama de "inconsciente racial". Esse conjunto de formações discursivas que circulam há cinco séculos distingue as humanidades, transforma a diferença em hierarquia e legitima uma organização extrativista do trabalho e o acesso diferenciado a bens simbólicos e econômicos. Considero esse inconsciente racial como mito-simbólico, uma série de representações majoritárias que produzem efeitos inconscientes singulares, múltiplos e distintos. A característica marcante desse inconsciente racial é a invisibilização que o caracteriza: a raça é perpetuamente apagada no próprio lugar em que é instituída, constantemente invisibilizada ainda hoje.[523] Nos contextos colonial e imperial, mas também pós-colonial e pós-imperial, e nas relações entre o Norte e o Sul Globais, a dimensão principal da raça é seu constante apagamento. Esse desmentido renovado das relações

---

[521] Achille Mbembe, *Critique de la raison nègre*, op. cit.
[522] Ibid.
[523] "O poder racial se expressa, antes de tudo, no fato de que aqueles que escolhemos não ver ou ouvir não podem existir ou falar por si mesmos (...) Aquele que é privado da capacidade de falar por si mesmo é forçado a sempre se considerar, se não como um 'intruso', ou pelo menos a nunca aparecer no campo social, exceto na forma de um 'problema'", ibid.

sociais de raça, descartada das metrópoles durante a era colonial e, hoje, do discurso oficial da luta contra o racismo, produz a subalternização daqueles que não podem falar por si mesmos. Retomarei a hipótese do desmentido desenvolvida por Sophie Mendelsohn e Livio Bonni[524] com mais precisão: o desmentido é coletivo, não por um metafísico "inconsciente coletivo", mas porque o sexual-infantil que constitui o inconsciente, cada vez singular para cada sujeito, é sempre atravessado por um racial-infantil.

Argumentaria que a invenção freudiana do inconsciente com base no sexual - o dispositivo ocidental de sexualidade e as práticas sexuais no centro dos discursos - se baseia numa ocultação da raça. Essa inovação, revolucionária em sua época, só se aplicava a uma fração reduzida da humanidade: a parte privilegiada que pretendia desmentir as relações sociais de raça sobre as quais sua cultura e seus valores foram construídos na modernidade e, portanto, colocava questões sexuais, um dispositivo de sexualidade e uma classificação dos corpos e desejos no centro de suas preocupações. O resto da humanidade se deparava e continua se deparando com relações sociais de raça, diretamente, em contexto de domínio colonial, mas também, hoje, em contexto de racismo sistêmico. Assim, as categorias clássicas do mito-simbólico[525] - Édipo, assassinato do pai, castração, diferença sexual - procedem de uma apreensão exclusivamente branca do dispositivo de sexualidade, que deixa de lado a forma como é atravessado por um dispositivo de raça cunhado nas colônias. As configurações historicamente diferentes dos sistemas de aliança, filiação e gênero, sua valência racial bem distinta e seus efeitos psíquicos sobre os sujeitos racizados, portanto, tornam essas categorias mito-simbólicas recalcadoras (Édipo, diferença de gênero) muito relativas. Outras realidades coletivas, envolvendo mais claramente a raça e seus efeitos sobre a sobrevivência de corpos considerados dignos de viver ou não, entram em jogo aqui no mito-simbólico e redefinem o sexual-infantil.

Mais do que apenas o sexual-infantil, proponho a noção de racial-infantil. O primeiro é geralmente visto como busca de um prazer extra que não pode ser reduzida à satisfação de uma função vital. O segundo poderia ser definido, dentro de um sistema de hierarquia de populações, como uma busca pela sobrevivência numa relação coletiva e subjetiva de subordinação, que não pode ser justificada por nenhuma naturalização dos corpos ou das culturas. Além do prazer-desprazer que constitui o sexual-infantil, o racial-infantil tem a ver com a sobrevivência: a necessidade de adaptação a um mundo violento de abuso e exclusão das pessoas racizadas ao longo da história. Uma descrição disso pode ser encontrada na tarefa que, de acordo com James Baldwin, cabe

---

[524] Livio Boni, Sophie Mendelsohn, *La vie psychique du racisme I...*, op. cit. Veja também o subcapítulo "Uma psicanálise do racismo?".
[525] Sobre esse assunto, veja a subseção "O devir-negro do mundo: um mito-simbólico".

ao/à negro/a estadunidense, mas que pode ser generalizada a muitos sujeitos racizados num regime explícita ou sistemicamente racista:

Todo esforço feito pelos adultos para preparar a jovem criança para um destino do qual não podem protegê-la, secretamente a leva, aterrorizada, a começar a aguardar, sem sabê-lo, seu misterioso e inexorável castigo. Ela precisa ser 'bonzinha' não apenas para agradar aos pais e evitar ser punida por eles; por trás da autoridade deles, esconde-se outra, sem nome e impessoal, infinitamente mais difícil de satisfazer e de crueldade sem limites. Se infiltra na consciência da criança por meio do tom de voz dos pais quando ela recebe uma ordem, castigo ou amor; por meio do súbito e incontrolável tom de medo ouvido na voz da mãe ou do pai quando ela ultrapassa um ou outro limite.[526]

Essa é uma mensagem enigmática infiltrada pela raça, que me parece definir o racial-infantil. Se poderia, pois, propor uma formulação desse racial-infantil à maneira de Laplanche:

"O gênero é plural. Geralmente é duplo, com o masculino e o feminino, mas não é assim por natureza. Muitas vezes é plural, como na história das línguas e na evolução social.

O sexo é duplo. É assim por causa da reprodução sexual e também por causa de sua simbolização humana, que fixa e congela a dualidade em: presença/ausência, fálico/castrado.

O sexual é múltiplo, polimorfo. É uma descoberta fundamental de Freud, que encontra sua base no recalque, no inconsciente e na fantasia. É o objeto da psicanálise.

Proposição: o "sexual" (*le sexual*) é o resíduo inconsciente da repressão-simbolização do gênero pelo sexo".[527]

Da mesma forma, seria possível conceber que:

A humanidade é plural: o termo se refere à pluralidade dos grupos humanos onde prevalecem múltiplas diferenças culturais, filosóficas, religiosas, étnicas e morfológicas, para citar apenas algumas.

A raça é dual: como princípio de hierarquização, ela sempre mantém uma divisão binária da sociedade: a "guerra das raças" que confronta dois grupos. Ela define duas posições sistêmicas de humanidade e monstruosidade, maioria e minoria, inclusão e exclusão, vantagem e desvantagem, estabilidade e insegurança, norma e excepcionalidade, mesmice e diferença.

O racial-infantil é múltiplo e polimorfo: tem sua base no recalque freudiano, mas, acima de tudo, em formas de desmentido e forclusão.

---

526 J. Baldwin, *The Fire Next Time* (O Fogo da Próxima Vez), op. cit. Minha tradução.
527 J. Laplanche, *Sexual. La sexualité élargie au sens freudien,* Paris, P.U.F., 2003, p. 153. Minha tradução.

Proposição: o racial-infantil é o resíduo inconsciente do recalque-simbolização, mas também da forclusão da pluralidade da humanidade pela binaridade constantemente invisibilizada da raça.

No nível do inconsciente, os efeitos da história racial e do racismo sistêmico são cada vez individuais, singulares, mas inscritos numa história coletiva. Essa tradução-simbolização da diversidade humana pela dualidade das relações sociais de poder de raça permite à criança, branca ou racizada, se historicizar e se subjetivar: construir um conjunto de representações conscientes de si mesma, explicitamente raciais em contextos de hierarquias oficiais das populações (escravidão, colonização, racismo de Estado etc.) ou desigualitárias em regimes de racismo sistêmico invisibilizado. Mas, ao lado desse preconsciente-consciente, há também um inconsciente, formado pelos restos dessa tradução-simbolização, cada vez singular e própria a cada sujeito.

Mais ainda, e à luz de tudo o que já foi exposto sobre interseccionalidade, o racial-infantil é consubstancial ao sexual infantil: nessa imbricação, coexistem sobrevivência, raça, mas também prazer e sexualidade, diferenciando os corpos conjuntamente pela raça, o gênero, a sexualidade e a classe. Nesse sentido, e esse é o meu argumento para essa nova metapsicologia, não existe sexual-infantil puro: ele é sempre determinado por um racial-infantil definido por um dispositivo de raça que precede e determina o dispositivo de sexualidade.

Resistir em psicanálise: do sujeito ao agente

Como, então, acolher esse racial-infantil na cura? Como abrir espaço para essa consubstancialidade do racial-infantil e do sexual-infantil, a fim de ouvir adequadamente o que está em jogo para cada sujeito, na sua singularidade?

Ao discurso hegemônico oficial da fabricação do "negro", destacado por Achille Mbembe, se opõe constantemente um movimento de redefinição, fuga e escapes renovados das pessoas racizadas. À designação de identidades desqualificadoras se contrapõe uma série de contra-estratégias por muito tempo invisibilizadas, mas sempre vivas: uma resistência contínua. Portanto, se trata, no plano psíquico, de se afastar da ordem colonial, de não responder à alterização imposta ao sujeito racizado, de se descolonizar em vez de ter de se explicar para uma branquitude hegemônica e, assim, de se tornar sujeito.

Meu objetivo aqui é tentar redefinir a resistência, na análise, como resistência política.

Quem resiste?

Uma visão pós-freudiana comum da resistência consiste em atribuí-la inteiramente aos/as analisandos/as. Para Freud, o fim da cura é determinado por esta dupla condição: o/a paciente se livrou dos seus sintomas, ansiedades e inibições, e pode evitar a repetição porque um volume suficiente de recalcado se tornou consciente, bastante material incompreensível foi elucidado e as resistências internas foram superadas.[528] Se, de acordo com Freud, o objetivo do/a analista é, através de uma aliança com o eu do/a analisando/a, subjugar as partes não controladas do id para integrá-las à síntese do eu, o eu "normal" que essa aliança visa alcançar não passa de uma ficção ideal.

É essa dimensão de ficção ideal que, de acordo com Lacan, parece ser negligenciada pela maioria dos/as defensores/as da *egopsychology*, que se esforçam para erradicar a resistência do/a analisando/a. Como Celia Brickman argumenta, essa luta contra a resistência pode ser relacionada a uma concepção racial particular, específica da antropologia do século XIX. Pois a "primitividade" do inconsciente, sugerindo sua inacessibilidade a qualquer apelo racional, parece justificar, como acontece com os membros dos grupos "primitivos", envolvê-lo só numa relação de dominação e subjugação. Tanto nos chamados grupos "primitivos" quanto na relação analítica, os processos psíquicos descritos como primitivos são, de fato, criados pela dominação. Aqui, argumentaria eu, a transferência simbólica, que reflete as relações sociais de poder, se torna totalmente imaginária: "quebrar" a resistência do/a analisando/a equivale a submetê-lo/a inteiramente, na relação transferencial, ao sistema de significação do/a analista. Portanto, parece apropriado retomar a leitura lacaniana, que remete a resistência ao/à analista: é ele/ela quem resiste à cura e, assim, alimenta as resistências nela. Lacan escreve:

> Na perspectiva que acabo de abrir para vocês, são vocês que provocam a resistência. A resistência, no sentido em que vocês a entendem, ou seja, a resistência que resiste, só resiste porque vocês se estão apoiando nela. Não há resistência por parte do sujeito. (...) São vocês que, para entender o que está acontecendo, a pressupõem. Não estão errados, contanto que se lembrem de que a hipótese é sua. Isso significa simplesmente que existe um processo e que para entendê-lo, vocês imaginam um ponto zero. A resistência só começa quando vocês tentam fazer avançar o sujeito a partir desse ponto zero.[529]

A resistência aparece, então, como um ponto ideal abstrato, criado e assim nomeado pelo/a analista: "Existe apenas uma resistência, é a resistência

---

[520] Sigmund Freud, Análise terminável e interminável. In *Edição standard brasileira das obras psicológicas completas de Sigmund Freud*, op. cit., Volume XXIII (1937-1939).
[529] Jacques Lacan, *Le Séminaire. Livre II: Le Moi dans la théorie de Freud et dans la technique de la psychanalyse. 1954-1955*, Paris, Seuil, 1978, p. 266. Minha tradução.

do/a analista."[530] O/A analista resiste quando está estabelecendo um objetivo de progresso, através da sua interpretação, e assim fixa o desejo do/a analisando/a num objeto definido.

O/A analista resiste, acrescentaria, na medida em que se identifica com um ideal da análise, que pode assumir diversas formas: que o/a analisando/a avance, que a cura assuma uma forma particular, que seu *setting*, a técnica, as prescrições de intervenção de silêncio ou de postura adequada sejam sacralizados, ou que os conceitos e textos analíticos não sejam questionados. Nesse sentido, o/a analista não pode evitar questionar o endereçamento do seu ato: para quem, para quê e de acordo com que objetivos ele/ela está trabalhando? Para a ordem social, racial, a instituição, a ordem simbólica ou para seu/sua analisando/a? Isso significa levar em conta os interesses institucionais envolvidos na prática do/a analista, os discursos oficiais que a moldam e as prescrições normalizadoras que ela pode produzir. A branquitude hegemônica que nega a dinâmica da raça dentro da díade analítica ao instituir uma norma universal do sujeito, ou a ocultação da posição frequentemente privilegiada do/a analista nas relações sociais de classe, raça, gênero ou sexualidade, formam uma parte integral da resistência do/a analista, arbitrariamente referida ao/à analisando/a.

Resistir é criar

Trabalhar a partir da resistência do/a analista, pois, significa analisar constantemente a forma como a transferência é atravessada por uma relação de poder. Para Foucault, resistir não é negar ou reprimir, mas criar, transformar e participar ativamente do processo de poder. Aqui, opto por ler a resistência psíquica atribuída ao/à analisando/a como resistência ao poder: à violência da interpretação, à negação das relações sociais de poder ou ao escopo não-questionado de certos dispositivos clínicos.

O/A analisando/a pode almejar certa plasticidade e criatividade psíquica só por meio da resistência às certezas do seu próprio eu e às do analista. Aqui, o/a analisando não é a "vítima" passiva de um/a analista que reproduziria sem analisá-los os efeitos das relações sociais de dominação dentro da cura, mas um/a *analisando/a*, participante ativo/a, pela sua resistência, do processo de análise.

Em *Vigiar e punir* e *A vontade de saber*, às técnicas de dominação que produzem um sujeito, definido aqui por designações raciais, Foucault contrapõe técnicas de si, estratégias para reagir a essas designações. A resistência do/a analisando/a poderia ser definida como tecnologia de si que emerge frente às tecnologias de coerção, uma crítica, uma maneira de não ser tão governado/

---

[530] Ibid.

a[531] pelas relações sociais de raça, sem, porém, negar sua efetividade social. Ela constitui uma tática de ruptura, detectando as formas de poder que se apresentam na transferência simbólica, burlando as expectativas do/a analista. Aqui, entretanto, o/a analista deve ficar disposto/a a ser surpreendido/a, e abandonar qualquer intenção de reivindicar um poder contestado.

Essa perspectiva foucaultiana é ampliada por Gilles Deleuze, que ancora a resistência no ser do desejo e na alegria. Em *L'Abécédaire*, Deleuze retoma a concepção spinozista da alegria como conceito de resistência e vida, maneira de evitar as paixões tristes para maximizar um poder de ação.[532] Se o poder é uma alegria triste, a alegria permanece, porém, o lugar de um poder de ação, sob o risco de perder a vida. Essa prática da alegria, espontânea e estratégica ao mesmo tempo, pode ser revolucionária: abre espaços que as relações de poder estabelecidas fecharam, rompe proscrições psíquicas, e sonda territórios da subjetividade interditados.

Se desubalternizar

A tentativa de pensar conjuntamente as estratégias de poder e de resistência, a resistência do/a analista e a resistência política e psíquica do/a analisando/a, leva a revisitar a questão gramsciana da subalternização: quem, no dispositivo analítico, fala, e de que forma está sendo escutado/a?

Argumentaria que uma dessubalternização psíquica é, antes de tudo, política: envolve uma descolonização, em que se tornar sujeito significa não ser mais falado/a pelo outro, mas virar autor/a da sua própria história. Para Grada Kilomba, que considera sua escrita como um ato político, isso significa não existir mais como objeto de uma narrativa, como o Outro da branquitude, mas a partir de si.[533] Escrever desde a periferia racizada permite reativar a margem como espaço de resistência e possibilidades, de criatividade radical onde novos discursos críticos emergem, onde as vozes dos/as racizados/as sejam escutadas fora do léxico e da sintaxe hegemônicos brancos. Aqui, se constrói uma história desubalternizada, primeiro politicamente, desde uma resistência às políticas da fala e do silêncio, e ao constante descrédito do discurso dos/as racizados/as:[534] aqui ressoa uma voz própria e se cria uma posição de sujeito, aspectos característicos do trabalho analítico.

---

531 "Proporia, portanto, como primeira definição da crítica, esta caracterização geral: a arte de não ser tão governado", Michel Foucault, "Qu'est-ce que la critique", em *Qu'est-ce que la critique*, Paris, Vrin, 2015, p. 37. Minha tradução.
532 Gilles Deleuze, "Joie", in *L'Abécédaire*, DVD, Éditions Montparnasse.
533 Grada Kilomba, *Memorias da plantação*, op. cit., p. 27.
534 Remeteria aqui às análises desenvolvidas nos subcapítulos anteriores: "Uma tormenta francesa", "*Noli me legere*" e "O narcisismo das grandes indiferenças".

Portanto, parece imperativo que os/as analistas trabalhem sobre sua resistência em escutar denúncias do racismo. Muitos/as analistas acusam os/as pacientes racizados/as de falarem incessantemente sobre racismo e ficarem atolados/as em discursos repetitivos. Deploram sua fixação à realidade exterior, cuja violência seria percebida de forma desproporcional. A tentativa antirracista de mudar uma ordem social é considerada imaginária; seria o domínio do ideal, e o/a analisando/a se extraviaria assim em vez de explorar sua realidade psíquica. A denúncia da injustiça social e do racismo seria então uma "resistência" que muitos/as analistas atribuem ao/à analisando/a, uma incapacidade de elaborar, uma imaturidade psíquica diante da realidade externa, uma evitação dos conflitos psíquicos: um subterfúgio do inconsciente. Eis de novo a resistência comum do/a analista à política. Pretender se definir fora do político, na pureza de uma realidade psíquica separada de qualquer realidade exterior, já é, por si só, um procedimento inteiramente político, que escolhe o *statu quo*, se conforma a uma ordem não contestada por ser conveniente, e defende o conservadorismo contra toda mudança. Ver no discurso político antirracista do/a analisando uma "resistência" atribuída ao/à analisando/a e não ao/à analista significa, então, se revelar verdadeiramente racista: pela desqualificação do ponto de vista não-branco e pela ignorância negacionista exercida. Essa atitude poderia se inscrever numa longa tradição de patologização da resistência negra, historicamente diagnosticada, conforme recorda Guilaine Kinouani[535], como "drapetomania", um suposto distúrbio mental que levaria os/as africanos/as a fugir do cativeiro contra seus próprios interesses, ou ardil (*dysesthesia aethiopica*), uma mistura de preguiça, desafio à autoridade, roubo e imoralidade. A resistência do/a analisando/a, concebida como base da sua agentividade, poderia, portanto, ser inscrita na longa história das lutas emancipatórias dos/as negros/as escravizados/as contra o racismo e a dominação racial: revoltas, fugas, sabotagem das máquinas do senhor ou manutenção de tradições, crenças, rituais e música. No Brasil, essa resistência destaca na história dos *quilombos*, comunidades de escravos/as fugidos/as constituídas como repúblicas livres e autônomas, sem hierarquia além da égide de alguns chefes de guerra durante as ações defensivas. O Quilombo dos Palmares, um dos mais famosos, teve mais de trinta mil membros entre 1605 e 1694, que repeliram as expedições militares portuguesas e holandesas. Assim, inúmeras comunidades autônomas foram estabelecidas e hoje gozam de direitos sobre suas terras no Brasil. Apoiados por políticas públicas de reparação e igualdade, os quilombos se tornaram territórios de memória, de resistência ao racismo estrutural, e de revalorização cultural. No entanto, sua história, assim como a das numerosas revoltas contra a escravidão, foi por muito tempo relegada ao esquecimento. Essa amnésia coletiva, útil para o mito político de "democracia racial" brasileira, pode servir de paradigma para ilustrar

---

[535] Guilaine Kinouani, *La Vie en Noir*, op. cit.

o silenciamento do/a analisando/a provocado quando o/a analista retoma de forma a-crítica a história oficial com seus obscurecimentos.

A resistência política dos/as racizados/as às atrocidades do passado e à sua extensão no racismo explícito, institucional ou estrutural do presente permite reverter o estigma. Assim fica transformado o "devir-negro" destacado por Achille Mbembe: a designação "negro" passa a ser um símbolo de resistência e desejo de vida, de uma força que se ergue e emerge, cria e inventa nas margens, nos diversos lugares e épocas que atravessa.

O sujeito não preexiste à sua designação, mas é produzido como racizado por uma relação de poder: essa designação pode virar o lugar de uma possível ressubjetivação. É isso que Judith Butler ressalta:

> (...) também parece possível reconhecer a força da repetição como a própria condição de uma resposta afirmativa à violação. Ser compelido/a a repetir a ferida não significa ser compelido/a a repeti-la da mesma maneira, ou a permanecer inteiramente dentro da sua órbita traumática. A força da repetição na linguagem pode ser a condição paradoxal pela qual uma certa agência - liberada da ficção do eu como mestre das circunstâncias - é extraída da *impossibilidade da escolha*.[536]

Embora o racismo sistêmico, o sexismo e a homofobia sejam muito reais, e embora as relações sociais de dominação imbricadas criem um sujeito social, isso não determina definitivamente os processos de subjetivação, que podem tomar um rumo diferente. Através da análise e do manejo da transferência simbólica, concebida como lugar de repetição das relações de poder, o/a analista acompanha a resistência do/a analisando/a com seus efeitos de reversão da subordinação. A resistência do/a analisando/a passa a ser, então, o lugar de uma exigência de repetição dos termos e das relações que o/a constituem, a fim de ressignificá-los e subvertê-los. Dessa forma, a resistência possibilita uma reparação, uma reconstituição, o reagrupamento de partes desmembradas, e a reconstrução de vínculos, reciprocidades e relacionamentos sociais suscetíveis de transformação lá onde as relações sociais (de gênero, raça, classe, sexualidade) são portadoras de designações rígidas.

---

[536] Judith Butler, *Ces corps qui comptent. De la matérialité et des limites discursives du "sexe"*, Paris, Amsterdam, 2009, pp. 131-132. Minha tradução.

Se defender

Se situar

Desde há cerca de quinze anos, em vários países circulam listas de "psi safe" ou "psi situados/as", profissionais suscetíveis de atender pessoas cuja identificação de gênero, orientação sexual ou racialização é considerada marginalizante - LGBTQIA+, trabalhadores/as do sexo ou sujeitos racizados, por exemplo. A meta desta iniciativa é estabelecer espaços clínicos seguros para grupos marginalizados, que não perpetuem sua vulnerabilização social. Assim é esperada uma escuta que possa acolher os discursos sobre discriminação e exclusão sem pretender ser "politicamente neutra", enquanto vai reproduzindo normas hegemônicas de gênero, sexualidade, raça ou capacidade. Essa busca clínica reflete, portanto, certa desconfiança em relação à psicanálise, totalmente legítima se são considerados os maus-tratos analíticos infligidos a sujeitos socialmente mais expostos à vulnerabilidade.

Cabe começar observando que todos/as os/as "psi" estão situados/as: alguns/algumas o reconhecem, enquanto outros/as invisibilizam sua situação por ela ser majoritária (hetero e cis-cêntrica, burguesa, eurocêntrica, branca). No entanto, como apontam as pesquisadoras Beatriz Santos e Elsa Polverel, não se pode assumir que certas características de um analista (feminista, gay, lésbica, racizado etc.) se traduzam diretamente em formas de escuta (feminista, não homofóbica, não racista etc.).[537] Além disso, a ideia de que um/a paciente racizado/a deva se dirigir a um/a analista racizado/a pode induzir uma verdadeira imaginarização, e não garante de forma alguma um processo analítico ou uma escuta adequada. Um tipo específico de transferência imaginária é desencadeado aqui, e precisa ser analisado. Mas, finalmente, toda situação analítica implica uma transferência imaginária particular: consultar um/a analista designado/a como mulher, homem, negro/a, *straight*, trans, ou indicado/a por tal conhecido, lido/a em tal produção, sempre já envolve uma transferência imaginária. O trabalho de elaboração numa cura consiste em atravessar essa captura imaginária para analisar a transferência simbólica: e isso não diz respeito apenas ao/a psi situado/a. De um/a psi situado/a se espera que ele/a não negue as relações sociais na encruzilhada das quais analista e analisando/a estão inscritos/as, as normas que resultam delas e os efeitos psíquicos irredutíveis que elas têm sobre a subjetivação e a transferência. Trata-se de reconhecer sem essencializar: de admitir que a exposição à vulnerabilidade não é igualmente compartilhada e que certas designações de gênero, sexualidade, racização, classe etc. expõem mais à violência social e a seus efeitos psíquicos.

---

[537] Beatriz Santos, Elsa Polverel, "Procura-se psicanalista segurx. Uma conversa sobre normatividade e escuta analítica", in *Lacuna - Revista de Psicanálise*, n°1, 2016.

Porém, mais do que do lado do/a analista, é do lado do/a analisando/a que essa busca por um/a psi situado/a se revela de suma importância. Reflete, pois, um "direito de apreciação" do/a analisando/a para com o/a analista a quem ele/ela confia seu discurso e seus processos psíquicos, e cuja autoridade não fica absoluta.

O/a analisando/a não se entrega de mãos e pés atados a um/a analista que, apenas por esse estatuto, seria infalível. A assimetria constitutiva do espaço analítico é, portanto, menos passível de se transformar numa relação de poder real que exija do/a analisando/a uma "libra de carne", para usar a expressão de Shakespeare, um consentimento incondicional, uma servidão voluntária. O/a analisando/a se defende contra a possibilidade de uma violência real e simbólica que perpetuasse a minorização e alterização às quais ele/a pode estar socialmente sujeito/a. Se afasta assim da posição de vítima que lhe é designada nas relações de dominação e recupera uma forma de agência ao se autorizar a escolher um/a analista situado/a.

Se defender contra o/a analista supostamente não situado/a significa se proteger dos efeitos negacionistas e deletérios de uma suposta neutralidade do/a analista e universalidade da psicanálise.

Se desmelancolizar

No que diz respeito às relações sociais de raça, esse silenciamento pelo universal - na realidade pela branquitude definida como grau zero - provoca, como foi visto, uma melancolia de raça. Proponho estudar esse fenômeno mais detalhadamente para ver como pode ser o lugar de uma reversão do poder em resistência.

No centro da metapsicologia da raça que desenvolvi, há uma concepção do Simbólico como sedimentação de normas sociais des-historicizadas, perfeitamente contingentes na sua construção histórica e apresentadas como necessárias. Mas, como uma faixa de Moebius que conecta o individual ao coletivo, essas normas socialmente vigentes também produzem um sujeito psíquico e conduzem sua conduta numa relacionalidade específica entre indivíduos. Esse é um dos pontos levantados por Judith Butler em *A vida psíquica do poder*, onde ela procura desfazer as separações simplistas entre interior e exterior, político e psíquico. Distanciando-se de uma abordagem puramente foucaultiana, ela distingue do sujeito produzido pelo poder uma psique, que permite a introdução do inconsciente:

> Assim, a psique, que inclui o inconsciente, é muito diferente do sujeito: a psique é precisamente o que excede os efeitos aprisionadores da exigência discursiva de habitar uma identidade coerente, para se tornar um

sujeito coerente. A psique é o que resiste à regularização que Foucault atribui aos discursos normalizadores.[538]

O poder e a psique são, portanto, inteiramente interdependentes: o poder se exerce quanto mais é desenvolvido psiquicamente; o sujeito se subjetiva quanto mais é produzido pelo poder, e irremediavelmente ligado a ele.

De acordo com Judith Butler, o assujeitamento ocorre quando o sujeito se vira contra si mesmo, em atos de autocensura, consciência e melancolia, que formam a base da regulação social. A fonte desse assujeitamento-subjetivação é o apego apaixonado da criança àqueles dos quais depende fundamentalmente para perseverar no seu ser. Aqui surge efetivamente a questão da resistência: "Se Foucault, escreve Judith Butler, entende a psique como um efeito carcerário a serviço da normalização, como ele pode explicar a resistência psíquica à normalização?"[539] A filósofa introduz uma perspectiva de resistência inscrita precisamente no inconsciente. Se a repetição, a performatividade, é a condição para a constituição do poder e da lei, ela também é um lugar possível de resistência:

> Um sujeito pode continuar sendo ele mesmo apenas à custa de uma reiteração ou rearticulação do que ele é. A dependência do sujeito da repetição que garante sua coerência talvez constitua sua incoerência, seu caráter incompleto. Essa repetição, ou melhor, essa reiteração, também se tornam o não-lugar da subversão; marcam a possibilidade de uma reencarnação da norma assujeitadora suscetível de direcionar sua própria normatividade de forma diferente.[540]

Anteriormente, defini a melancolia de raça como afirmação da branquitude, operação pela qual a multiplicidade de designações racializadoras se torna impossibilidade performativa e produz uma identidade branca hegemônica. A superfície de um corpo percebido como branco surge como o signo de uma identidade naturalizada e universal, na negação ativa da multiplicidade experiencial de racialização, uma negação também negada.

Entendida coletivamente, num cruzamento entre o psíquico e o político, a melancolia é definida por Hourya Bentouhami como "a consequência da desumanização da perda de seres não reconhecidos como pertencentes ao corpo da nação".[541] A melancolia de raça e a de gênero têm em comum uma exclusão do campo simbólico de corpos não conformes, desviantes e puníveis.

---

538 Judith Butler, *La Vie psychique du pouvoir*, op. cit., p. 139. Minha tradução.
539 Ibid., p 141. Minha tradução.
540 Ibid., pp. 156-157. Minha tradução.
541 Houria Bentouhami, *Judith Butler. Race, genre et mélancolie*, op. cit., p. 16.

Mas enquanto Hourya Bentouhami fala de "melancolia heterossexual e racial"[542], o que significa que as construções de gênero e raça não são simplesmente análogas, mas profundamente interligadas, há uma diferença notável no que diz respeito à racialização. Na raça, argumentaria, opera simultaneamente uma forclusão psíquica, igual à forclusão do desejo homossexual e da multiplicidade erógena que produz a melancolia de gênero, e também uma designação social. A injunção é paradoxal: a multiplicidade racial é negada no nível psíquico e designada no nível social, na desvalorização dos corpos racizados. Porém, o que é negado não desaparece: os corpos racizados estão socialmente presentes e são necessários para a promoção da branquitude, ao contrário dos corpos abjetos de gênero, por muito tempo removidos da cena social, excepcionais, patológicos. Portanto, não se trata só de um processo de exclusão de corpos desviantes, mas também da afirmação peremptória de um corpo único, branco, apresentado como o melhor. Enquanto a melancolia de gênero ressalta uma supressão - da homossexualidade e da não-binaridade, - a melancolia de raça se baseia na imposição da branquitude, definida precisamente por distinção dos outros corpos que permanecem visíveis e estruturam a regulação social. A raça, uma forclusão psíquica, é também uma afirmação social: a da branquitude hegemônica como única referência viável.

Na concepção freudiana, a melancolia é o processo pelo qual um sujeito se recusa a romper seu apego com um objeto ou ideal perdido: introjetado no eu, esse objeto se torna uma instância crítica virada contra ele. Nesse retorno, em que a psique se volta contra si mesma, e se culpa errando o destinatário, a violência da regulação social se manifesta claramente. Como observa Judith Butler, esse ataque a si, esse movimento em direção à morte, são substituídos, na ruptura com a melancolia, por uma raiva a serviço da vida: a sobrevivência implica um desvio da agressão voltada contra o eu, um redirecionamento da raiva contra o objeto ou ideal perdido, uma externalização. Isso, argumenta Judith Butler relembrando Freud, por meio de um veredicto da realidade: um confronto entre o/a melancólico/a e aquilo que foi perdido. Sair da melancolia, portanto, implica um redirecionamento da raiva para o poder: uma revolta não mais contra si mesmo, mas dirigida para fora, uma resistência e uma defesa ao mesmo tempo. Emergir da melancolia de gênero e raça constituída por relações de poder significa, argumentaria, reverter a reversão. Se a instância crítica do/a melancólico/a é um instrumento social e psíquico, um potencial de rebelião silenciosa contra si mesmo, conceberia então o trabalho de desmelancolização visado pela análise como uma forma de afastar essa revolta de si mesmo e permitir que ela se expresse. Devolução ao remetente: já que o poder opera psiquicamente por meio da melancolização, se trata aqui de acompanhar o/a analisando/a na tematização das relações

---

542 Ibid., p. 77.

sociais de poder - nesse caso, de gênero e raça - na encruzilhada das quais ele/a se subjetiva.

Resistir, se defender significa, para o/a analisando/a, expressar a raiva, uma afeção vital que o/a tira da melancolia. Portanto, retomaria a proposta de Judith Butler em *A vida psíquica do poder* para aplicá-la ao contexto analítico: nas estratégias de resistência opostas às estratégias de poder, na vida como na cura, se trata de "saber como e em que direção podemos trabalhar as relações de poder que nos dão trabalho".[543] Aqui, a resistência passa a ser a expressão da raiva contra o poder, uma neutralização da violência desde o lugar simultaneamente social e psíquico no qual ela se desenvolve.

Se enfurecer

A experiência social da raiva, reversão da violência contra os processos de poder, poderia, portanto, servir de modelo para a resistência psíquica e política do/a analisando/a: para sua conscientização das relações de poder na encruzilhada das quais ele/a se subjetiva, e para a possibilidade de elaborar estratégias de resistência.

Audre Lorde incentiva a expressão dessa raiva em seu texto "The Uses of Anger: Women Responding to Racism".[544] Contra o medo duradouramente sentido para com a própria raiva, a autora escolhe expressá-la como resposta apropriada ao racismo. Carregada de informação e energia, a raiva é apresentada como um "ato de esclarecimento que nos liberta e nos dá força"[545], tornando possível distinguir os/as aliados/as com quem surgem diferenças de opinião, dos/as inimigos/as. Como Audre Lorde aponta, é uma forma de responder ao ódio feroz dirigido às mulheres, às pessoas de cor, às lésbicas e gays, e aos indigentes, que buscam resistir à opressão. "E se lhe falo com raiva, escreve Audre Lorde, pelo menos estou lhe dirigindo a palavra: não estou apontando uma arma para sua cabeça e atirando para matá-lo/a no meio da rua."[546] A raiva só se torna destrutiva quando permanece não expressa, argumenta Audre Lorde, como é frequentemente o caso das mulheres que, criadas com medo, a veem como uma ameaça de aniquilação ou um sinal de que falharam em seu dever. A raiva pode causar dor, mas também pode ajudar a sobreviver. No entanto, ela permanece um estágio que será abandonado se "no caminho para a clareza, houver pelo menos algo tão poderoso para substituí-la".[547]

---

543 Judith Butler, *La Vie psychique du pouvoir*, Paris, Leo Scheer, 2002, pp. 157-158.
544 Audre Lorde, "The Uses of Anger: Women Responding to Racism", in *Sister Outsider*, op. cit.
545 Ibid.
546 Ibid. Minha tradução.
547 Ibid. Minha tradução.

Aqui, a raiva do/a analisando/a vira um meio de se defender, de resistir às estratégias de poder às quais está sujeito/a. Não se trata de uma incitação a derrubar as relações sociais de poder, mas de uma atenção prestada aos efeitos psíquicos dessas relações e à posição subjetiva que elas determinam. A raiva incentiva uma tematização das relações sociais de raça e das normas de submissão que elas envolvem, ela passa a ser uma maneira de recuperar uma agência alienada por assujeitamento, reduzida à passividade. Permite revelar as normas de racialização na sua construção social e contingente, liberando uma fluidez psíquica por meio da qual o/a analisando/a pode reagir à opressão psíquica e social: modificando/a individual ou coletivamente, conformando-se a ela, ou inventando outras posições próprias - em suma, recuperando, seja qual for sua escolha, uma capacidade de pensar e agir. Nesse sentido, o/a analista deve poder tolerar a raiva do/a analisando/a: que ele/a a expresse, a direcione para o/a analista na transferência e, assim, manifeste uma hostilidade revitalizante. O objetivo é, então, atravessar essa transferência imaginária sem responder de eu para eu, mas apontando, para o/a analisando/a, o que se repete das relações sociais de dominação e se reconfigura na transferência simbólica.

A raiva é, portanto, uma defesa, não no sentido analítico convencional de impedimento psíquico, mas como autorização para se defender e reagir aos efeitos psíquicos da violência. É esse surgimento da raiva diante da violência colonial que Frantz Fanon destaca em *Os condenados da terra*. A descolonização, um fenômeno sempre violento que envolve a "substituição de uma 'espécie' de homem por outra 'espécie' de homem"[548], é o encontro de duas forças antagônicas cujo confronto foi organizado pela situação colonial. O/A colonizado/a está continuamente sujeito/a à violência no mundo reduzido e proibitivo da colonização: ele/a está exposto/a à exploração, à agressão, ao racismo, ao desprezo, aos insultos, à humilhação, à destruição das suas formas sociais, sistemas de referência econômicos, modos de aparência, vestuário e linguagem.[549]

A essas agressões diárias responde a violência muscular mais do que ideológica do/a colonizado/a, que Frantz Fanon identifica nos seus sonhos de ação: pular, nadar, correr, escalar, rir, escapar da perseguição, músculos tensos, em espera, de modo que ele está "sempre pronto a abandonar seu papel de presa para assumir o de caçador. O colonizado é um perseguido que sonha constantemente em se tornar perseguidor".[550]

Para o seu corpo constantemente impedido, violado e submetido à ferocidade, o/a colonizado/a oferece essa fuga onírica, essas represálias alucinatórias.

---

548 Frantz Fanon, *Les Damnés de la terre*, Paris, La Découverte, 2002, p. 40. Minha tradução.
549 "No contexto colonial, o colonizador não para seu trabalho de abatimento do colonizado até que este tenha reconhecido, em voz alta e inteligível, a supremacia dos valores brancos", ibid, p. 46. Minha tradução.
550 Ibid., p. 54. Minha tradução.

Aqui, o inconsciente realiza o que a realidade exterior tornou impossível. Essa violência, pura descarga, não dá em nada durante a colonização: se espalha em sonhos, dança, possessão, lutas fratricidas e suicídios coletivos. É uma violência sempre pronta para explodir, mas voltada contra si.

Esse "círculo do ódio", esse "vai-e-vem do terror"[551], numa reciprocidade desastrosa, é, de acordo com Fanon, a única maneira para o/a colonizado/a se tornar vivo/a após um longo período de esmagamento, e morte psíquica, ética e social. É também uma *práxis* que habilita o/a colonizado/a para descobrir e transformar a realidade, uma forma de recuperar a dignidade quando sua humanidade foi negada pela colonização. Em resumo, se trata aqui de um verdadeiro confronto imaginário, e a agressão se insere numa estrutura de espelhos em que o/a oprimido/a se defende. Na sessão analítica também, acontece que o/a analisando/a precise se defender: isso é, identificar a violência que sente como resposta às violências sociais padecidas (nesse caso, decorrentes das relações sociais de raça). O trabalho analítico, no entanto, consiste a não se limitar a essa dimensão imaginária, mas a distinguir a estrutura simbólica, o sistema responsável por esse confronto de violências, e a redefinir, fora do ciclo da necessidade e da repetição alienada, uma posição psíquica de sujeito. Aqui, a violência, não mais voltada contra si, mas identificada e colocada em palavras, se torna emancipatória: age como um *conatus*, um esforço para perseverar em seu ser, um processo, não uma ação violenta, mas uma força vital dentro de uma subjetivação que não se rende mais à melancolia de raça. Ao assumir essa posição imaginária de contra-violência, o/a analisando/as pode discernir as normas sedimentadas do Simbólico e assim escolher como se posicionar: se conformando a elas, contornando/as, reformando/as, se opondo a elas, por meio de um pensamento e/ou ação principalmente subjetivos, às vezes também coletivos. Trata-se de expressar a raiva para desmistificar o sistema, e o objetivo não é uma passagem ao ato, mas uma mudança de posição psíquica. A raiva constitui assim a base de uma verdadeira criatividade, como foi o caso para Jean Genet que contava a respeito do seu romance *Notre-Dame-des-Fleurs*: "Foi durante a guerra, e pensava que nunca sairia da prisão. Não estou dizendo que escrevia a verdade, mas escrevia sinceramente, com ardor e raiva, e uma raiva que era ainda mais incontida porque tinha certeza de que o livro nunca seria lido."[552]

Foi a partir de uma revolta desenfreada que Genet inventou uma linguagem iconoclasta, "palavras de um luxo feroz, palavras que devem retalhar a carne"[553], mas também inscreveu o seu engajamento político contra a injustiça, defendendo os Black Panthers e os palestinos. Genet escrevia inicialmente só

---
551 Ibid., p. 86.
552 Jean Genet, "Entretien avec Madeleine Gobeil", in *Œuvres complètes, VI. L'Ennemi déclaré: Textes et entretiens*, Paris, Gallimard, 1991, p. 18. Minha tradução.
553 Jean Genet, *Notre-Dame-des-fleurs*, Paris, Gallimard, 1976. Minha tradução.

na cadeia, onde ficava preso por ter roubado livros de outros: concebia, pois, a literatura como criminosa, furtada.[554] Sua marginalidade desconstruía sistemas normativos, borrava as fronteiras entre opostos estabelecidas pela ordem do discurso: através da sua escrita, experimentava a traição como ascetismo, moderava o discurso político pela ironia, alcançava a liberdade na prisão e a santidade no âmago do mal. O seu teatro, uma "enorme gargalhada que rompe um soluço que remete à gargalhada original, ou seja, ao pensamento da morte"[555], vale como ação engajada[556], mas também como "arquitetura de vazio e palavras", e produz a epifania de uma linguagem-ação tanto exaltada pelo autor quanto pisoteada por ele. "Nós somos os mestres da linguagem", declara em *Os Biombos,* o personagem de Monsieur Blankensee, um colono na Argélia. "Tocar as coisas é tocar a linguagem". "E tocar a linguagem é um sacrilégio. É tocar a grandeza"[557], responde Sir Harold, outro colono. É exatamente desse sacrilégio que Genet é o autor. Para ele, como escreve Dominique Eddé, se trata de "adotar a linguagem de seus 'inimigos' em vez de inventar uma para combatê-la", de encontrar "seus 'deuses' no céu que ele sonhava em derrubar", de "construir e arrasar". Genet, prossegue a romancista, "se dava os meios para bater o romantismo em pleno coração, para fixar seu movimento como se doma um cavalo":[558] para converter a raiva e sua transformação elaborativa em reinvenção. Aqui, a raiva e a revolta virão criação: geram a obra a mais subversiva na linguagem a mais clássica.

Mas para fazer isso, é importante identificar as tradições históricas e os regimes de poder que legitimam certos corpos a se defenderem e condenam outros a uma autodefesa impossível ou ilusória. Esse é o trabalho realizado por Elsa Dorlin no seu livro *Se défendre*[559], no qual gostaria de me inspirar para definir a resistência do/a analisando/a como autodefesa autorizada de si mesmo/a. A filósofa pretende tematizar a linha divisória entre os corpos "dignos de serem defendidos" e aqueles que são destituídos de toda potência, tornados indefensáveis e deixados sem defesa. Esse desarmamento dos subordinados/as, ou sua condenação à ação infeliz (onde combater só significa se debater até morrer por exaustão), envolve representações decisivas do mundo, de si, e da agência própria. Pretendo usar essas tradições históricas de defesa de si, autorizada ou não, e sua transformação, para identificar as posturas subjetivas produzidas pelas relações sociais de dominação. Como a modernidade e sua

---

554 "Ao querer ser um ladrão até o fim, ele mergulha no sonho; ao querer seu sonho até o ponto da loucura, se torna um poeta; ao querer a poesia até o triunfo final do verbo, vira homem; e o homem passa a ser a verdade do poeta, assim como o poeta é a verdade do ladrão", Jean-Paul Sartre, *Saint Genet, comédien et* martyr, Paris: Gallimard, 1952, p. 643. Minha tradução.
555 Jean Genet, *Les Paravents,* in *Théâtre complet*, Paris, Gallimard, NRF, 2002, pp. 609-610. Minha tradução.
556 Genet escreveu: "O teatro deve nos livrar não das coisas ruins que existem no mundo branco e que é justo denunciar, mas das coisas respeitáveis: Bossuet, Racine, Joana d'Arc", L. Bellity, A. Dichiy, *La Bataille des Paravents*, Paris, IMEC Éditions, 1991, p. 13. Minha tradução.
557 Jean Genet, *Les Paravents, Théâtre complet*, op. cit., p. 634.
558 Dominique Eddé, *Le Crime de Jean Genet,* Paris, Seuil, 2007, p. 18. Minha tradução.
559 Elsa Dorlin, *Se Défendre. Une philosophie de la violence*, Paris, La Découverte, 2017, edição eletrônica.

história racial distinguem sujeitos auto-defendáveis de outros, cuja capacidade de autodefesa é deslegitimada e cujo poder de ação se volta contra eles? Que efeitos produz a experiência vivida da própria impotência, transmitida de forma transgeracional ou social, e a que repetições psíquicas ela condena? Que necessidade de indefendabilidade de si, de defesa vã ou impossível, se impõe psiquicamente? Que determinismos psíquicos produtores de sintomas são desencadeados aqui, e como podem ser superados?

Elsa Dorlin toma o exemplo de Rodney King, vítima de uma brutalidade policial sem precedentes em 1991, que se intensificava à medida que ele tentava se debater. Para subjugá-lo, os policiais o fizeram cair de joelhos usando uma arma de choque, bateram e chutaram nele, o algemaram e amarraram seus braços e pernas com cordas. Como Elsa Dorlin aponta, Rodney King é uma figura de subjetivação infeliz confrontada com uma tecnologia de poder que usa contra ele sua própria lógica defensiva: não é um corpo vulnerável espancado, mas um corpo agressor. Se torna indefensável ao se defender contra a violência policial, sua agência é puramente negativa e, numa reversão do ataque, ele vira o inimigo contra o qual a polícia se defende com violência legítima. Não tem nenhum direito à autodefesa, que Elsa Dorlin distingue do conceito jurídico de legítima defesa: essa noção diz respeito àqueles/as que não estão autorizados/as a se defenderem. Só quando a autodefesa se autoriza de si é que ela produz um sujeito.

Elsa Dorlin recorre a várias figuras históricas para analisar como essa interdição de se defender é transformada numa autodefesa produtora de subjetividade: foi o caso das tricoteiras parisienses do século XVIII, das sufragistas do início do século XX, ou dos habitantes do gueto de Varsóvia. Em outros lugares, contra as atrocidades do KuKluxKlan e de outras milícias racistas, contra a violência legal, mas ilegítima dos/as brancos/as, o nacionalismo negro reivindicou uma violência legítima, mas ilegal. O Black Power, motivado pelos escritos de Fanon, e o Black Panther Party for Self-Defence incorporaram essa repolitização internacionalista do direito à autodefesa contra a tradição segregacionista e o imperialismo. Da mesma forma, os levantes de Stonewall em 1969 e o Combahee River Collective tentaram defender gays, lésbicas, pessoas trans, mulheres e queers de cor contra a violência do Estado e sua polícia assassina.

Mas essa autodefesa, vivenciada coletiva ou individualmente, também pode resultar na rigidificação de uma postura marcial. Corpos anteriormente presos na passividade pela deslegitimação da sua defesa se encontram aprisionados numa defesa ofensiva contra tudo o que os rodeia. Essa é a leitura que Elsa Dorlin faz da concepção autoritária e nacionalista da defesa fundada pela extrema direita do Partido Sionista Revisionista, que se tornou dominante em Israel. A autodefesa é estabelecida como modo de ser, contato permanente com o perigo, numa luta colonial descrita como "guerra contra o terrorismo", mobilização contínua de recursos físicos, sensoriais e emocionais para neutralizar o inimigo:

> Esse empobrecimento do mundo em favor de uma 'cosmologia da guerra total e do terror' encerra o indivíduo defensivo numa fenomenologia do corpo-arma, corpo letal, transformando a autodefesa em política, ou seja, num verdadeiro governo da intensidade da violência no nível do corpo próprio.[560]

Essa é a base da estratégia militar israelense: através de discursos políticos que precipitam a sociedade civil numa insegurança constante, ergue uma ameaça terrorista que transforma o medo em *virtù*.

Assim, nessa diferença entre autodefesa autorizada de si na revolta e autodefesa securitária virada modo de vida, destacam distintas politizações das subjetividades. Uma permite que o sujeito saia do estatuto de vítima, sobreviva ao ultraje ou à injustiça restaurando uma posição de igualdade; a outra o prende numa postura marcial permanente, onde a submissão necessária da antiga vítima se torna vigilância necessária do soldado permanente. Os afetos de raiva íntima, acrescentaria, a violência vivenciada isoladamente e depois combatida pela autodefesa, podem liberar a possibilidade de fazer algo a respeito do que nos é feito, e deslocar o sujeito e o sujeito do inconsciente de uma posição de vítima necessária. Desde que essa necessidade não se transforme em vigilância contínua que a inscreva numa filosofia do ataque e da conquista permanente. Pois em ambos casos, vítima ou soldado, um determinismo caracteriza os processos psíquicos, restringe a fluidez da elaboração e das posições subjetivas, e aliena a agência. É isso que Elsa Dorlin analisa nas campanhas públicas de combate à violência contra as mulheres: reificando corpos femininos prostrados, com rostos suplicantes e inchados e membros machucados e sangrando, essas campanhas apresentam um espetáculo mortal de vitimização das mulheres. Aparece aqui um verdadeiro fascínio pela força bruta dos agressores. Esse excesso de poder atribuído ao agressor, real ou potencial, é próprio do *dirty care* (cuidado sujo), atenção constante aos outros, diferente do amor ou da solicitude afetuosa, e produzida pela violência. A opressão contínua, real ou potencial, gera uma postura cognitiva ou emocional de vigilância constante nas vítimas, um desassossego radical exaustivo que visa desenvolver um conhecimento meticuloso do outro para negar, neutralizar, diminuir ou evitar sua violência e se proteger dela. Decifrar o outro para se esquivar da sua agressão e se dessensibilizar da sua violência equivale aqui a se importar com ele apenas para antecipar o que ele pode me fazer: o conhecimento assim produzido sobre o outro, longe de conferir um privilégio epistêmico ao sujeito, concede

---
560 Ibid.

ao objeto uma superpotência. O sujeito desse conhecimento ansioso se torna heterônomo, localizado no corpo central do outro, subordinado a seu ponto de vista. O *dirty care* remete, portanto, ao cuidado sujo dispensado a si mesmo e à própria agência. Essa ética da impotência é acompanhada pela produção de uma ignorância da própria agência, tornada alheia e alienada.

Argumentaria aqui que, na análise, a resistência do/a analisando/a, sua capacidade de mobilizar uma autodefesa autorizada de si, possibilitam a superação dessa ética do *dirty care*. O/A analisando/a é assim levado/a a se defender contra a desrealização do seu mundo, do seu ponto de vista e da sua capacidade de pensar, totalmente subordinadas a um objeto sobredimensionado. Ele/a pode se deslocar de uma posição de presa real ou potencial submetida à necessidade de relações sociais de poder e ao determinismo dos seus efeitos psíquicos. Para o/a analisando/a, se defender significa registrar a historicidade do Simbólico que articula o confronto imaginário de corpos nas relações de poder. Isso leva à mobilização do Real, que emerge como novas possibilidades, anteriormente não simbolizadas. Excedendo o que pode se inscrever no Simbólico, o Real é delimitado pela forma historicizada assumida por cada forma de Simbólico nas relações de poder e na linguagem: pelas estratégias de poder exercidas sobre os corpos. Se defender significa desenvolver estratégias de resistência que redesenhem os contornos do Simbólico e, assim, mobilizem algo inédito do Real. Como foi visto anteriormente através da escrita de Gloria Anzaldúa[561] isso também significa invocar um Real imaginarizado que, além da representação, oferece uma figuração daquilo que não pôde ser incluído no mito-simbólico dominante.

Se des-ontologizar

Porém, essa concepção da resistência como lugar de empoderamento, forma de recuperar uma agência individual e coletiva, parece ser refutada e recusada para os sujeitos negros segundo vários teóricos afropessimistas.[562] O afropessimismo destaca as limitações e fracassos dos movimentos dos Civil Rights e Black Power: as populações negras estadunidenses, condenadas à morte social, não foram salvas pelos seus empreendimentos de inclusão e reconhecimento.[563] A negritude permanece o alvo de uma violência gratuita irredutível: não é subjetiva, mas absolutamente objetiva, não é contingente, mas necessária, não é relacional, mas essencial e ontológica.

Assim como Frank B. Wilderson, Norman Ajari postula que o estigma da negritude não pode ser revertido: a negrofobia continua cada vez mais forte; a

---

561 Cf. o subcapítulo intitulado "*Queer* e decolonial".
562 Cf. o capítulo anterior da Parte Dois deste livro: "O inconsciente contra um povo".
563 Frank B. Wilderson III, Hortense Spillers, Saidiya Hartman, Jared Sexton, *Afropessimism. An Introduction*, op. cit., p. 10.

sua base é um inconsciente anti-negro, uma economia libidinal que converte o sofrimento dos/as negros/as em modo de prazer dos/as brancos/as. Aqui, a ação política se torna vã, a resistência ou a autodefesa inúteis, a situação imutável. A melancolização da raça parece insuperável: o poder e suas normas estão tão bem integrados, tão internalizados, nessa volta do sujeito abjeto sobre si mesmo, que qualquer raiva ou alegria parecem insignificantes.

O racismo sistêmico, uma realidade que produziu, através da história de escravidão e colonização, a categoria de raça e seus efeitos atuais e mutáveis, passa a ser aqui uma necessidade insuperável, um sistema monolítico eterno. É exatamente essa postura fatalista de capitulação que considero importante transformar, na prática analítica, trabalhando com a resistência dos/as analisandos/as e sua autodefesa autorizada de si. Porém, meu argumento não deixa de ser situado: se sou racizado, com certeza não é como homem negro, e não tenho nenhuma experiência da violência racial vivenciada por esses/as autores/as, que os/as leva a condenar qualquer objetivo de mudança psíquica e social ao mais irredutível pessimismo. Contudo, sem pretender falar em nome de sujeitos designados de forma diferente, não seria precisamente essa brutalidade social, ou pelo menos a imobilização psíquica e a aceitação passiva provocadas por ela, que precisam ser transformadas?

Essa recusa ontológica da politização resulta numa refutação da interseccionalidade nas análises de raça e de estratégias de coalizão de lutas. Frank Wilderson e, seguindo seus passos, Norman Ajari, descartam as relações de gênero ou sexualidade como exteriores e irrelevantes para a reflexão sobre a negritude. De acordo com N. Ajari, essas relações tratam da identidade dos indivíduos, e não da ontologia das posições. Uma agenda negra radical emana, argumenta o filósofo, de uma condição de sofrimento que não pode ser de forma alguma reequilibrada social, política ou nacionalmente:[564] considerar os/as negros como sujeitos políticos acaba instrumentalizando-os/as em favor de outras agendas políticas, pós-coloniais, feministas, LGBTQIA+ ou em prol dos direitos de imigrantes e trabalhadores/as.

Mas a que estranha solidão e destino inexorável essa posição condena os ativistas/as negros/as? O que acontece com as possibilidades de resistência psíquica e política, e de ação coletiva, subjetiva e intersubjetiva? Essa perspectiva não acabará congelando qualquer possibilidade de elaboração psíquica num determinismo que anula a iniciativa individual e inter-relacional? O que ocorre, aliás, com a potência de agir e a subversão da ordem social por uma reivindicação de dignidade própria, que Norman Ajari recomendava em seu livro *La dignité ou la mort*? E o que acontece com o valor político da

---

[564] Frank B. Wilderson III, *Afropessismism*, New York, Liveright, 2020, pp. 14-15, *apud.* N. Ajari, p. 35.

"autoafirmação da dignidade" que "força a sociedade dominante a romper com seus próprios modos tradicionais de reconhecimento"?[565]

Essa negação de qualquer tentativa de transformação, real ou virtual, presente ou programática, não levará ao suicídio do pensamento e da ação? Essa condenação a uma repetição insuperável, uma designação inexorável, uma melancolia inescapável, me parece ser precisamente o avesso e o oposto de um trabalho analítico.

Foi essa mesma rejeição de coalizão das lutas que levou Norman Ajari a se dissociar do antirracismo político do Parti des Indigènes de la République.[566] A aliança, defendida por Houria Bouteldja, entre judeus/judias, ainda inassimiláveis na cultura branca, e árabes da França, apenas mascararia a diferença histórica irreconciliável entre negros/as e norte-africanos/as.[567] O que se pode pensar, porém, dessa generalização que, mais uma vez, ao colocar várias formas de racização umas contra as outras, só beneficia a hegemonia branca ameaçada por elas todas?

Contra a possibilidade de resistência, a alegria, o aumento do ser, proporcionados pela revolta, pela raiva e pela meta de transformação, Norman Ajari conclui seu livro com as seguintes palavras:

> É o 'amor revolucionário', afirmava Houria Bouteldja, que salvará os autóctones (indigènes). Como não desejar isso para eles? Mas, em contraste, os negros estão condenados ao ódio revolucionário. A lucidez negra se mede por seu ódio do mundo.[568]

Mas para onde esse ódio do mundo pode levar psiquicamente? Que efeitos ele tem sobre aqueles/as para quem é prescrito como uma cadeia inescapável? Quais são as possibilidades de ação que ele abre? Essa é a pergunta que também poderia ser dirigida a Frank B. Wilderson, que imagina uma ação suprema e revolucionária como a única saída da ação política vã, "uma violência tão magnífica e completa que assusta até mesmo os revolucionários radicais".[569] Quando solicitado a especificar do que está falando em

---

565 Norman Ajari, *La dignité ou la mort*, op. cit., p. 33.
566 Indigènes de la République (Autóctones – colonizados/as- da República) é o nome genérico de um apelo, uma associação e depois um movimento político que surgiu na França em 2005 e se tornou um coletivo antirracista e decolonial. Considera que a discriminação racial na França é generalizada e estrutural por ser ligada ao seu passado colonial. O movimento ganhou fama em janeiro de 2005 com o lançamento do "Appel pour les assises do l'anticolonialisme postcolonial: Nous sommes les Indigènes de la République!". A associação foi criada oficialmente em 2006.
567 "Mesmo quando sofrem violências semelhantes nas mãos do Estado, quando experimentam lado a lado os efeitos da islamofobia, das políticas de migração e dos controles policiais, os autóctones (*indigènes*) árabes ainda têm acesso a esse recurso secreto, tranquilizador e humanizador: os negros são como seus escravos", Norman Ajari, *Noirceur...*, op. cit, p. 181. Minha tradução.
568 Ibid., p. 188. Minha tradução.
569 Frank B. Wilderson, "Blacks and the Master/Slave Relation", in Frank B. Wilderson III, Hortense Spillers, Saidiya Hartman, Jared Sexton, *Afropessimism. An Introduction*, op. cit., p. 30. Minha tradução.

termos mais concretos e contra quem ou o que essa violência seria direcionada, Frank B. Wilderson responde:

> FW: Bem, a resposta curta é que cabe a mim saber e a você pesquisar [risos]. E a resposta longa é que, como professor, sou excepcionalmente pouco qualificado para responder aqui. Eu me contento em oferecer uma análise e depois receber os chamados para manifestação das pessoas na rua.[570]

Nessa ruptura radical entre o pensamento puro, gnósico, e a ação que ele envolve, entre a teoria ontológica etérea, e as consequências ônticas sociais e psíquicas que ela induz, o saber está na posição de mestre. Tal postura é exatamente oposta à perspectiva de uma psicanálise que vise ficar o mais perto da concretude clínica e pensar os efeitos políticos da sua teoria e prática.

---

570 Ibid., p. 31. Minha tradução.

Conclusão: perder o norte

A psicanálise não é uma prática política. Ela não visa intervir diretamente na esfera social, não tem um impacto imediato nas relações de poder e não defende nenhuma militância específica, exceto a da fluidez psíquica. Ela não trabalha diretamente para precipitar a derrocada das estruturas sociais - por mais desiguais que sejam - nem para incentivar revoluções haitianas. O objetivo da psicanálise não é enviar seus usuários para as barricadas, para coletivos militantes ou para o conforto individual de um salão Luís XV. Nesse sentido, e para honrar o princípio da abstenção, ela não pretende conduzir o/a analisando a agir de acordo com as convicções políticas do/a analista. Seria substituir irrevogavelmente o desejo do/a analisando/a pelo do/a analista, que pode até sonhar ser um Toussaint Louverture[571] ou uma Djamila Bouhired[572], mas reserva isso para si mesmo e identifica essa sua posição imaginária na análise da transferência.

A psicanálise é, porém, uma prática política. Ela não pode - e isso seria uma escolha política - considerar que o sujeito e o sujeito do inconsciente com que lida sejam fundamentalmente separados de um contexto sociopolítico que determina diretamente seus processos de subjetivação. Nesse sentido, ela não pode ignorar as relações sociais de raça, gênero, sexualidade, classe, capacidade e muitas outras, que produzem as normas sociais e psíquicas nas quais o/a analisando/a, o analista/a e todo o dispositivo analítico estão inscritos. Isso a levaria a perpetuar, por silenciamento e invisibilização, em seu próprio espaço clínico e psíquico, as exclusões e minorizações que um povo menor já padece na realidade externa. Esse apolitismo significaria simplesmente um cheque em branco para os sistemas dominantes, para as normas incontestáveis e para uma subjetivação que necessariamente se conforma a elas. Em termos raciais, esse chamado à ordem transformaria o/a analista supostamente neutro e universalista num oficial zeloso do ministério das colônias.

---

571 Toussaint Louverture foi o líder da revolta de escravizados/as mais exitosa da história do continente americano. Ele fundou a primeira república negra em 1804, tornando o Haiti o primeiro país da América Latina e do Caribe a conseguir independência de uma potência colonial europeia.

572 Djamila Bouhired foi uma ativista da Frente de Libertação Nacional durante a guerra de independência da Argélia. Ela foi presa em 1957 durante a Batalha de Argel, condenada à morte por participar dos bombardeios de 1956-1957 e liberada em 1962 após os Acordos de Evian.

A psicanálise é... não é.... Será acertado continuar a se pronunciar sobre isso? Essa perspectiva ontológica engessa o campo da psicanálise, e a identidade paranoica que ela promove não deixa de perpetuar as exclusões que toda ontologia produz. Talvez seja mais interessante incentivar uma definição em constante mudança da psicanálise, além da carceraridade da ontologia: em vez de "a psicanálise é...", "a psicanálise visa..., deseja..., opera..., circula..., elabora, desconstrói... e viaja..."

Em francês, o verbo "être" combina os dois significados do *esse* e do *stare* latinos, enquanto o espanhol, o português ou o catalão estabelecem uma clara distinção entre a essencialidade do *ser* e a transitoriedade do *estar*. Portanto, mais do que ser, ontologicamente, a psicanálise *está* uma prática que nada pode capturar de forma fixa. A psicanálise *está* política, assim como *está* antirracista, feminista e esclarecida: ela combate as discriminações decorrentes das relações sociais de poder, quando confrontada com seus efeitos psíquicos, e teoriza um sujeito do inconsciente que não pode ser isento dessas relações. Sua prática é um processo, não um estado: ela evolui e se transforma pelo contato com o que a clínica oferecer, mas também pelo estilo, específico a cada analista, que se desenvolve na encruzilhada da sua situação social, política e cultural, das suas construções subjetivas, e das elaborações construídas nas suas análises pessoais e nas suas supervisões. E fica claro que não se pode, com a arrogante confiança do Norte, pregar nas periferias de São Paulo, Bogotá ou Bamako o clichê parisiense de frieza altiva tão apreciado por varios/as analistas. A não ser que se queira reivindicar um estatuto de missionário.

Dependente dessa prática fluida que a precede e a determina, a teoria não é mais do que um benefício adicional, uma tênue aproximação que se adapta à fluidez da prática. Em sua encruzilhada, a psicanálise *está* mutável, móvel, mutante.

Como, então, evitar a ontologia em psicanálise? Como conceber uma prática clínica e uma metapsicologia que sejam singulares, mas permaneçam políticas? Que situem o sujeito no seu contexto social, mas evitem o dogma, a generalização ou o determinismo? Como não virarmos prescritores/as de uma teoria ou, pior ainda, de uma prática? Como não acabar criando uma nova doxa analítica?

Talvez, em primeiro lugar, tendo o cuidado de desontologizar: as identidades prescritas de racizados/as e brancos/as, por mais reais que sejam nas interações sociais, provêm de relações historicamente definidas e, portanto, contingentes. Embora essas relações possam mudar apenas no muito longo prazo - e o antirracismo político contribui para isso -, seus efeitos psíquicos não são inevitáveis. Um essencialismo da identidade é determinado pelas designações sociais, mas pode ser revertido e virar estratégia: a fixação provisória de uma identidade, mesmo que artificial, pode se mostrar taticamente útil na luta contra as discriminações. No plano psíquico individual, porém, essas identidades são passíveis de serem transformadas, além do determinismo social que as fixa: é pelo menos o objetivo do trabalho analítico provocar uma decalagem, um descentramento, uma desidentificação das prescrições sociais consideradas irremediáveis. A questão principal para uma prática psicanalítica menor é, portanto, reconhecer as exposições à vulnerabilidade, remover o silenciamento das vozes minoritárias, sem, porém, essencializar sua identidade.

Talvez também possamos afastar o risco da ontologia evitando nos levarmos muito a sério. Embora esse estudo pretenda ser sério na perspectiva que abre, na gravidade que aborda, e nas suas análises, não retira nenhuma convicção complacente de seus resultados. E a prática analítica que o sustenta, mas que também é, por sua vez, renovada por ele, não pretende, de forma alguma, dar lições. Trata-se de um fazer sem crer demais, de *estar* analista em vez de sê-lo, de uma desidentificação permanente.

Nada poderia ser mais apropriado, então, do que seguir o programa que Fernando Barrios alegremente propõe para a psicanálise: de/generá-la, libertá-la das prescrições historicamente situadas do gênero, da sexualidade e da raça, mas também da imposição do que deveria ser um gênero psicanalítico, um estilo de pensamento e escrita.[573]

Des/generá-la significa des-heterossexualizá-la, "bichizá-la", "zapatonizá-la", desbinarizá-la, desviá-la, pervertê-la, torcê-la: resolver sua relação endêmica com o patriarcado e suas opressões de gênero e sexualidade. Isso implica, como Fabrice Bourlez convida a fazer, queerizá-la para ouvir - que ouvir?[574] - outra coisa.[575] Significa dessacralizá-la e revelar a discriminação que uma certa psicanálise perpetra e oculta ao virar polícia das sexualidades, das sexuações e das racializações, garante da boa circulação do falo. Se trata de devolver à psicanálise seu potencial de perturbação: colocá-la de volta no lugar em que primeiro incomodou as consciências do Ocidente, assim como hoje esses outros discursos a estão incomodando. E talvez, como lembra Fernando Barrios, de/generar a psicanálise também significa retomar uma ética do dizer que lhe é específica: falar ou escrever só a partir de si mesmo, sobre o que nos concerne, nos envolve, nos constitui. E mais uma vez surge aqui a questão da subalternidade: para aqueles/as que foram falados/as, teorizados/as, objetivados/as e subjetivados/as por outros/as, o que a psicanálise significa quando eles/elas tomam a palavra? De/generar a psicanálise significa descolonizá-la: romper com o paradoxo de que os/as autores/as que desestabilizaram a cultura do Norte se tornem, no Sul, um *statu quo* que gera um efeito colonizador. Nesse sentido, a psicanálise europeia tem tudo para aprender dos desenvolvimentos atuais da *Améfrica Ladina* com sua colonialidade e descolonialidade, suas hibridações e seus

---

[573] Fernando Barrios, *De/generar psicoanálisis,* Montevideo, Witz Editor, 2023.
[574] Fabrice Bourlez efetua aqui um jogo de palavras entre "queer" e "qu'ouïr" (o que ouvir?).
[575] Fabrice Bourlez, *Queer psychanalyse: clinique mineure et déconstructions du genre*, Paris, Hermann, 2018.

recentramentos fora da Europa. Para não se limitar ao seu estatuto de invenção eurocêntrica decorrente de um logos colonial, a psicanálise precisa literalmente perder o Norte, ficar à deriva, vagar, peregrinar, circular, viajar, migrar. A migração, aponta Seloua Luste Boulbina, permite pensar uma descolonização dos saberes, na linha das "teorias viajantes" de Edward Said.[576] Seu ambiente é flutuante, líquido, movediço, marítimo: se trata de "nadar entre duas águas"[577], por um processo de descolonização não linear, que não coincide com as independências, e não se refere a um período histórico, mas a um trabalho sobre si.[578] Essa é uma nova revolução copernicana, uma "provincialização" na qual "os europeus precisam perceber o que lhes é oferecido por outros, não europeus".[579] Trabalho de si sobre si, técnica de si, estratégia de resistência contra as estratégias de poder, são descrições da perlaboração analítica, "*Durcharbeitung*" em alemão, "trabalho através", que opera por repetição subversiva, deslocada, descentrada.

E, mais uma vez, surge aqui a questão da subalternização: o que caracteriza os/as intelectuais do "Primeiro Mundo", ressalta Seloua Luste Boulbina, é a disjunção que eles/as operam entre enunciado e enunciação, posição dominante invisibilizada e valores igualitários reivindicados. O particularismo do ponto de vista a partir do qual falam e o universalismo incondicional que defendem parecem introduzir uma separação, segundo S. Luste Boulbina, entre o que eles/as são e o que eles/as fazem. Um discurso institucionalizado pode ser definido por essa disjunção entre enunciado e enunciação. Entretanto, embora seja tecnicamente possível repetir enunciados e reiterar discursos que visam maior justiça ou igualdade, a enunciação a partir da qual são proferidos permanece inimitável.[580] Escutar a raça no divã, perguntar o que ela faz à psicanálise, significa deixar essas enunciações inimitáveis falarem, quer provenham de analisandos/as confrontados/as com questões de raça, de analistas descentrados/as ou de produções analíticas não europeias, para além da violência epistêmica que consiste em amordaçá-las pelo Universal.

***

Um sujeito não precede o sistema racialista que o produz: se subjetiva ao internalizar as normas que o definem como branco ou racizado. O ato analítico tem como objetivo destacar a contingência dessas normas, mas também interromper algo da repetição pela qual esse sujeito se produz regularmente.

---

[576] Seloua Luste Boulbina, "La décolonisation des savoirs et ses théories voyageuses", *Rue Descartes* 2013/2 (n° 78), p. 19-33.
[577] Seloua Luste Boulbina, *Les Miroirs vagabonds ou la décolonisation des savoirs (art, littérature, philosophie)*, Paris, Les Presses du Réel, 2018, p. 14.
[578] Ibid., p. 25.
[579] Seloua Luste Boulbina, "La décolonisation des savoirs et ses théories voyageuses", op. cit., p. 19. Minha tradução.
[580] Ibid.

Operam aqui simultaneamente uma desconstrução das identidades designadas, a saída de um tipo de individualização pela raça, e a promoção de novas formas de subjetividade em resistência à melancolização da raça. Os corpos racizados, pois, se vigiam, acompanham seus gestos por uma reflexividade constante, e não podem se distrair sem colocar em risco sua dignidade ou sua vida.[581] Seu ponto de situação está fora de si: não prevalece o "aqui" do corpo próprio, mas o "lá" do outro corpo percebido como branco, a partir do qual o corpo racizado se situa, se orienta, busca o norte e se extravia. O objetivo de uma escuta da raça no divã seria provavelmente restaurar um centro de gravidade para corpos alienados, desorientados, que perderam o Sul.

---

581 Houria Bentouhami, *Judith Butler. Race, genre et mélancolie*, op. cit., pp. 58-59.

Além do princípio da branquitude
(a título de posfácio).

Eduardo Leal Cunha

Freud, na introdução de um dos seus famosos relatos clínicos, nos diz que é necessário falar abertamente, sem hipocrisia, das coisas sexuais. Thamy Ayouch nos lembra que chegou, para a psicanálise, a hora de falar francamente, sem pudor, das coisas sociais. E, se possível, vencer a distância que durante algumas décadas a separou da política.

Para alcançar o objetivo principal deste livro – discutir os efeitos subjetivos, do racismo e seus mecanismos psíquicos, ao tempo em que interpela a psicanálise quanto ao silenciamento frente a esses efeitos, Thamy usa ferramentas genuinamente psicanalíticas e nos oferece, ao mesmo tempo, algo significativo: a análise que a própria psicanálise precisa, não apenas enquanto corpo teórico, mas em sua forma concreta, cotidiana, considerando o que de fato se faz nos consultórios e instituições, suas implicações e consequências.

Em seu percurso, enfrenta questões difíceis e aponta, corajosamente, limites das obras de Sigmund Freud e Jacques Lacan, numa delicada operação de desidealização da psicanálise e de desidentificação com nossos pais fundadores, que se articula diretamente à sua contextualização histórica. Como bom analista, o faz a partir daquilo que é silenciado, do que não pode ser enunciado. E também de afetos que não encontram saída.

Também como bom analista, nos deixa perguntas e tarefas. Afinal, de que modo a discussão proposta por Thamy incide sobre a psicanálise pensada e praticada no Brasil? Nos aventurarmos nessa interrogação nos fará enfrentar não apenas dificuldades clínicas ou teóricas, mas também temas tabu e consensos incontornáveis que, entre nós, bloqueiam o debate e a invenção.

Assim, o primeiro efeito d'*A raça no divã* é nos colocar também no divã: finda a leitura resta, portanto, muito a elaborar, ou *perlaborar*, no sentido propriamente freudiano de *Durcharbeitung*.

Podemos começar nos perguntando porque precisamos que um professor da Universidade de Paris venha nos falar sobre racismo, algo que efetivamente faz parte do nosso cotidiano.

Mas não é esse, mais uma vez, o trabalho do psicanalista – um terceiro, estranho, estrangeiro, que vem nos fazer dizer o que não conseguimos pensar, que vem nos apontar nossos pontos cegos, silêncios, recalques?

Mais que isso, ao trazer autoras brasileiras para o debate, Thamy nos mostra aquilo que por muito tempo não conseguimos ver, mas nos diz, sobretudo, que para compreender o que nos diz, basta que olhemos com mais atenção para nós mesmos e para aqueles que, a nosso lado, por muito tempo não foram de fato percebidos.

Uma questão subjacente a este livro, de modo particular em suas edições latino-americanas, é qual pode, mais do que deve, ser a relação entre as psicanálises e os psicanalistas do Brasil, ou do sul global, e da França; ou, inversamente, que lugar a metrópole freudo-lacaniana ainda pode ocupar, sobretudo no imaginário e nos desejos, de suas ex-colônias.

Se não precisarmos mais sermos – ou parecermos – franceses, como o sorriso ladino de Thamy parece sugerir, qual será nosso devir?

Não seria o de uma psicanálise à brasileira, latina ou periférica, mais leve e afirmativa, menos associada à moralidade cristã da renúncia ou às artimanhas do dispositivo de sexualidade formatado na Europa dos séculos dezoito e dezenove? Menos submissa, quem sabe, à lógica da patologia e à sedução da psicologização. Psicanálise capaz, ao mesmo tempo, *et pour cause*, de se engajar não apenas no combate ao racismo, mas sobretudo na luta pela transformação das nossas existências e dos nossos modos de vivermos juntos. Luta por um mundo menos desigual, precisamente porque marcado pelo reconhecimento da diversidade humana e dos múltiplos sentidos que um termo como *humanidade* pode ter.

Thamy nos faz acreditar que é possível essa psicanálise situada, pensada e praticada por psicanalistas marcados por sua própria cultura e história, capazes de escutar sujeitos não ideais e não universais, aqueles que não se enquadram no tipo ideal do analisante, ao menos como é descrito e formatado na maioria dos textos que encontramos por aí. Não por acaso, Thamy se tornou referência estratégica para os jovens analistas brasileiros, especialmente aqueles que se declaram pretas e pretos ou se reconhecem nas letras LGBTQIAP+.

Thamy nos convoca a tomar posição e questionar nosso lugar não apenas em relação ao letramento racial, mas quanto à ação efetiva na clínica e a nosso lugar social, posto que somos, ao menos em nossa grande maioria, brancos, ou pretensamente brancos, e também majoritariamente cisgêneros, heterossexuais e pertencentes a alta classe média de um país ainda dividido entre pessoas e coisas.

Mas se a política está na clínica, nem uma nem outra dispensa a reflexão teórica rigorosa, da qual tivemos testemunho significativo, como já anunciava o lindo prefácio de Isildinha Baptista Nogueira. O que implica termos pela frente tarefas também dessa ordem, de preferência diretamente articuladas tanto à nossa prática supostamente comum, quanto a nossos embates e dissensos.

Ofereço-lhes, agora, aquelas questões que mais me tocam, que me parecem decisivas, que de algum modo, durante ou mesmo após a leitura, enquanto decidia se a celebrava, e me apaziguava, com vinho ou cachaça, ressoaram como ecos ou trovões.

Começo pela dita questão identitária, ressaltada na discussão do racismo e da raça, e no modo como esta se segue, no pensamento de Thamy, ao debate sobre gênero e sexualidade. Já deveríamos estar *convencides* das articulações necessárias entre as questões do gênero, da raça, das dissidências sexuais e da colonialidade, que não por acaso são frequentemente desqualificadas ou desmentidas com base no recurso simplório e intelectualmente desonesto da acusação de *identitarismo*.

Questão não apenas quanto ao lugar das identidade e, mais amplamente, das demandas de reconhecimento na clínica psicanalítica, mas relativa aos modos como respondemos hoje, de forma prática ou teórica, à pergunta: quem sou eu?

Como deixam evidente as críticas de Thamy ao universalismo pretensamente não identitário de muitos psicanalistas, tal questão diz respeito às fronteiras do humano e aos modos como a cada tempo histórico, as construímos e legitimamos com base em uma determinada racionalidade, apoiados por um amplo conjunto de discursos, práticas e instituições. Fronteiras que muitas vezes pretendem decidir quais vidas merecem ou não merecem viver. Afinal, qual será o lugar, ou lugares, que a psicanálise pode ou deve ocupar na demarcação dessas fronteiras, ou, ao contrário, em sua desconstrução?

O que está de fato presente, como não dito, desmentido ou recalcado nessa tão contemporânea querela identitária? Inclusive no que se refere ao lugar da identidade como categoria analítica necessária à compreensão psicanalítica da experiência subjetiva, ou ao problema teórico das identificações – categoria que, já em Freud, pode descrever tanto um mecanismo primário de associação de representações, como na Interpretação dos sonhos – quanto o vínculo afetivo central das formações de massa ou elemento decisivo dos processos de formação do eu e do supereu.

Como temos lidado com tal multivocidade do conceito e como precisamos lidar com o fato de que a identificação seja tomada, frequentemente, em sentido tão próximo do seu uso corrente, como processo de formação de uma identidade? Por outro lado, como poderíamos aplicar – critica e politicamente – a teoria freudiana da formação de grupo, presente no clássico sobre a psicologia das massas, ao próprio grupo dos psicanalistas, às vezes demasiado semelhante a uma igreja ou exército?

Da teoria (de volta) à política: como responderemos ao furor *anti-identitário* presente também no Brasil? Thamy nos traz uma defesa consistente de tudo aquilo que tem sido vilanizado – muitas vezes pelo recurso ao significante coringa do identitarismo – por boa parte do discurso psicanalítico, sobretudo através de porta vozes como Elizabeth Roudinesco e Jean-Pierre Lebrun, que costumam ainda fazer sucesso nesses nossos tristes trópicos, muitas vezes se anunciando representantes da verdadeira psicanálise.

O recurso à contextualização histórica, por sua vez, a decisão de reconhecer e buscar uma história das teorias psicanalíticas, que as reconectem com o tempo e o lugar da sua produção, traz consigo não apenas a assunção de sua diversidade e a superação da ideia de que haveria uma verdadeira psicanálise não apenas superior às outras, mas capaz de substituí-las na consideração de não importa qual impasse clínico ou mesmo sócio-politico. Tal assunção da dimensão histórica tem como efeito maior, como nos ensina Renato Mezan, a abertura à produção do novo, a hospitalidade ao inédito; e é de olho nessa possível produção de novas elaborações teóricas das nossas vivências concretas, na clínica como fora dela, que devemos retomar mais alguns dos desafios teóricos deixados pela leitura que acabamos de fazer.

Por exemplo: qual o impacto da ideia de trauma racial, diretamente articulado ao ambiente social, cultural e político, mais do que a um acidente no percurso individual, sobre a própria noção de trauma? Quais as implicações dessa enunciação de um trauma banal, cotidiano e recorrentemente desmentido, para a nossa ideia de trauma como evento decisivo, único, dos processos de estruturação subjetiva?

Tendo reconhecido o lugar necessário dos afetos na transferência e também na transformação social da psicanálise, admitidos os poderes da raiva dirigida ao analista como prática de liberdade, como resistência necessária, resta ainda falar sem meias palavras ou meias verdades das relações de poder na psicanálise, sobretudo quando não desmentimos a realidade de que esse poder eventualmente se converte em dominação, como temos visto acontecer nos últimos anos, quando fomos levados a falar da necessidade de analistas seguros. Thamy, nos deixa mais uma vez, como também tem feito recorrentemente Joel Birman, frente à questão do poder na transferência e na transmissão da psicanálise. O que faremos com isso, acostumados, nós, talvez mais à servidão voluntária que ao protagonismo?

Por fim, haverá uma hierarquia necessária ou mesmo possível entre a subjetividade historicamente situada, descrita por Michel Foucault, e o sujeito do inconsciente, enunciado por Jacques Lacan? Haverá um sujeito que se ocultaria, sob ou por trás da subjetividade da nossa época? Podem essas duas noções conviver ou não, e com quais implicações? Acredito que seja necessário investigar formas de articular a ideia de que o poder cria sujeitos, e de que o racismo e a colonialidade definem formas e processos de subjetivação, produzindo subjetividades, à noção de *sujeito do inconsciente*.

Devo certamente a Thamy essas questões, e mais algumas outras ainda ressoando em minha alma, que podem configurar um ou mais planos de trabalho.

Haverá mais, contudo, a aprender além do que Thamy nos ensina. Superadas a ilusão de categorias universais e a suposição de que ideias e práticas surgem e se mantém sem relação com seu contexto histórico, situada a psicanálise em seu tempo e lugar, cabe então pensar que questões seriam propriamente nossas, nativas, vinculadas indissociavelmente a nosso lugar, concreto, de brasileiras e brasileiros; resta a urgência de decidir que teoria precisamos, com que forma e conteúdo, centrada em quais desafios e com qual estatuto e pretensão. Que metapsicologia, enfim, para o século vinte e um na periferia do capitalismo neoliberal das *big techs*?

Só ao nos aventurarmos por esse gênero de indagação poderemos responder de fato à convocação, repetida ao longo dessas mais de duzentas páginas, para nos posicionarmos politicamente e nunca mais confundirmos abstinência com isenção ou neutralidade. Só trabalhando teórica e politicamente, poderemos perseguir o horizonte emancipatório delineado por Thamy Ayouch, no qual vislumbramos uma psicanálise que não se furta à utopia, que recusa o mundo tal como é e se engaja na possibilidade de construção de outras formas de existência e de novos modos de vivermos juntos.

Por isso, encerrando este posfácio, preciso fazer um convite ao autor e outro a seus leitores, convites que são provavelmente deslocamentos de um mesmo desejo: a Thamy, o chamado a se aventurar em um Brasil que vá além do eixo sul/sudeste, que venha mais à Bahia, ao que no sul se chama genericamente nordeste, ao norte, ao centro oeste e a seus "interiores"; a meus colegas, o anseio de que na próxima vez que nos levantarmos para aplaudir de pé nosso companheiro de luta vindo de além mar, tenhamos entre nós mais colegas pretas, pretos, trans, bichas e faveladas; e que do seu lugar de fala, ele perceba imediatamente, e não apenas pela língua, que já não está mais na velha Europa e sim em um novo mundo.

Dados Internacionais de Catalogação na Publicação (CIP)
(BENITEZ Catalogação Ass. Editorial, MS, Brasil)

A983r	Ayouch, Thamy
1.ed.	A raça no divã / Thamy Ayouch. – 1.ed. –
	Salvador, BA : Devires, 2025.
	254 p.; 14 x 21 cm.
	Bibliografia.
	ISBN 978-85-93646-81-2
	1. Interseccionalidade. 2. Psicanálise.
	3. Racismo – Aspectos sociais. 4. Relações étnico-raciais. I. Título.

03-2025/04   CDD 158.1

Índice para Catálogo Sistemático :
1. Racismo : Aspectos psicológicos : Psicanálise 158.1
Aline Graziele Benitez – Bibliotecária – CRB-1/3129

Qualquer parte dessa obra pode ser reproduzida, desde que citada a fonte. Direitos para essa edição cedidos à Editora Devires.

Av. Ruy Barbosa, 239, sala 104, Centro – Simões Filho – BA
www.editoradevires.com.br

n-1

O livro como imagem do mundo é de toda maneira uma ideia insípida. Na verdade não basta dizer Viva o múltiplo, grito de resto difícil de emitir. Nenhuma habilidade tipográfica, lexical ou mesmo sintática será suficiente para fazê-lo ouvir.
É preciso fazer o múltiplo, não acrescentando sempre uma dimensão superior, mas, ao contrário, da maneira mais simples, com força de sobriedade, no nível das dimensões de que se dispõe, sempre n-1 (é somente assim que o uno faz parte do múltiplo, estando sempre subtraído dele). Subtrair o único da multiplicidade a ser constituída; escrever a n-1.

GILLES DELEUZE E FÉLIX GUATTARI